Dromen van geluk

Van dezelfde auteur:
Als de ochtend gloort
Als de zon wil schijnen
Christine
De dochter des huizes
De drempel van het leven
De vreugde van het leven
Het jaar van de maagden
Waar liefde bloeit

Catherine Cookson

Dromen van geluk

Uitgeverij Areopagus

Oorspronkelijke titel: A Ruthless Need (Bantam Press)
Vertaling: Annet Mons
Omslagontwerp: Hesseling Design, Ede

Vierde druk

Afscheid nemen is alles wat we van de hemel weten
en alles wat we van de hel nodig hebben.

Emily Dickinson 1830-1886

Deel een

MET VERLOF, 1937

1

'Wat zie jij er raar uit, Geoff; net zo'n komische spion uit de film: lange, zwarte regenjas en zwarte pet. Dat is bij je vader niet zo.'

'Toch wel, maar bij hem ben je eraan gewend.'

'Maar waarom trek je dit alles toch aan? Het is een donkere avond, en het regent niet.'

'Nou, als u het dan zo graag wilt weten...' De lange jongeman boog zich omlaag naar zijn moeder, wier hoofd net tot zijn schouder kwam, en fluisterde op vertrouwelijke toon: '...Het komt zó, mevrouw Fulton – ik zit nu al vier jaar in het leger, zoals u weet, maar in de eerste weken heeft mijn bovenstebeste korporaal me bijgebracht dat ik al mijn koperwerk moest laten blinken, zoals de bijbel dat zegt, als een licht in de duisternis. Maar dan overdag. En weet je wat die malloot daarna zei? "Maar wat jullie ook bij de natuurkundeles mogen hebben geleerd, kogels ketsen niet af op koper. Dus, stelletje sukkels dat jullie zijn, smeer je d'r wat op of plak je ze af, voordat je de duisternis trotseert." '

'Ach jij!' Zijn moeder had eerst op haar wandelstok geleund, maar ze hing die nu over de rugleuning van een stoel voordat ze de revers van de zwarte regenjas vastgreep in een poging haar zoon door elkaar te rammelen, terwijl ze zei: 'Jij verandert ook niets, hè? Grapje, grapje, grapje. En trouwens, nu je sergeant bent, wat zou jij dan de jongens onder je bevelen te doen?'

Hij greep haar handen, legde ze bij elkaar, en zei op ernstiger toon: 'Ik zou ze niets bevelen. Tegenwoordig beveel je niet, je vráágt ze iets. Soldaat Reginald Jonson Smith, heb je er bezwaar tegen als ik je vraag of jij je spullen iets netter wilt onderhouden, gewoon als voorbeeld voor de rest van de jongens, weet je wel?'

'Ach jij!' zei ze weer, terwijl ze haar handen terugtrok; daarna pakte ze haar stok, wendde zich van hem af en voegde eraan toe: 'Ik zou het wel eens fijn vinden als je vijf minuten serieus kon zijn, en me vertelde wat er werkelijk gebeurt.'

Terwijl ze door de kamer hobbelde, keek hij haar na. Van achteren bekeken kon ze voor een jong meisje doorgaan. Ze was altijd slank en knap geweest, heel verfijnd. Hij kon zich herinneren hoe ze er had uitgezien toen hij twaalf was. Hij was altijd heel trots op haar geweest, had haar vergeleken met de moeders van de andere jongens op school. En als, wat soms gebeurde, ze uit rijden ging en langs school kwam en hem naast zich omhoog trok, voelde hij zich overgeplaatst naar een tijdperk waarin ridders in harnas dames redden door hen in het zadel te hijsen en er in galop met hen vandoor te gaan. Het maakte niet uit dat het in dit geval een dame was geweest die voor het hijsen had gezorgd; het had hem nog steeds een geweldig gevoel gegeven. Toen had ze op een dag te snel gereden en geprobeerd te hoog te springen. De gevolgen hadden erger kunnen zijn, ze had voor haar leven op haar rug kunnen moeten liggen; maar haar heup was in elk geval onherstelbaar beschadigd en na verloop van tijd was er reuma bij gekomen. Toch was ze, althans uiterlijk, altijd opgewekt gebleven; naar wat ze innerlijk doormaakte kon hij slechts raden. Ze had echter één troost: ze had haar muziek.

Toen ze op haar pianokruk ging zitten, zei ze met een lach: 'Je denkt toch zeker niet dat je Ted Honeysett kunt pakken, hè?'

'Waar dacht je anders dat ik voor op stap ging?' Hij liep naar haar toe. 'Ik kan je wel vertellen dat ik hem gisteren nog heb gezien, zo brutaal als de beul, terwijl hij een grote aktetas van de bagagedrager van zijn fiets haalde en daarmee naar de achterkant van het hotel in Durham liep, met een uitgestreken smoel. En toen kwam hij weer terug, nog steeds met die tas, en met een voldane grijns op zijn gezicht.'

'Ik kan me niet voorstellen hoe Ted Honeysett voldaan kijkt. Trouwens, wat zou je doen als je hem kon betrappen?'

'Ik zou hem de stuipen op het lijf jagen.'

'Welnee,' – ze keek even omhoog, terwijl ze haar lippen spottend samenkneep – 'je hebt Ted je hele leven gekend. Kun jij je voorstellen dat iemand hem ooit de stuipen op het lijf kan jagen?'

'Ja hoor. Echt wel. Er zijn verschillende manieren om dat te doen. Ik zou er bijvoorbeeld mee kunnen dreigen dat ik hem naar het Grote Huis sleep.'

'Poeh!' Ze schudde lachend haar hoofd. 'Dat moet ik zeker geloven! Jou kennende zie ik je eerder de heer Ernest Bradford-Brown naar de rivier slepen om hem eens goed onder te houden.'

'Ik ben vier jaar weggeweest, mam, vergeet dat niet. In die tijd kan er veel gebeuren. Misschien heb ik nu wel een andere mening over die heer.'

Ze glimlachte en zei: 'Jij niet. Weet je nog wat je tegen hem hebt gezegd toen je de binnenplaats van het Grote Huis afliep, en wat hij van jou met dat baantje mocht doen? En je was toen pas achttien. En zal ik je nog eens iets zeggen?' Ze glimlachte niet meer, maar knikte ernstig toen ze verderging: 'Hij was in staat geweest je vader de laan uit te sturen als hij hem niet zo hard nodig had gehad. Ja, dat was echt kantje boord. En dan zal ik je nog iets anders vertellen: het is maar goed dat dit huis niet op het terrein zelf staat, anders waren we er, net als de familie Rice, pardoes uitgezet. Hij kan het gewoon niet uitstaan dat het ons eigendom is. Hij loopt voortdurend tegen je vader te zaniken dat hij het moet verkopen. Ik denk dat dat een andere reden is waarom hij hem heeft aangehouden, want nadat jij die ontploffing had veroorzaakt, en het was écht een ontploffing, heeft de rest van de mannen meer loon gekregen. Ze hebben niet alles gekregen wat ze wilden, maar ze kregen iets, en hij gaf alleen maar toe omdat hij niet wilde dat zijn naam er nog zwarter op werd. En kijk maar wat hij met de familie Rice heeft gedaan. Als ze niet gewillig – of liever gezegd stilletjes – waren vertrokken, had hij het hele stel ontslagen: Peter, de kleine Michael, en Sally. En omdat werk nou eenmaal moeilijk te vinden is, en Bella een slechte gezondheid heeft... wat hadden ze anders moeten doen? En dat allemaal omdat weekendhuisjes meer geld opbrengen. Hij had in geen jaren een penny aan dat huis uitgegeven, maar zodra hij hen eruit had, liet hij water en elektriciteit aanleggen en ik weet niet wat al meer. En weet je hoeveel hij ervoor heeft gekregen, samen met een halve hectare land en visrechten?'

'Nee.'

'Vierduizend pond. Een zekere Kidderly heeft het gekocht. Hij komt er alleen maar in de weekends. Een beetje een rare snoeshaan, voorzover ik heb begrepen. Maar' – ze glimlachte weer – 'als je Ted wilt inrekenen, denk ik dat je maar eens moest gaan, anders is het middernacht voordat je terug bent.'

Ze zag hoe hij een stuk bladmuziek oppakte en de pagina omsloeg. Hij zei: 'Ach, het doet er niet toe. Ik kan ook van gedachten veranderen.' Ze gaf niet direct antwoord, maar bleef hem een paar seconden aanstaren en vroeg toen rustig: 'Wat is het? Verveel je je?'

Hij draaide zich naar haar om. 'Ja, ik denk dat je dat wel zou kunnen zeggen... een beetje.'

'Waarom ga je niet naar De Haas om een babbeltje te maken met de mannen?'

'O mam,' – hij stak zijn vierkante kaak naar voren – 'ik ben er de afgelopen vijf dagen al twee keer geweest, en waar heb ik naar moeten luisteren? Ronald Coleman die probeerde zijn naamgenoot na te doen, en overal over zijn veroveringen loopt op te scheppen. Het lijkt wel of hoe verder hij weggaat, hoe smeriger zijn avontuurtjes worden. En Peter Campbell, die opschept over hoe hij in een uur meer bakstenen kan metselen dan jij in de muren van Jericho zou kunnen vinden. En ja, dan heb je May nog...' – zijn toon veranderde –, 'lieve May, achter de bar, die de pinten bier met haar buste over de tap schuift!' Hij schudde zijn hoofd terwijl hij ernstig verderging: 'Ik weet niet hoe ze 't doet. Ze heeft ze vast opgevuld. Ze kunnen nooit vanzelf zo zijn gegroeid, wel? Het is jammer dat mijn jongens ze niet kunnen zien; ze zouden er op slag stiekem tussenuit knijpen, alleen maar om die dingen te zien. En dan heb je nog 'Arry, die probeert geen druppel aan zijn neus te laten hangen als hij een pintje tapt...'

'O, hou op! Hou op!' Bertha Fulton sloeg dubbel van het lachen en de tranen stroomden over haar wangen terwijl ze naar adem snakte. 'Is dat de manier waarop jij hen ziet?'

'Dat is hoe ze zijn, mam, er is niets veranderd. En dan heb je de lieden die even langskomen en hopen met gepaste eerbied te worden begroet. Hobson en Ryebank zijn de ergsten. Ze kermen over alle kommer en kwel van het boerenbestaan, en de hongerprijzen die ze voor hun gewas krijgen. Maar Hobson, heb ik gezien, heeft een schitterende schuur neergezet, en Ryebank krijgt een nieuwerwets apparaat in zijn koeienstal voor het melken. De stumpers, de hongerlijders.'

Na een poosje droogde Bertha langzaam haar ogen en verklaarde op vlakke toon: 'Je zou willen dat je verlof om was, hè? En dat je weer op weg was.'

'Nee, nee, mam. Echt niet.' Hij kwam vlug naar haar toe, liet zich op zijn hurken zakken en greep haar handen terwijl hij zei: 'Pap en jij vormen het enige houvast in mijn leven; en bij ieder verlof hoop ik te ontdekken dat er niet weer iets is veranderd. Maar als dat wel zo is, ik bedoel buiten, in de omgeving, irriteert me dat zo mateloos dat ik de neiging krijg om erop los te slaan. Ik denk dat dat komt door alles wat ik heb gezien en ontdekt toen ik weg was. Het leven is daar heel anders. Dit gehucht had wel op een andere planeet kunnen liggen. Weet je dat wel, mam?'

Bertha keek neer op hun ineengeslagen handen en ze vroeg kalm: 'Zou het anders zijn geweest als je niet te horen had gekregen dat Janis Bradford-Brown zich had verloofd?'

Hij liet haar langzaam los en richtte zich op. Daarna trok hij de revers van zijn vaders jas recht en knoopte de ene kant onder de kraag vast terwijl hij zei: 'Mam, waar héb je het over? Dat was alleen maar een droom.'

'Volgens mij was het twee jaar geleden niet echt een droom.'

'Natuurlijk wel.' Hij fronste zijn dikke zwarte wenkbrauwen, zodat ze over zijn diepliggende bruine ogen staken toen hij uitviel: 'Wat voor kansen hadden we anders? Het was alleen maar een beetje vertier voor ons allebei. Heimelijke opwinding om alle sleur te doorbreken. Het begon opnieuw toen ik zestien was, dat weet jij ook. Het was het feit dat we haar lieve papa te slim af waren, dat ons gaande hield, want zij moest al net zo weinig van hem hebben als ik, dat weet ik zeker. En denk eens aan alles wat er had kunnen gebeuren als hij er toen enig vermoeden van had gehad. Dat hield ons scherp. Dus wees op dat punt maar gerust, mam.' Hij knikte naar haar, en ze keek naar hem op en vroeg: 'Waarom is het dan zo lang doorgegaan?'

Hij kneep zijn lippen opeen, haalde zijn wijsvinger onder zijn lange, smalle neus door en antwoordde toen: 'Nog steeds hetzelfde; opwinding, denk ik, en ik ben nou eenmaal een brave soldaat, dapper en stoutmoedig... weet je nog dat liedje van vroeger?' Hij zong nu met een heldere tenor:

'Ik ben echt bang voor niets,
Dus staak dat stom gesnater.
Maar ik krijg 't doodsbenauwd,
Met m'n koppie onder wa-ha-ter!'

'Maak dat je wegkomt! Ga nu maar gauw.'

'Vind je 't niet erg om alleen te zijn?'

'Ja, dat wel. Ik mis je vader heel erg. Het is de eerste keer in jaren dat hij 's nachts van huis is. Natuurlijk moest Henry uitgerekend nu jij met verlof bent doodgaan. Henry deed de dingen altijd op onhandige momenten. Ik wed dat de laatste woorden tegen je vader waren: "Waarom moest jij nou zo nodig trouwen?" Hij heeft het hem nooit vergeven dat hij is getrouwd, weet je. Omdat hij je vader heeft grootgebracht dacht hij dat hij zijn vader en moeder tegelijk was. Maar één ding weet ik zeker: je vader zal nog geen penny van al zijn spaargeld krijgen, gewoon uit angst dat ik het zou uitgeven... Hoor eens, ga je nou nog of niet? Ik wil vanavond ook nog een keer naar bed.'

'Je hoeft echt niet voor mij op te blijven.'

'Ik blijf op tot jij terugkomt. Ga nou maar. Ga in elk geval een eindje wandelen om alle muizenissen te verjagen. Vooruit,' besloot ze zacht.

Hij knikte haar toe. Daarna liep hij de lange, smalle kamer uit, door een al even lange en smalle gang, naar de keuken met de tegelvloer, de achterdeur uit, over de grote, geplaveide binnenplaats met daaromheen gebouwen die ooit paardenboxen en koeienstallen waren geweest.

Hij nam niet de korte oprit die naar de weg voerde, maar stak de binnenplaats over en liep naar het land. Hij knipte zijn zaklantaarn aan toen hij over het weiland liep, het enige stuk land dat nog resteerde van de ooit welvarende boerderij die van zijn grootvader van moederszijde was geweest.

Hij sprong over het stapelmuurtje en kwam terecht op een smal landweggetje dat aan de andere kant werd begrensd door een ruige haag die over een omheining van draad groeide.

Hij bleef even staan, omdat hij niet kon besluiten of hij het privé–terrein via een van de gaten in de haag wilde binnengaan, of een wandeling over de weg wilde maken.

Als hij besloot zijn eerste gedachte te volgen, en hij slaagde erin Ted in de kraag te grijpen, dan had hij in elk geval iets om om te lachen. Zijn vader was daar nooit in geslaagd – dat zei hij tenminste. Maar zijn moeder zei dat zijn vader de stroper meer dan eens had gegrepen, maar dat hij hem weer met een waarschuwing had laten gaan vanwege de reeks kleine kinderen die hij groot te brengen had. Maar dat was alweer enige tijd geleden, want Billy, zijn oudste, was nu zeventien, Arthur was zestien, en Katy vijftien, en ze hadden allemaal werk. Er waren er nog drie op school, en nog wat die nog jonger waren, maar 's winters was alles nog steeds heel moeilijk. In het voorjaar en in de zomer boden de boerderijen 'de wezel', zoals hij hier in de buurt werd genoemd, voldoende los werk aan, maar het was algemeen bekend dat Ted nooit iets boven tafel deed als hij het eronder kon doen, en zalm en forel stropen was een heel lucratieve bezigheid en Ted was er een expert in.

De rivier had hoog gestaan en de brug bij Warren Corner was de plek waar Ted waarschijnlijk naartoe zou gaan. Dat was vlak onder de oude cottage van Rice, waar volgens zijn moeder nu de weekendgast woonde.

Toen hij door het hek stapte, vroeg hij zich natuurlijk af wat er zou gebeuren als hij per ongeluk iemand van het huis tegen het lijf liep, of zelfs de heer des huizes in eigen persoon. Nou, hij kon altijd zeggen dat hij voor die avond de plaats van zijn vader innam, en wilde controleren of alles in orde was. Wat anders?

Toen hij het hobbelige pad langs de rivier bereikte, wist hij dat hij net zo goed de zaklantaarn op zichzelf kon richten, zo stak zijn donkere gestalte daar tegen de nachthemel af. Als hij de brug ongemerkt wilde naderen, zou hij langs de achterkant van de cottage moeten gaan.

Hij bleef zorgvuldig in de met bomen begroeide berm tot hij bij het hek rond de cottage kwam, waar hij, omdat hij dacht dat hij iemand hoorde schreeuwen, even bleef staan.

Er stond geen wind, er klonk zelfs geen geritsel in de bomen, en de stilte hing dik en zwaar om hem heen, tot hij naar voren stapte toen hij het geluid weer hoorde: iets tussen een kreet en een schreeuw. Hij bedacht dat de nieuwe eigenaar misschien vrouwelijk bezoek had meegebracht en dat ze wellicht onenigheid hadden; of dat ze misschien liepen te stoeien.

Hij bleef langs het hek lopen tot hij bijna weer bij de waterkant was, toen hij opnieuw tot staan werd gebracht door een kreet uit het huisje, en deze keer hoorde hij aan het geluid dat degene die binnen was beslist niet van het weekend genoot.

Vanwaar hij stond kon hij licht door een van de ramen beneden zien komen, maar hij was te ver weg om binnen iemand te kunnen zien.

Om in de schaduw van de brug te komen, zodat hij niet door Ted werd gezien, moest hij een meter of tien open terrein oversteken.

Hij stond gebukt en bracht voorzichtig een voet naar voren, toen hij schrok van een reeks kreten, zodat hij overeindkwam en zich omdraaide om over het hek te kijken, en over het gazon naar waar de voordeur van de cottage was opengerukt en waar twee worstelende gestalten in silhouet tegen het licht afstaken.

Een jonge stem riep smekend, op hoge toon: 'Nee, nee! Laat me los. Niet doen, zeg ik! Laat me los!' Op deze afstand kon hij zien hoe de kleine gestalte van een meisje worstelde in de armen van een man die probeerde haar weer de cottage in te slepen.

In plaats van terug te hollen langs de omheining naar het poortje, sprong hij over het hek en was met een tiental grote stappen bij het worstelende paar. Hij zag onmiddellijk dat de man naakt was tot op het middel, en hij was nu degene die een verschrikte kreet slaakte toen zijn keel in de ijzeren greep van een arm werd genomen. Het volgende moment werd hij met een ruk omgedraaid en kreeg een stomp in zijn dikke buik, waarna een volgende dreun onder zijn kin hem achterover deed tuimelen.

Geoff draaide zich om naar het meisje dat ineengedoken tegen de deurpost leunde, waarbij ze de voorkant van haar gescheurde jurk met beide handen vasthield, en toen hij zich naar haar toe boog, zei hij zacht: 'Gaat het een beetje?'

Ze huiverde en hapte naar adem.

Hij legde zijn hand zacht op haar schouder en draaide haar een eindje om, zodat het licht dat uit de deuropening scheen op haar gezicht viel, en hij zei: 'Jij bent er eentje van Gillespie, hè?'

Ze hapte weer naar adem en knikte.

'Wat doe je hier, zo laat op de avond?'

Toen ze geen antwoord gaf, zei hij: 'Kom. Heb je een jas bij je?'

Hierop draaide ze zich om en liep wankelend de kamer weer in. Intussen liep hij naar de liggende gestalte op de ruwe stenen voor de deur. Hij knielde niet bij de man neer en hield ook geen oor tegen zijn borst, maar hij bukte zich en legde even zijn hand op de ribben van de man voordat hij die weer weghaalde en even knikte.

Het meisje was teruggekomen, met een jas strak om zich heen getrokken, dus liep hij naar haar toe en duwde haar met één helpende hand naar het poortje.

Eenmaal buiten zei hij: 'Kom mee, ik breng je wel naar huis, naar je moeder.'

Hij wist natuurlijk dat Minnie Gillespie niet de moeder van het meisje was, maar haar stiefmoeder, en hij wist ook dat Arthur Gillespie haar vorig jaar in de steek had gelaten, zodat hij zijn tweede vrouw had achtergelaten met haar eigen drie kinderen en het kind dat ze van hem had gekregen, benevens de twee meisjes uit zijn eerste huwelijk.

'Wie van de twee ben jij?' vroeg hij.

'Ik ben Lizzie,' zei ze. Toen keek ze achterom naar het huisje en stamelde: 'Is hij dood?'

'Nee, hij overleeft dit wel. Kom mee, dan gaan we; je moeder zal zich ongerust maken. Wat moet je hier trouwens zo laat op de avond?'

Ze gaf geen antwoord maar begon langzaam met hem mee te lopen, en hij herhaalde: 'Ik vroeg wat jij hier zo laat op de avond deed.'

'Ze had me gestuurd.'

'Had ze je gestuurd? Waarom?'

'Om hem... om een pastei naar hem te brengen.'

'Zo!' Hij keek recht voor zich uit en vroeg: 'Waarom kon ze je niet overdag sturen?'

Toen ze geen antwoord gaf, voegde hij eraan toe: 'Of je andere zuster?'

'Midge is vorige maand weggelopen.'

'Juist ja.' Er volgde een lange stilte voordat hij vroeg: 'Heeft je moeder Midge ook met pasteien daarheen gestuurd?'

Er volgde opnieuw een stilte, voordat ze op bedremmelde toon antwoordde: 'Ja.'

'Hoe vaak is Midge naar die cottage geweest?'

'Ze ging daar 's avonds schoonmaken, als ze klaar was met haar werk in de winkel van Bexley, in het dorp.'

'Waarom is ze weggelopen?'

En het korte antwoord was: 'Om hem. Ze wilde niet dat er vervelend tegen haar werd gedaan.'

'God!' Hij mompelde het woord hardop.

Hij wist alles van Minnie Gillespie, of eigenlijk Collier. Ze was een slet, maar hij had niet gedacht dat ze zó'n slet was. Hij begreep dat ze op haar zeventiende was getrouwd en dat haar eerste man haar een zwaar leven had bezorgd en dat die haar aan de drank had gebracht. Maar aan de andere kant had hij de indruk dat ze hoe dan ook wel aan de drank zou zijn geraakt. Wat ze zichzelf aandeed was haar eigen zaak, maar deze twee meisjes uitbuiten was iets heel anders.

'Hoe vaak ben je daar geweest?'

'Het was de eerste keer.'

'Had je verwacht dat hij je lastig zou vallen?'

'Néé!' Haar stem klonk hoog. 'Néé!'

'Heeft je zuster niet verteld wat er gebeurde wanneer zij daar... op zaterdagavond met een pastei naartoe ging?'

Het duurde even voor ze antwoordde: 'Nee. Ze heeft me nooit iets verteld, behalve dat ze niet wilde dat er vervelend tegen haar werd gedaan. Maar ik dacht dat dat over het werk

ging, dat hij lastig was of zo. Hij betaalde haar vijf shilling.'
'Nou, nou! Vijf shilling.'
Er was iets in zijn stem dat haar deed uitvallen: 'Nou, ze maakte schoon en ruimde op. Ze was heel goed in huishoudelijk werk.'
Dat zal best, zei hij bij zichzelf. Toen vroeg hij: 'Hoe oud ben je?'
'Veertien.'
'Ben je al van school?'
'Ja, nog maar net.'
'Wat ga je nu doen?'
'Ze zegt dat ik naar haar zuster in Gateshead moet gaan om in de fabriek te werken. Je kunt daar vijftien shilling per week krijgen.'
'Wil je daar ook naartoe gaan?'
'Nee, nee. Het is daar erger dan hier. Het is overal smerig, en zij is vreselijk, nog erger. Haar zuster, bedoel ik. Ze zijn daar met zijn negenen. Maar er is hier geen werk te vinden. Mevrouw Bexley heeft iemand anders aangenomen toen Midge was vertrokken. En moe zegt dat ze de helft van m'n loon wil hebben, omdat ik moet meehelpen omdat m'n pa ervandoor is gegaan, en nu Midge, en de andere helft moet dan naar haar zuster.'
Ze hadden de oever van de rivier verlaten, waren door een bos gelopen en hadden de hoofdweg bereikt, toen hij bleef staan en zei: 'Nu kun je het verder wel alleen.'
Ze keek naar hem op, maar ze kon zijn gezicht niet zien zoals het schuilging tussen de opgeslagen kraag van zijn jas en de klep van zijn pet, en ze vroeg: 'Wie ben jij dan?'
'O.' Zijn stem klonk luchtig. 'Ik ben de ridder in het blinkende harnas, maar m'n jas bedekt dat.'
'Woon je hier in de buurt?'
'Ja. Ja, ik woon hier in de buurt. Meestal rij ik om deze tijd van de dag op m'n paard rond, maar het beestje is een beetje kreupel.'
'Je maakt grapjes.' Haar stem klonk vlak, en hij zei: 'Ja, ik

maak grapjes.' Toen vroeg hij: 'Denk je dat je een pak slaag krijgt als je thuiskomt?'

Hij zag in het donker hoe haar gezicht even vertrok, en toen zei ze: 'Ze zal het in elk geval proberen. Maar ik heb tegen haar gezegd dat als ze me weer slaat, ik hetzelfde zal doen als Midge. Maar aan de andere kant' – ze zweeg even – 'misschien toch niet. Ik zou het niet kunnen, ik kan nergens heen.'

'Kon Midge dan wel ergens naartoe?'

'Ja, naar Newcastle. Ze heeft vrienden. Ze wilde me er niets over vertellen, maar ze zei dat ze me zou schrijven, en dat zal ze ook doen. Als ze zegt dat ze iets doet, dan dóét ze het ook. Zo is Midge nou eenmaal. Ze heeft me weken geleden al verteld dat ze zou weglopen.'

'Maar jij hebt geen vrienden?'

'Jawel, hier in de buurt. Maar... maar niet waar ik naartoe kan gaan... ik bedoel, zodat zij me niet te pakken kan krijgen als ik erheen ga.'

'Dus jij gaat in de fabriek in Gateshead werken?'

'Jawel, dat denk ik.'

'Wanneer denk je daarheen te gaan?'

'Ze wacht nog op bericht van haar zuster, wanneer er een plaats vrijkomt.'

'Dan zie ik je misschien nog wel?'

'Maar hoe herken ik jou dan?'

'Dat komt wel in orde, want ik zal jou herkennen. Bovendien zul je me dan aan m'n paard herkennen, hoewel dat nog steeds kreupel zal zijn.'

'Jij bent wel een grapjas, hè?'

'Dat zeggen ze allemaal. Ga nu maar gauw naar huis en laat je niet op je kop zitten.'

'Dag.'

'Dag, dag.' Hij stond de kleine gestalte na te kijken tot die in de duisternis was verdwenen voor hij zich langzaam omdraaide en naar huis liep. Ongeveer een kilometer verderop, dicht bij Grant's Corner, waar de telefooncel stond, zag hij het flakkerende licht van een zaklantaarn, wat niets ongewoons was: er kwam iemand de cel uit, na te hebben opgebeld. De gestalte kwam dichterbij en het licht werd op zijn gezicht gericht; er klonk een bekend iel stemmetje dat uit een al even mager lichaam kwam: 'Een wandelingetje gaan maken, Geoff?'

Hij zweeg even voor hij antwoordde: 'Ja, dat zou je wel kunnen zeggen, meneer Honeysett, ik heb zojuist een wandeling gemaakt.'

'Er kunnen rare dingen gebeuren bij een wandeling. Raad eens waar ik zojuist over heb opgebeld?'

'Geen flauw idee, meneer Honeysett.'

'Ik heb die man van dat weekendhuisje in gehavende staat voor zijn deur aangetroffen. Gebroken kaak, dacht ik zo, en hij kon zich nauwelijks bewegen. Heb net om een dokter gebeld. Leek me maar beter. Hij is behoorlijk te grazen genomen, aan die gebroken kaak te zien. Wat denk jij?'

'Ik denk hetzelfde als u, meneer Honeysett. Je kunt niet zomaar een gebroken kaak oplopen. Daarvoor moet je met iets heel hards in aanraking zijn gekomen.'

'Daar heb je gelijk in. Daar heb je gelijk in. Ik vroeg me af hoe dit heeft kunnen gebeuren.'

'Geen idee. Ik heb gewoon een eindje gewandeld, net zoals ik zei. Wanneer ik niet voor m'n koning en m'n vaderland hoef te vechten, houd ik van rust en vrede.'

Er steeg een hees gelach op in de duisternis. Het ging over in geschater, en hield toen abrupt op. 'Als ik 't me goed herinner was jij in je jonge jaren helemaal niet zo'n vredelievend ventje, en die jaren liggen nog niet zo ver achter je. Ik hoor dat je nu sergeant bent en binnenkort overzee gaat?'

'Ja, dat zeggen ze, meneer Honeysett.'

'Ik dacht even dat 't je pa was die eraan kwam. Die pakt zich altijd zo in wanneer hij de ronde doet. En waarom? Ik begrijp er niets van, want hij loopt altijd met van die olifantslaarzen waarmee je hem kilometers in de omtrek kunt horen aankomen. Nou, ik moet weer eens terug om te zien hoe het met die kerel is. Zal wel naar het ziekenhuis moeten, want zijn ondertanden zaten zo ongeveer in zijn neus.'

'Tot ziens dan maar weer, meneer Honeysett.'

Ze gingen ieder huns weegs, tot Geoffrey even bleef staan toen de stem van de stroper heel zacht klonk: 'Ganzenvet doet wonderen wanneer dit op ontvelde knokkels wordt gesmeerd.'

Geoffrey liet zijn hoofd zakken en beet op zijn onderlip om niet in lachen uit te barsten, en liep toen weer verder. Hij had ondanks alles een zwak plekje voor die ouwe schavuit. Hij moest de hele affaire hebben gezien. Misschien had hij geweten wat er gaande was voor hijzelf op het toneel was verschenen. Maar... nee, hij had zelf ook dochters, en dan had hij dit vast niet laten gebeuren. Hij maakte een smalend geluid: neem hem nou, hij dacht dat hij slim genoeg was om die ouwe schurk op te sporen zonder te worden gezien, terwijl hij waarschijnlijk al was ontdekt op het moment dat hij het terrein opkwam...

Hij hoorde de muziek voor hij het hek opendeed en de oprit inliep. Hij bleef even voor het raam van de zitkamer staan om te luisteren. Ze speelde een stuk van Grieg; ze speelde het echt goed. Hoewel ze hem vanaf zijn zesde les had gegeven en hij regelmatig had geoefend, tot hij op zijn veertiende in het Grote Huis was gaan werken, had hij nog steeds weinig gevoel voor muziek, en hij wist dat dit een teleurstelling voor haar had betekend. Technisch speelde hij correct. Hij vergeleek zijn spel vaak met een man in het leger. Het leger kon van iedere man een soldaat maken als hij zich aan de regels hield en bevelen gehoorzaamde, maar om een goed soldaat te zijn moest je iets meer hebben, je hart moest erin zijn. Zijn hart lag niet bij muziek, in tegenstelling tot dat van zijn moeder.

Toen hij de zitkamer binnenkwam, hield zijn moeder op met spelen, ze draaide zich op het krukje om en zei: 'En, heb je hem te pakken gekregen?'

'Ik kan niet zeggen dat ik hem te pakken heb gekregen, maar we hebben wel een praatje gemaakt.'

'Je hebt met 'm gepraat?' Ze hees zich overeind, greep haar stok en hobbelde naar hem toe terwijl ze herhaalde: 'Je hebt met hem gepraat?'

'Ja. Is daar iets vreemds aan? We hebben heel lang gebabbeld.'

'Waarover?'

'Tja, dat is een lang verhaal. Ik liep daar rustig langs de rivier te wandelen... Trouwens, heb je nog koffie warm?'

Ze knikte. 'Hij zit in de percolator... Maar vertel me eens wat er is gebeurd.'

'Laat ik eerst iets te drinken nemen. Of nee, bij nader inzien heb ik liever iets sterkers.' Hij liep naar de kast aan de andere kant van de kamer en schonk zich een flinke hoeveelheid whisky in. Daarna liep hij terug naar waar ze nu naast de haard zat, pakte de stoel tegenover haar en vroeg, na een slok te hebben genomen: 'Weet jij iets van die twee meisjes van Arthur Gillespie? Die twee van hem, niet die van haar?'

'Ik heb alleen verhalen gehoord dat de oudste, Midge, is weggelopen. Ze was altijd een beetje lichtzinnig, en fysiek heel goed ontwikkeld, mag ik wel zeggen. Dat wil zeggen, toen ik haar voor het laatst heb gezien, en dat moet alweer een jaar geleden zijn. Ze komen zelden deze kant uit. Waarom vraag je naar hen?'

'Ik heb de jongste vanavond ontmoet, degene die Lizzie heet.'

'Was de jongste om deze tijd nog op stap in het donker?'

'Jawel, om deze tijd op stap in het donker. Schandelijk, nietwaar? Maar het is een nog grotere schande dat ze uit hoereren werd gestuurd en daar niets van wist.'

'Wát?' Ze klonk geschokt en haar gezicht stond verbijsterd toen ze zei: 'Hoe kom je daarbij?'

Dus vertelde hij haar alles wat er was gebeurd, en toen hij klaar was, bleef ze even zwijgen. Haar eerste reactie gold niet het meisje, maar hem. 'Wat zou er zijn gebeurd,' zei ze, 'als jij hem in elkaar had geslagen, echt... dood had geslagen?'

'Dan had ik daar waarschijnlijk voor terecht moeten staan, en ik weet zeker dat de rechter verzachtende omstandigheden zou hebben laten gelden, want' – en nu verdween het luchtige uit zijn stem – 'dat meisje wist van niets. Begrijp je wat ik bedoel? De manier waarop ze vocht. En ik weet niet hoe lang hij haar al had lastiggevallen voordat ze erin slaagde de deur open te doen. Ik hoorde haar eerst schreeuwen toen ik langs de achterkant liep, maar ik had geen idee wat er aan de hand was. Ze zouden die vrouw voor de rechter moeten slepen.'

'Zeg dat wel. De politie moet worden ingelicht.'

'Ja. Maar wat zou er dan gebeuren?'

'O' – Bertha dacht even na – 'als werd bewezen dat ze was misbruikt, net als haar zuster, denk ik, dan zou dat meisje in een tehuis kunnen worden geplaatst.'

'Ik betwijfel het of ze dat zou willen. Ze is veertien.' Hij dronk zijn glas whisky leeg. Daarna zette hij het op een bijzettafeltje en zei rustig: 'Ik heb onderweg een beetje lopen nadenken. Gisteren had je het erover dat je hulp nodig had. Pa heeft daar nu al jaren bij je op aangedrongen. Je zult binnenkort iemand nodig hebben om jou een beetje te helpen. Dit is geen klein huis: er zijn nog steeds vijf kamers boven en vier beneden, afgezien van alle bijgebouwen. Wat dacht je ervan om dat meisje in huis te nemen?'

'Je bedoelt die Lizzie?'

'Jawel, ik bedoel die Lizzie. Ik zou niet weten waar ik die andere moest zoeken. Maar ik zou eens kunnen kijken.'

'O, doe eens even serieus. Je vraagt me om er eentje van Gillespie in huis te nemen. Zij is een geweldige slet, en het huis is net een varkensstal.'

'Die twee meisjes zijn niet van haar, en ik heb jou horen zeggen dat Arthur Gillespie een heel fatsoenlijke kerel was. Hij kon het waarschijnlijk niet meer bij haar uithouden, en daarom is hij ervandoor gegaan. Bovendien denk ik dat ze het meisje een ellendig leven bezorgt. Ze zei dat ze haar stiefmoeder had gewaarschuwd dat ze weg zou lopen als ze weer werd geslagen, net als haar zuster... Je zou 't zat slechter kunnen treffen; er zijn hier niet veel meisjes die werk in de huishouding zoeken. Het is nu net zoals voordat ik wegging; ze willen naar chique winkels of ze willen leren typen. Huishoudelijk werk is beneden hun waardigheid. Bovendien' – hij boog zich naar haar toe – 'het zal voor mij één zorg minder zijn als ik weet dat jij hier gezelschap hebt als ik weg ben. En van wat ik in het donker van haar heb gezien, of liever gezegd heb gehoord, lijkt ze me een heel verstandig meisje.'

'Ik zal er eens over nadenken. Ik zal er een nachtje over slapen. Ik vind in elk geval dat je vader hier ook iets over te zeggen heeft.'

'Doe niet zo dwaas, mam.' Hij kwam overeind. 'Pa heeft daar al jarenlang bij jou op aangedrongen, zoals ik al zei.'

'Jawel, dat kan best zijn. Maar dit is er eentje van Gillespie, en hij kent hen beter dan ik, of dan jij. Hij komt nog eens ergens. En als ze bij die vrouw is opgegroeid, dan weet je ook niet wat ze heeft opgepikt, ik bedoel op het gebied van manieren en zo.'

'Nou, jij bent degene om daar verandering in te brengen, nietwaar? Manieren en zo, en niet te vergeten fatsoen. Nou, nou! Zeg dat wel! Sergeant-majoor-eerste-klasse Fulton.'

'Ach, ga toch weg met jou.' Ze wapperde met haar hand naar hem. 'Maak dat je in bed komt.'

'Kom jij niet boven?'

'Nee, ik ben nog niet moe,' zei ze, en ze stond op. 'Ik ga nog een beetje pingelen. Ik zal je in slaap spelen. Welterusten.'

Hij sloeg zijn armen om haar heen en drukte haar even stevig tegen zich aan, en na haar op de wang te hebben gekust, liep hij langzaam de kamer uit.

Eenmaal alleen liep ze niet onmiddellijk terug naar de piano, maar ging weer in haar stoel zitten. Ze sloeg haar handen in haar schoot ineen en staarde in het vuur. Een jong meisje hier in huis, iemand om leiding aan te geven en te leren werken. De gedachte had al lange tijd door haar hoofd gespeeld, maar ze was ervoor teruggeschrokken, had zich afgevraagd waar je in deze tijd een meisje vandaan kon halen dat zich nog liet leiden en dat het misschien wel leuk zou vinden om pianoles te krijgen. Ze had altijd les willen geven, maar in deze omgeving had niemand daar belangstelling voor. En het was te ver weg voor mensen uit de stad. En nu hij naar het buitenland ging, zou het gat in haar hart nog groter worden en waren zijn brieven het enige om dit te dichten. Zelfs John, hoeveel ze ook van hem mocht houden, zou niet in staat zijn deze leemte op te vullen. Bovendien was hij het grootste deel van de dag naar zijn werk, en kwam hij vaak pas 's avonds laat thuis. Maar als er iemand anders in het huis was, iemand op wie gelet moest worden, iemand die begeleiding nodig had en tegen wie op vriendelijke toon moest worden gesproken, zouden de dagen misschien niet zo lang en leeg zijn.

John had voorgesteld er een hond bij te nemen, omdat Betsy nu zo oud was dat ze zelfs niet meer de moeite nam om te blaffen. Ze ging zelfs niet meer achter een konijntje aan als ze er een zag, of achter de kolenboer, zoals ze vroeger altijd deed. Ze lag daar op haar bed van stro te wachten tot haar tijd was gekomen, en John weigerde dit moment te verhaasten door haar naar de dierenarts te brengen. Je kon van een hond houden en ermee praten, maar hij kon helaas niet tegen jou praten, alleen maar een lik of een poot geven.

Ja, ze zou nadenken over wat Geoff had geopperd... ja, dat zou ze doen.

2

Geoff trok even met zijn neus toen hij langs de vrouw schoof om de kamer van het huisje binnen te gaan. Ze had hem eigenlijk niet willen binnenlaten tot hij zei: 'Heb je liever dat ik naar de kinderbescherming stap?'

Hij stapte de kamer in, waar hij door de kinderen werd aangestaard. Voor zijn militair geordende geest was het daar een bende, en vergeleken bij het opgeruimde, schone huis van zijn moeder was het hier schandelijk. Hij zag onmiddellijk dat deze ruimte als keuken, woonkamer en slaapkamer werd gebruikt, want er lagen nog twee kinderen op een veldbed in de verste hoek. Er waren twee jongens die naar hem stonden te kijken. De ene leek een jaar of twaalf, hoewel hij er mager en miezerig uitzag, en de andere was een kereltje van een jaar of vijf, zes. Hij had een vrolijk rond gezicht en een stevig lichaam. Maar bij het andere uiteinde van de tafel stond een meisje, Lizzie. Na een snelle blik op hem te hebben geworpen toen hij de kamer was binnengekomen, boog ze haar hoofd en ging verder met het snijden van dikke sneden van een lang brood. Zijn ogen bleven even op haar rusten en hij zag dat, hoewel haar bruine haar langs de zijkant van haar gezicht hing, dit een blauwe plek op haar wang niet kon bedekken.

De vrouw sprak nu tegen de oudere jongen en knikte naar het bed: 'Breng hen naar de andere kamer.' En na een korte aarzeling draaide hij zich om en wenkte de twee meisjes in het bed. Ze klauterden eruit en volgden hem, net als de jongste jongen.

Een seconde nadat de kinderen naar de andere kamer

waren gegaan, klonk haar stem als een brul: 'Doe de deur dicht!' De deur werd met een klap dichtgesmeten.

'En zij dan?' Hij gebaarde naar Lizzie, en de vrouw antwoordde: 'Wat, zij dan?'

'Ik wil jou even alleen spreken.'

'Ze is geen kind meer, ze is ouder dan haar jaren. Zeg wat je te zeggen hebt.'

Bij wijze van antwoord liep hij naar de tafel, pakte Lizzie bij de schouder en zei rustig: 'Ga eventjes naar buiten.'

'Hela, jij daar! Wie denk je wel dat je bent om mij een beetje in m'n eigen huis te komen bevelen...'

'Hou je mond!' Hij draaide zich weer om naar de vrouw en keek haar even doordringend aan; toen keek hij weer naar Lizzie, en zei: 'Doe wat ik zeg.' En dat deed ze. Toen de deur achter haar dicht was gegaan, zei hij tegen de vrouw: 'Misschien heb ik er verkeerd aan gedaan haar te zeggen dat ze moest gaan, want ze had het misschien leuk gevonden om mij jou een smerige slet te horen noemen.'

'Jij! Wie denk je eigenlijk wel dat je bent?'

'Ik zal je zeggen wie ik denk dat ik ben. Ik ben iemand die het niet leuk vindt om te zien hoe jonge meisjes voor vijf shilling per uur naar ouwe kerels worden gestuurd om die te plezieren. Zo iemand ben ik. Daarom is haar zusje ook weggelopen, nietwaar? Ze had er genoeg van.'

Hij zag hoe de vrouw naar lucht hapte, en daarna haar blonde haar achter haar oren stopte voor ze zei: 'Ik zou je voor de rechter kunnen slepen. Jawel, reken maar. Ik zou je voor de rechter kunnen slepen. Dat is lasterpraat.'

'Hou toch je mond! Je hebt een slechte naam. Als ik het me goed herinner, heb je jaren geleden de gezondheidsdienst al achter je aan gehad voor de manier waarop je kinderen naar school werden gestuurd. Maar die kinderen eropuit sturen om ze als hoer te laten gebruiken, dat is heel andere koek en daar denken ze niet licht over. Als jij zo hard geld nodig hebt, waarom doe je 't dan niet zelf? Je hebt op dat gebied de nodige ervaring opgedaan, nietwaar?'

'Hou jij es even gauw op! Ik pik dit niet langer. En als jij dingen over mij hebt gehoord, dan heb ik ook dingen over jou gehoord, menéér Fulton! Omdat je een paar van die stomme strepen op je arm hebt, schijn je te denken dat je de Almachtige God zelf bent. En hoe zat 't gisteravond trouwens? Dat was jij, en ze zoeken nu de man die dat gedaan heeft, want hij ligt in het ziekenhuis, die meneer Kidderly.'

'Nou, waarom ga je ze dat dan niet gauw vertellen? Ik ben ten zeerste bereid voor de rechtbank uit te leggen waarom ik die kerel moest slaan: het was om te voorkomen dat er een meisje werd verkracht, en dat met instemming van haar moeder natuurlijk. En je twee stiefdochters zouden mijn verhaal kunnen bevestigen. O, ik weet dat de ene ervandoor is, en dat niemand weet waar ze zit, maar ze valt gemakkelijk op te sporen. En de rechtbank zou in overweging kunnen nemen dat jij nog twee dochters hebt, van wie er één, als ik het goed heb, niet zo jong is dat ze niet door jou kan worden opgeleid. Hoe dan ook,' hij tuitte zijn lippen, 'laten we het hier maar niet verder over hebben en alle verwijten opzij zetten. Ik ben hier om met jou te onderhandelen.'

Zijn stem was tot een rustige en normale toon gedaald, en ze staarde hem even met open mond aan. Toen veranderde haar hele uitdrukking. De stugge, uitdagende uitdrukking week van haar gezicht, de angst die eerst in haar ogen had gelegen, verdween. Haar hoofd ging achterover, haar mond ging open en ze liet een hoge lach horen. 'Jij bent hier om met mij te onderhandelen!' riep ze. 'Lieve God! Omdat je hebt gehoord dat de plaatselijke bevolking mij niet kon krijgen en ik het verderop zocht, denk je dat jij wel kans bij me maakt? En je mist het, hè? nu dat sjieke mormel van jou je heeft laten zitten voor een...'

Het feit dat ze zijn woorden verkeerd had begrepen deed hem zich naar haar toe buigen, en zijn lip krulde toen hij gromde: 'Hou je kop! Jij stinkende slet. Jou willen! Ik zou je nog met geen tang willen aanpakken! Hoor eens goed, mens, dan zal ik je vertellen waarom ik hier ben. Mijn moeder zoekt een meisje voor huishoudelijk werk en wat andere klusjes. Ze wil dat ze komt inwonen. Ze zal worden opgeleid en er zal goed voor haar worden gezorgd. Ik ben hier om jou te vertellen dat ze het kind die baan aanbiedt. Ik ben hier ook om je te vertellen dat als je ook maar iets van problemen maakt, ik morgen in Durham naar de politie stap, wat er ook van mag komen. Ik wil eraan toevoegen dat jij niet één penny van haar loon zult krijgen, dat wordt op de bank gezet. En als je haar lastigvalt, op wat voor manier dan ook, zal mijn vader instructies hebben voor wat hem te doen staat. Dus zeg maar wat je kiest.'

Met trillende lippen, bleek van woede, zei ze: 'Jij krijgt nog een keer je trekken thuis en ik bid God dat ik dat mee mag maken. Reken maar dat ik daarvoor zal bidden!'

'Als jij al ooit bidt!' Hij deed een paar stappen bij haar vandaan, draaide zich om naar de deur, deed die open en riep: 'Lizzie!'

Het meisje kwam langzaam de kamer in en bleef naast het haardvuur staan. Haar ogen waren groot, haar ovalen gezicht stond angstig, en de blauwe plek op haar wang was duidelijker te zien nu haar haar over haar schouders hing.

Hij keek van haar naar de vrouw, en toen ze niets zei, draaide hij zich weer om naar het meisje en zei: 'Pak je spullen.'

'Wát?' Ze keek hem verbijsterd aan, en wierp toen een snelle blik op haar stiefmoeder, alsof ze een verklaring verwachtte. Maar toen de vrouw niet reageerde, keek ze hem weer aan en herhaalde: 'M'n spullen pakken?'

Hij boog zich naar haar toe en gebaarde zijdelings met zijn hoofd naar haar stiefmoeder toen hij zei: 'We zijn overeengekomen dat jij een tijdje voor mijn moeder komt werken. Ze is al lange tijd naar iemand op zoek. Het zal niet zwaar zijn; gewoon huishoudelijk werk en wat losse karweitjes.' Hij zag hoe haar mond langzaam openviel en toen weer met een klap dichtging. Zonder iets te zeggen liep ze haastig de kamer door en duwde de deur aan de andere kant open, zodat hij allerlei gebabbel hoorde.

In de tijd dat hij op haar terugkeer stond te wachten, wat niet meer dan twee minuten was, stonden de vrouw en hij elkaar vijandig aan te staren.

Lizzie kwam weer binnen, met een jas aan en een hoed achter op haar hoofd. In haar armen hield ze een kartonnen doos die al haar bezittingen bevatte. Ze liep regelrecht naar hem toe en bleef naast hem staan, en de aanblik van haar, zo blij dat ze kon ontsnappen, werd de vrouw bijna te machtig. Ze stapte naar de tafel, leunde erop en gilde tegen het meisje: 'Hier zul je spijt van krijgen! Wacht maar eens af. En wat moet ik nu met Joe beginnen? Bij wie moet ik die nu laten? Er zal toch iemand moeten zijn die voor hem werkt. Je pa wilde dat niet, die luie klootzak. En jij en die andere meid, jullie zijn al net zo. Jullie deugen niet. Nu niet en nooit niet. En ik moet voor jullie kromliggen. Mijn hele jeugd heb ik achter jullie aangelopen. En Joe is je halfbroer. Wat moet er nou van hem worden? Ik hoef daar niet alleen voor op te draaien, je pa en jij kunnen ook wel wat doen. Maar ik kan 'm natuurlijk gewoon naar het armenhuis brengen.'

Geoff voelde hoe het meisje naast hem begon te beven, en hij legde een hand op haar schouder en zei: 'Maak je maar geen zorgen. Daar zullen wij wel een stokje voor steken.'

Hij draaide Lizzie om en duwde haar naar de deur. Eenmaal buiten nam hij de kartonnen doos van haar over, stopte die onder een arm en legde zijn hand op haar schouder om rustig met haar bij de cottage vandaan te lopen...

Ze hadden misschien een kilometer in stilte gelopen, toen Lizzie die verbrak door te zeggen: 'Dat zou ze toch zeker niet met Joe doen, hè? Hem naar een tehuis brengen?'

'Nee, nee, wees maar niet bang. Joe gaat niet naar een tehuis, daar zal ik wel voor zorgen.'

'Maar... maar jij bent er niet altijd. Je hebt nu toch verlof? Je bent soldaat.'

'Jawel, ik ben alleen maar met verlof, maar mijn vader heeft hier ook iets in de melk te brokkelen.'

Na een tijdje begon ze weer: 'Ik herkende je gisteravond eerst niet, met je uniform en zo. Je zag er heel mooi uit.'

Onder andere omstandigheden zou hij hierop hebben geantwoord: 'Je zou me eens zonder moeten zien; dan ben ik nog veel knapper.' Maar dit was daar niet het moment of de plaats voor, en ze was niet oud genoeg voor dat soort grapjes. Hij zei: 'Het zal je wel bevallen bij mijn moeder. Ze is een prima mens. Ze zal je veel bijbrengen, op allerlei gebied.'

'Jullie hebben een piano, hè?'

'Ja, we hebben een piano.'

'Ik heb hem wel eens gehoord als ik langs de poort kwam; niet erg luid, maar ik hoorde haar spelen.'

'Je zult haar op allerlei momenten horen spelen, en soms tot laat in de avond. Moeder speelt heel goed. Ze is dol op haar piano.'

'Het moet geweldig zijn om een piano te hebben.'

Hij keek op haar neer. Ze staarde voor zich uit met ogen waarin ontzag te lezen was. Haar bruine haar zat in een verwarde massa onder haar strooien hoed, die nu tot over haar oren omlaag was getrokken. Haar gezicht was niet mooi, en ze was klein voor haar veertien jaar. Hij vermoedde dat het eerste dat zijn moeder zou doen, afgezien van haar aan het werk zetten, haar goed te eten geven zou zijn.

Hij was verbaasd toen ze opeens bleef staan, zich naar hem toekeerde en op dringende toon vroeg: 'Wie heeft jou ertoe aangezet om mij deze baan te bezorgen? Ik bedoel: zocht je moeder iemand, voordat je eraan dacht? Tja, eh...' Ze schudde haar hoofd even en voegde eraan toe: 'Wat ik eigenlijk wil zeggen is, waarom doe je dit?'

Ze zag hoe hij zijn ogen even dichtdeed, zijn lippen opeenkneep en met zijn schouders schudde, waarna hij haar aankeek en met knipperende ogen zei: 'Lizzie, ik begrijp wat je bedoelt, hoewel ik niet weet welke van de drie vragen ik het eerst moet beantwoorden, maar ik zal het zo stellen. Kijk nooit een gegeven paard in de bek, want bedenk wel dat als het beestje geen tanden heeft, hij nog altijd vier benen heeft en stevige hoeven aan zijn voeten op de koop toe.'

'Wat?' Haar gezicht vertrok, maar zonder lach.

'Ach, kom op.' Hij wandelde vooruit, en na een tijdje versnelde ze haar pas en kwam naast hem lopen.

Ze kwamen bij een bocht in de weg, en ze waren binnen een paar meter afstand van een ruiterpad toen er een jonge vrouw te paard tevoorschijn kwam.

Bij deze aanblik hield Geoff even in, en Lizzie keek naar hem op. Toen ze bij de ruiter waren, bleef hij staan, tikte tegen zijn pet en zei: 'Goedemorgen, juffrouw Brown.'

De jongedame antwoordde kortaf: 'Goedemorgen.' Ze voegde zijn naam er niet aan toe.

Hij wierp een blik op Lizzie voordat hij weer naar de jonge vrouw keek en zei: 'Verboden voor ongevoegden.'

Op deze raadselachtige opmerking antwoordde de dame kort: 'Nee.'

Hij tikte opnieuw tegen zijn pet en begon door te lopen terwijl hij zei: 'Jawel hoor. Goedemorgen, juffrouw Brown.'

Lizzie moest nu snel doorlopen om hem bij te houden. Ze was een beetje verbaasd. Juffrouw Brown had gewoon op de weg gereden, niet door een veld of zo, maar hij had gezegd: 'Verboden voor ongevoegden.' Moest dat niet 'onbevoegden' zijn? En dat was juffrouw Bradford-Brown, van het Grote Huis, en hij had op die toon tegen haar gesproken. Ze begreep hem niet, ze kon hem niet volgen, en vooral niet waarom hij haar aan deze baan had geholpen. Toch was ze blij dat ze bij zijn moeder ging werken, want het was een mooi huis. En de Fultons waren heel chic. Dat moest wel, met een piano.

Maar om nou tegen juffrouw Bradford-Brown te zeggen dat het verboden toegang voor 'ongevoegden' was, terwijl er 'onbevoegden' op het bord langs de weg stond. Hij was een vreemde snuiter.

3

'En, hoe brengt ze het eraf?'

'Het is nog te vroeg. Het is echt nog te vroeg om zo'n vraag te stellen.'

'Maar je hebt haar al in de keuken gehad, dan moet je toch enig idee hebben?'

'Ja, dat wel, en ze zal nog moeten leren hoe ze goed moet afwassen, niet alleen maar de borden in het water laten zakken en ze er weer uit halen. Waar ze veel belangstelling voor schijnt te hebben is de piano. Ze praat er steeds over; dat wil zeggen, áls ze praat.'

'Nou, dat zal je vast plezier doen. Maar alles bij elkaar: wat vind je ervan?'

'O.' Bertha haalde haar schouders op en glimlachte. 'Ik zal wel iets van haar weten te maken. Ze lijkt me slim genoeg. Waar ga jij nu naartoe?' Ze keek hem aan toen hij de bovenste knoop van zijn uniform dichtmaakte.

'Ik ga een eindje wandelen.'

'Je vader kan elk moment hier zijn. Zijn trein komt om vijf uur binnen, en hij doet er met de fiets maar twintig minuten over.'

'Is het tegenwoordig twintig minuten? Vroeger deed hij het in een kwartier. Dat zal de oude dag wel zijn.' Hij trok een scheef gezicht naar haar en voegde eraan toe: 'Op zondag weet je nooit hoe laat die trein binnenloopt. Ik heb wel meegemaakt dat hij tien minuten of een kwartier te laat was, dus word niet te snel ongerust. Maar ik wilde nog even een luchtje scheppen voordat het donker wordt.'

Toen hij naar de deur liep, riep ze: 'Geoff!' Hij draaide

zich om, en ze ging zachter verder: 'Blijf de eerste dagen een beetje bij hem in de buurt, wil je? Ik bedoel, trek een beetje met hem op als je kunt. Hij zal je missen. Het Suez-kanaal ligt hier niet om de hoek.'

'Maak je maar geen zorgen.' Hij liep naar haar terug en duwde met zijn vuist voorzichtig haar kin omhoog. 'Kom op, waar zit je Fulton-lef? Misschien ontmoet ik daar wel een lief Egyptisch meisje en breng haar mee naar huis. Wat zou je daarvan zeggen?'

'Ik zou zeggen, als jij haar hebt uitgekozen, dan moet ze de goede voor je zijn.'

Ze bleven elkaar even aankijken voor hij zich omdraaide, de pet van de kapstok greep en naar buiten liep. En ze bleef staan, met één hand tegen haar lippen. Dat was niet waar, wat ze had gezegd, dat als hij haar uitkoos, zij de juiste voor hem zou zijn.

Toen hij de eerste tijd met zijn vader was meegegaan voor zijn ronde over het landgoed, had ze het heel leuk gevonden dat hij bij hem wilde zijn, tot John op een dag lachend had gezegd: 'Ik ben niet zozeer de attractie als wel de jonge juffrouw op haar pony.' Ze wist nog goed dat ze had gezegd: 'Denk je dat hij ook een pony wil?' En hierop had John geantwoord: 'Niet in dit stadium. Ik denk dat hij voor het eerst verliefd is. Het is net als de mazelen, we krijgen het allemaal, maar het gaat vanzelf weer over.'

En het scheen over te gaan toen hij vijftien was en niet Janis Brown maar Janis Bradford-Brown met vakantie thuis was gekomen van haar kostschool, met een heleboel poeha. Maar het was allemaal weer opnieuw begonnen toen hij zestien was. Hij had toen in de stallen van Laagmeer gewerkt, en hij had haar vaker te zien gekregen. Jawel, veel vaker. Zijn vader had gezegd: 'Maak je maar geen zorgen, het is kalverliefde. Er kan bovendien niets van komen, en dat weet hij. Het is een verstandige knul.'

Verstandig. Had Jóhn zichzelf als verstandig beschouwd toen hij achter háár aanzat? Toen hij met die bazige broer van hem op het land had gekampeerd en bijna ieder weekend op de fiets naar haar toe was gekomen, hoewel hij wist dat ze misschien met Andrew Cole ging trouwen om haar vader door een moeilijke tijd heen te helpen? Zelfs al was Andrew twintig jaar ouder geweest, met een zoon en dochter van haar leeftijd, toch was ze bereid geweest het te doen... Nou ja, niet echt bereid. Als haar vader niet zo'n zorgzame en liefdevolle man was geweest, had ze het misschien wel doorgezet, en had hij zijn land kunnen houden. Maar hij wist waar haar hart lag, en dus besloot hij in plaats van haar te verkopen, bijna al het land aan Cole te verkopen, en was zij met John getrouwd en was hij in dit huis komen wonen, en had meneer Conway, van het Grote Huis, hem als rentmeester aangesteld.

In die tijd was het op Laagmeer ook een vreemde situatie geweest, bijna net zoals met haar vader, want de zaken van meneer Conway stonden er ook slecht voor. Maar zijn enige dochter, juffrouw Alicia, was niet zo gelukkig geweest als zij, want ze was met Ernest Bradford-Brown getrouwd, en hij kwam op Laagmeer wonen en bracht zijn nieuwverworven kapitaal mee. Als er ooit twee mensen waren die niet bij elkaar pasten, dan waren juffrouw Alicia en hij dat wel. En als er ooit in deze wereld een parvenu was geweest, dan was het de heer Ernest Bradford-Brown wel; en na verloop van tijd begon hij grote ideeën te krijgen voor zijn dochter.

Dus toen hij haar op haar zestiende in het donker wandelend met Geoff aantrof, maakte hij korte metten met hem. Maar niet voordat Geoff hem ook had verteld wat hij van hem vond. Hij had onder woorden gebracht wat iedereen dacht maar niemand durfde te zeggen, omdat het moeilijk was om aan werk te komen.

Het was een feit dat Ernest Brown een heel slechte start in het leven had gehad, en hij had eigenlijk veel lof moeten oogsten vanwege de positie waartoe hij was opgeklommen, dus waarom kreeg hij die lof niet?

Zijn carrière was begonnen toen hij op zijn vijftiende bij

de firma Lee & Paddock, makelaars in Newcastle, een baantje kreeg als manusje-van-alles en boodschappenjongen, een positie die uiteindelijk tot die van schrijver leidde. Toen daarna de twee compagnons snel achter elkaar overleden, werd hij directeur van het bedrijf... Er was niemand die precies wist hoe hij dat voor elkaar had gekregen.

Nu, in 1937, was hij niet alleen eigenaar van Lee & Paddock, maar ook van vele straten met huizen, meestal in de slechte buurten van de plaatsen in de omgeving. En het was vast niet zo dat iedereen leugens vertelde wanneer werd beweerd dat de huizen in een schandelijke staat van onderhoud verkeerden, en sommige zelfs niet voor dieren geschikt waren. En hij wilde er geen penny aan uitgeven.

Er werd ook gezegd dat zijn vader nog in leven was en in een van de huizen van zijn zoon woonde, terwijl hij al in de tachtig was, maar dat de heer Bradford-Brown hem niet meer wenste te kennen. Nou ja, dat kon je ook niet van hem verwachten, wel? Nu hij in de familie Conway was getrouwd.

Bertha wist dat Ernest Bradford-Brown John tegelijk met Geoff zou hebben ontslagen als hij hem niet nodig had gehad om toezicht te houden op het landgoed terwijl hij bezig was geld te verdienen met zaken.

Terwijl ze haar zoon nakeek toen hij het pad afliep, kwam een verscholen angst weer bij haar boven: het meisje was verloofd, dus wat haalde hij zich in het hoofd? Ach, wat haalde zíj zich eigenlijk in het hoofd om zo'n vraag te stellen, vooral over haar eigen zoon, die zo op zijn vader leek, behalve dat Johns intens hartstochtelijke karakter schuilging achter een rustige en schijnbaar vredelievende manier van doen, terwijl haar zoon zijn karakter achter een uitbundig uiterlijk verborg.

Voor de eerste keer in haar leven kwamen er onrustbarende gedachten met betrekking tot haar zoon bij haar boven: ze wenste hem mijlenver bij zich vandaan, overzee.

De oude schuur lag aan de andere kant van het landgoed.

Hij werd al lange tijd niet meer gebruikt en hij leek de moeite van het repareren niet waard te zijn. Omdat er ooit het hooi voor de winter was opgeslagen, toen een deel van het landgoed als boerderij werd beheerd, waren er nog wat oude landbouwwerktuigen die in een hoek lagen, en gruwelijke herinneringen in de vorm van verroeste mensenvallen dic hoog aan de balken aan even verroeste haken hingen.

De eerste keer dat hij deze overblijfselen had gezien, vroeg Geoff aan zijn vader waarom ze daar nog steeds waren. Hij kreeg te horen dat de oude meneer Conway opdracht had gegeven zc daar te laten hangen, om eenieder te herinneren aan het ontaarde gedrag van de mens, zowel tegenover zijn medemensen als tegenover dieren.

Geoff vroeg zich wel eens af waarom meneer Ernest Bradford-Brown dat bevel niet had herroepen. Maar aan de andere kant was zijn vrouw er nog, en het was een bekend feit dat hoewel hij de baas speelde over iedereen met wie hij in contact kwam, hij bij haar op zijn tellen moest passen. Hoe broos ze ook mocht lijken, hoe stil ze ook mocht zijn, het was algemeen bekend dat er ook iets resoluuts en hooghartigs in haar was, waarvoor hij op zijn hoede was, want ze was in zekere zin zijn visitekaartje tegenover de wereld.

Geoff was zich voor het eerst van Janis Bradford-Brown bewust geworden toen hij negen jaar en zij zeven was. Ze hadden elkaar enkele keren eerder ontmoet toen hij met zijn vader ging wandelen. Maar die bewuste dag had hij zijn pet gevuld met bramen die hij van de lage struiken bij de schuur had geplukt, toen hij een stem achter zich hoorde roepen: 'Wat doe je daar, jongen?' En toen hij zich had omgedraaid, had hij het bijdehante gezicht van een meisje gezien. Hoewel hij wist wie ze was, bedwong hij zijn tong niet toen hij antwoordde: 'Als je je ogen gebruikt, kun je zien wat ik doe!' Dit had haar kennelijk even uit het veld geslagen, maar na een tijdje had ze gezegd: 'Ik weet wel wie je bent. Jij bent die jongen van Fulton.'

En hij had op dezelfde toon geantwoord: 'En ik weet ook

wie jij bent, en daar gaat echt de zon niet van schijnen.' Ze was opnieuw verbaasd over dit antwoord, en ze schudde haar hoofd, alsof ze niet goed wist wat ze moest zeggen, en terwijl ze dit deed, zag ze een oud bordje op een paal die scheef in het gras lag. Maar de tekst was nog steeds leesbaar, en ze wees ernaar en zei luid maar langzaam: 'Daar staat dat dit verboden... toegang... voor... ongevoegden is.'

Hierop had hij ook op het bordje gekeken, om daarna met ergerniswekkende kalmte op te merken: 'Dat staat er helemaal niet.'

'Jawel, toch waar.'

'Helemaal niet. Je kunt niet lezen. Er staat dat dit verboden toegang voor onbévoegden is.'

'Je doet brutaal. Dat zal ik tegen m'n vader zeggen. En... en je steelt onze bramen.'

Dit laatste maakte dat hij alle goede raad vergat die zijn moeder hem ooit had gegeven over het in bedwang houden van een tong die soms te scherp en andere keren te lichtzinnig was. Maar ze had natuurlijk op zijn houding jegens volwassenen gedoeld; dit díng dat hier voor hem stond was geen volwassene, ze was een brutale aap. Hij vergat zijn positie en die van zijn vader met betrekking tot zijn houding tegenover de dochter des huizes, en hij greep een handvol rijpe bramen uit zijn pet, stapte naar haar toe en zei: 'Hou je handen eens op.' En toen ze gehoorzaamde – uit oprechte angst – wreef hij de bramen in haar handen kapot en zei: 'Ga daar maar mee naar je vader. En weet je wat jij bent? Je bent niets anders dan een verwaand nest!' Daarop stapte hij weg, in de vaste verwachting luid gesnik en hollende voetstappen te zullen horen. Maar toen hij een paar stappen voorbij de schuur had gezet, had hij uit nieuwsgierigheid even achterom gekeken, en had gezien dat ze zich bukte en haar handen aan het gras afveegde, een ongewoon vrouwelijke reactie die maakte dat hij zich helemaal omdraaide. Hij was langzaam naar haar teruggelopen, en toen hij een meter bij haar vandaan was, was hij blijven staan en had gezegd: 'Waarom ben je niet naar huis gerend om het tegen je vader te zeggen?'

'Hoe oud ben jij?' vroeg ze.

'Negen,' zei hij.

'Ik ben zeven.'

Toen had ze naar het bordje in het gras gekeken en had rustig gevraagd: 'Is het echt on-bé-voegden?'

En hij had geknikt en gezegd: 'Jawel.'

Hierop had ze geantwoord: 'Nou, dan moet ik dat tegen mevrouw Bassett zeggen. Nancy, je weet wel, dat is onze wasvrouw, en elke keer als ik in de buurt van het washok kom, stuurt ze me weg en dan zegt ze altijd: "Verboden toegang voor ongevoegden".'

Hij had gelachen en zij had ook gelachen. Het was een gek lachje, vond hij: het werd steeds hoger tot ze piepte, en in haar ronde blauwe ogen kwamen tranen die langs haar gezicht stroomden.

En zo was het begonnen...

Ze wist hoe laat ze elkaar altijd hadden ontmoet, en ze was niet gekomen. Ze moest ook weten dat hij naar het buitenland werd gestuurd; zulk nieuws verspreidde zich hier snel, daar was geen postduif voor nodig.

Stel dat ze niet kwam? Misschien was dat maar beter, want dit was toch het einde van alles. Dat had hij in de afgelopen dagen onder ogen moeten zien. Hij had zelfs bij zichzelf gezegd dat het zo het beste was, als het einde niet werd uitgesproken. Maar met de gevoelens die in zijn binnenste woedden, kon hij de gedachte niet verdragen weg te gaan zonder haar nog één keer te hebben ontmoet, en haar te zeggen hoe hij erover dacht. Maar had hij haar niet eerder verteld wat hij dacht? Ze wist alles wat hij dacht, ze kende zijn gevoelens, en hij kende haar gedachten en gevoelens. Maar was dat wel zo? Hij had de afgelopen maanden moeten inzien dat hij niet zo snugger was als hij had gedacht waar het haar gevoelens jegens hem betrof.

Hij was nu sergeant en hij stond bekend als een strenge vent waar het het gezag tegenover de soldaten onder hem betrof, streng maar rechtvaardig. Jawel, de jongens moesten met tegenzin toegeven dat hij rechtvaardig was. En in de mess vormde hij altijd het middelpunt van het feest, een echte stoere bink. Maar hoe diep gingen deze twee kerels? Nauwelijks tot onder de huid, want op dit moment voelde de ware man zich fysiek onpasselijk, net als op zijn zestiende, toen hij had gewacht op haar terugkeer uit kostschool, in alle opzichten als de keurige juffrouw.

Toen kwam de dag in haar vakantie dat hij haar had gekust, en gedurende het volgende jaar had hij zich nooit onpasselijk gevoeld wanneer hij op haar wachtte; dat wil zeggen, tot de dag dat haar vader er lucht van kreeg en het tumult losbarstte.

Ze was naar een chique meisjesschool in het zuiden gestuurd, en daar hadden ze kennelijk goed werk gedaan, want ze had nu een manier van doen die veel op die van haar moeder leek. Ze hadden elkaar één keer op de openbare weg ontmoet, de dochter des huizes en hij, soldaat in de lichte infanterie van Durham. Hij had zich links en onhandig gevoeld in zijn uniform, en dat had zijn manier van doen beïnvloed.

De volgende keer dat ze elkaar ontmoetten was hij twintig en zij achttien. Hij was toen korporaal en zij had haar opleiding voltooid. Ze was al meer dan een maand thuis toen hij met verlof kwam, en nu was zij degene die hem had opgezocht. Ze moest zich van zijn doen en laten op de hoogte hebben gesteld, want toen hij langs de oude schuur kwam, zag hij haar uit de richting van de rivier naar hem toe komen. Hun ontmoeting was moeizaam, beleefd en gespannen geweest, tot hij had opgemerkt: 'Dus je bent nu van school?' En tot zijn verbazing had ze geantwoord: 'Ja, goddank.'

'Vond... vond je 't er dan niet leuk?'

'Leuk!' Ze had haar hoofd achterover gegooid en het uitgeschaterd, met die hoge, vreemde lach van haar, terwijl ze zei: 'Heb jij enig idee hoe een meisjeskostschool is?'

En hierop had hij vrijmoedig geantwoord: 'Nou, tot dusver niet. Maar in het leger zijn ze bezig allerlei plannen te maken om ons, soldaten, op te leiden en bij te spijkeren, dus misschien krijgen we nog een kans.'

Ze gromde even: 'Poeh!' Maar toen zei ze: 'Ik heb veel aan je gedacht, weet je, in de afgelopen jaren.'

'Ik voel me ten zeerste gevleid,' had hij vlak geantwoord.

'Heb jij ook aan mij gedacht?'

Hij had haar langdurig aangestaard voor hij plompverloren zei: 'Ben jij erop uit om spelletjes te spelen, Janis? Want als dat zo is, kan ik je maar beter meteen vertellen dat ik dat stadium achter de rug heb.'

'Ik begrijp niet wat je bedoelt.'

'Je begrijpt heel goed wat ik bedoel.' Hij had zijn hoofd langzaam op en neer bewogen, waarop zij haar hoofd had gebogen en op gedempte toon had gezegd: 'We zouden vrienden kunnen zijn.'

'Wat voor vrienden?' had hij haar gevraagd.

En hierop had ze hem versteld doen staan door hem recht aan te kijken en te zeggen: 'Wat voor soort je maar wilt.'

Hij had mensen wel eens horen zeggen dat ze een steek van schrik in hun hart voelden, en anderen dat ze een steek van vreugde hadden gevoeld. Nou, hij voelde toen een steek van vreugde. Hij had zijn hand naar haar uitgestoken en ze waren zwijgend teruggelopen naar de schuur, en na elkaar lang in de schemering te hebben aangekeken, had hij haar gekust, en zij had zijn kus beantwoord met een hartstocht die die van hem evenaarde.

Een heel jaar lang had hij alleen maar voor zijn verlof geleefd. Zesendertig uur, achtenveertig uur, waarvan sommige verspild werden doordat hij haar niet kon ontmoeten. Ze hadden een teken afgesproken. Als het oude bordje rechtop stond en tegen de omheining leunde, moest hij later die dag naar de schuur komen. Als ze het niet kon halen, hing het opzij. Als het nog in het gras lag, was ze weg.

Wanneer had hij het voor het eerst niet meer rechtop of op zijn zijkant aangetroffen? Acht... tien maanden geleden? Het was kort nadat hij tot sergeant was bevorderd. En bij die gelegenheid, toen ze elkaar hadden ontmoet, had hij gezegd: 'De volgende stap wordt officier.' En hierop had ze op vlakke toon geantwoord: 'Dat geeft dan enige hoop.'

'Als er oorlog komt,' had hij gezegd, 'wordt je op het slagveld heel snel bevorderd, en daarna word je écht wat.'

'Als er oorlog komt,' had ze op vlakke toon geantwoord. 'Zeg dat wel. "Als de hemel omlaag komt, hebben we allemaal een blauw hoedje op." Dat zei jij toch altijd?'

En wanneer was de naam van Richard Boneford voor het eerst gevallen? Zijn moeder had, heel tactvol, genoemd dat er een foto van juffrouw Janis in het streekblad stond; ze danste met de heer Dickie Boneford, die een landgoed in Schotland scheen te hebben en aan steeplechase deed.

Dus had hij tegen haar gezegd: 'Wat heb ik over jou en die Boneford gehoord, over die beroemde zus-en-zo van dinges?'

Hierop had zij geantwoord: 'Wat heb jij gehoord? Dat we samen op het bal van de jachtvereniging hebben gedanst? Ik heb met nog tien andere mannen gedanst, van wie er vier geschikte huwelijkskandidaten waren. Wat dacht je daar wel van?'

Hij dacht er helemaal niets van tot zijn volgende verlof, toen de paal met het bordje in het gras lag. Twee weken later kreeg hij een brief van haar, op zijn adres in de kazerne. Het was de eerste brief die ze hem ooit had geschreven. Het was het soort brief dat je in een roman zou verwachten, zo'n brief die aan het eind van de vorige eeuw kon zijn geschreven. Er stond alleen maar in dat ze al die jaren van zijn vriendschap en kameraadschap had genoten, maar dat ze nu naar haar toekomst moest kijken. Haar ouders wilden graag dat ze zich settelde. Dus moest ze hem vertellen dat ze plannen had om zich met Richard Boneford te verloven. Ze wist dat hij daar begrip voor zou hebben en dat hij de situatie vanaf het begin goed had begrepen. Ze zou altijd vol genegenheid aan hem blijven denken. Ze tekende slechts met 'Janis'.

Hij was niet in staat geweest dit te bevatten, niet alleen

het feit dat ze zich ging verloven, maar ook het feit dat ze zo'n brief kon schrijven. Hij had op de rand van zijn ijzeren bed zitten staren naar de woorden die op de pagina door elkaar dansten. Wat er tussen hen had bestaan was niet alleen maar 'vriendschap' geweest. Twee jaar geleden had hij haar genomen, en ze was meer dan gewillig geweest. O ja, méér dan gewillig. Om haar eigen woorden te gebruiken: ze had slechts geleefd voor de tijd dat hij met verlof was.

Die brief had zijn trots moeten krenken en alle gevoelens die hij voor haar had, moeten doden. Hij had moeten zeggen dat ze een koud en harteloos kreng was, dat ze niets meer dan een hoer was, maar hij zei niets van deze dingen, zelfs niet tegen zichzelf, maar hij herhaalde voortdurend haar naam: 'Janis! O Janis!' Tegelijkertijd spotte hij met zichzelf. Hij was sergeant Geoffrey Fulton, hij zat in het leger, en allemachtig, hij zou ervoor zorgen dat hij opklom. Wie dacht ze wel dat ze was, verdomme? Ze was niet meer dan de omhooggevallen dochter van een omhooggevallen vader. Maar deze smalende opmerkingen waren niet bij machte om door de huid heen te dringen, ze bleven steken in de oppervlakte, in het uiterlijk vertoon van de militair, met alle plichten, parades, exercities, in het oorlogje-spelen, de trots over het bataljon, het respect van de mannen, want zoals iedere soldaat je kon vertellen waren alle officieren sukkels en waren het de sergeants die het leger op de been hielden.

En toen kwam op drie juli het bevel: in oktober inschepen voor het Suez-kanaal. En hij was daar blij om, want het zou het voor hem onmogelijk maken om met ieder verlof naar huis te gaan.

Maar nu was hij thuis, met inschepingsverlof, en onderging hij opnieuw alle kwellingen die hij bij zijn vorige verlof had gevoeld. En toch niet helemaal, want de verbittering was nu door zijn huid heen getrokken en had een hardmakend effect op alles wat eronder lag. Hij zou zich echter niet gewroken voelen voordat hij haar precies had verteld wat hij van haar vond.

Hij keek op zijn horloge. Hij zou nog tien minuten wachten. Wanneer die tien minuten om waren, zou hij niet aarzelen, dan zou hij gaan. Maar hij zou haar wel een brief schrijven, geen brief vol algemeenheden, maar een met zijn definitie van vriendschap. En hij zou er geen doekjes om winden...

Opeens stond ze in de deuropening, zodat haar silhouet afstak tegen de schemering, en ze zei zacht: 'Dit is heel oneerlijk van je, Geoff.'

'Oneerlijk? Ik zie niet in wat er aan oneerlijk is.' Zijn stem klonk luchthartig. 'Ik neem aan dat je weet dat ik inschepingsverlof heb. Ik wilde alleen maar even afscheid van je nemen, want het is niet waarschijnlijk dat we elkaar nog eens zullen ontmoeten. Nietwaar?'

'Nee, ik denk het niet... Nou ja, in elk geval voorlopig niet. Dus juist daarom kan ik hier het nut niet van inzien.'

'Waarom ben je dan toch gekomen?'

'Omdat ik wist dat jij me wilde kwetsen, en niet tevreden zou zijn voordat dit je gelukt was.'

Haar stem had nog steeds die zachte, klagelijke klank die zo heel anders was dan haar gebruikelijke toon. Eigenlijk was haar hele manier van doen anders dan zoals hij haar had leren kennen: vrolijk, scherp, altijd bereid hem te overtroeven, zelfs met zijn grapjes. Bij deze gedachte was zijn eigen stem bijna als een schreeuw toen hij uitriep: 'Hou es op! Je bent toch zeker niet zo'n watje geworden doordat je verloofd bent? Hou eens op met die hangorige manier van doen!'

Ze reageerde onmiddellijk door te zeggen: 'Dat is nou typisch iets voor jou! Daarom was het ook onmogelijk. Jij kon nooit veranderen. Altijd ruw doen. Je was al erg genoeg voordat je in het leger ging, met dat voortdurende eigenwijze gedoe van je, maar daarna ben je nog lomp geworden ook. Wat voor kans was er om het ooit iets tussen ons te laten worden? Echt, bedoel ik. Dat moet je vanaf het eerste begin hebben geweten.'

Het woord 'lomp' had hem gestoken, en hij wilde er verder op ingaan, maar in plaats daarvan zei hij rustig, maar wel met opeengeklemde kaken: 'Nee, juffrouw Bradford-Brown, dat heb ik niet vanaf het eerste begin geweten, want je zou kunnen zeggen dat ik erin ben getuind. Ik dacht dat jij over voldoende karakter zou beschikken om voet bij stuk te houden en een echte vrouw te worden, zo eentje die was opgewassen tegen je inhalige vader en je bekakte moeder die, hoe aardig ze ook mag lijken, niemand voor een moment laat vergeten dat ze van stand is. En ik heb natuurlijk het feit over het hoofd gezien dat jij hen beiden in je hebt, het snobisme van je moeder en de inhaligheid van je vader, die ondanks al zijn geld een afgrijselijk onnozele, boerse man is die maar niet kan begrijpen dat hij slechts vanwege zijn vrouw wordt getolereerd. Nee, weet je, ik begreep het eerst niet, maar nu wel. Vertel me echter één ding voordat we uit elkaar gaan,' – hij maakte een dramatische beweging met zijn arm – 'weet meneer Richard Boneford het van ons? Ik bedoel... nou ja, je begrijpt wel wat ik bedoel, hè?'

Ze staarde hem aan, en haar mond was nu een rechte streep. 'Als je 't lef hebt!'

'O, dat heb ik echt wel, hoor; ik ben nou eenmaal zo'n lompe boerenkinkel. Het is iets waar ik graag in de pub over wil opscheppen, die verovering van de dochter van de heer van het Grote Huis.'

Hij zag hoe haar blauwe ogen wazig werden en de kleur uit haar roomkleurige wangen wegtrok. Ze was werkelijk bang dat hij zijn dreigement zou uitvoeren; ze dacht echt dat hij ertoe in staat was... Maar wás hij dat ook?

Toen veranderde haar hele uitdrukking, en terwijl ze een stap naar hem toe deed en ze haar hand uitstak om zijn arm aan te raken, besefte hij dat dit de eerste stap was in een poging tot vermurwen, en hij was tegelijkertijd verbaasd, teleurgesteld en van weerzin vervuld. Zodra hij haar aanraking voelde, duwde hij haar fel bij haar pols weg, zodat ze een kreet slaakte.

Hij keek haar aan terwijl ze over haar pols wreef, en hij zei smalend: 'Zal ik jou eens wat zeggen? Je bent het speeksel uit mijn lompe mond nog niet waard. Maar je zou wel nog eens met mij door het gras willen rollen, om te maken dat ik mijn mond dichthoud, hè?'

Hij duwde haar opzij en stapte de schuur uit, en hij had een stuk over het pad gelopen toen haar stem klonk: 'Wacht! Geoff, wacht!'

Hij bleef staan, draaide zich om, en riep met een gezicht dat wit was van de intensiteit van zijn gevoelens: 'Loop naar de hel, Janis!'

Hij liep verder, met rechte rug, geheven hoofd en zwaaiende armen, tot hij bij het bosje kwam. Hier bleef hij staan en greep met beide handen een jonge zaailing beet en schudde eraan tot de wortels ervan de aarde deden bewegen.

Goed, het was over, voorbij.

Hij vertraagde zijn pas toen hij over de weg naar huis liep. De stijfheid was uit zijn lichaam verdwenen, zijn kaarsrechte rug was enigszins gebogen, zijn hoofd hing naar voren.

Hij kwam het huis via de achterdeur binnen. De keuken ademde nog steeds de sfeer van een boerderij: een lange, blankgeschuurde tafel in het midden van de ruimte, een open haardvuur met ovens aan weerszijden, zwarte balken aan het plafond, en een eikenhouten buffet met aardewerk. En voor de kast stond Lizzie. Ze was bezig geweest kopjes aan hun oor op te hangen aan de haken die aan de onderste plank waren bevestigd. Ze draaide zich naar hem om, en toen hij niets zei, zei ze: 'Hallo.'

Toen antwoordde hij: 'Hallo. Alles goed?'

'Ja, prima... Heerlijk. Het... het zal me hier erg goed bevallen.'

'Mooi zo.'

'Zal... zal ik een kop thee voor je zetten? Je moeder speelt op de piano.' Dit laatste was duidelijk.

Hij zei: 'Is mijn vader al thuis?' En ze knikte. 'Jawel, ja, en hij heeft met me gesproken. Hij... hij zegt dat ik welkom ben.' Ze glimlachte breed.

'Dat is mooi,' zei hij. 'Dat is mooi. Dat zit dan wel goed met jou.'

Hij wist dat hij naar binnen hoorde te gaan om zijn vader te begroeten, maar hij voelde zich op dat moment niet in staat het over andere dingen te hebben.

Hij knikte naar haar en liep toen naar de verste deur, de gang in, de trap op, naar zijn slaapkamer. Hij trok zijn jas uit en maakte zijn das los, en bleef toen even staan nadenken. Lomp. Het was vreemd, maar op dat moment vond hij dat er zo over hem werd gedacht nog erger dan het feit dat ze hem had afgewezen.

Hij was er altijd prat op gegaan dat hij zich in een gesprek goed wist te weren. Hij was heel goed in het onthouden van citaten, wat soms heel indrukwekkend kon zijn. De oude Phybus, de leraar Engels op school, had ook een voorliefde voor de oudheid gehad, en die had hij er bij die domkoppen stevig in getimmerd. Hij had dat, gek genoeg, zelf heel interessant gevonden en de kennis hiervan verschafte hem nu vaak imponerende citaten.

Hij liep naar de andere kant van de kamer en maakte een kast open waarin zijn moeder alle attributen van zijn schooljaren had opgeslagen. Op de bovenste plank stonden zijn boeken: *Schateiland, De ontvoering, David Copperfield, Kim, Het geheim van de zandverstuiving, De laatste der Mohikanen*, stapels tijdschriften, en daar, op een opvallende plaats, *De legenden uit het oude Griekenland en Rome*.

Hij pakte het boek op, bladerde erin, zette het toen weer met een zelfverzekerde bons op de plank en mompelde hardop: 'Lomp!'

Hij pakte een woordenboek en las de definitie van het woord: *onbeschaafd, ruw, ongemanierd, dom*.

Dom en ongemanierd. Hij moest bij deze woorden denken aan Bill Titon, de zuiplap die zo ongeveer in De Haas woonde. En er waren hier nog een paar kerels in de buurt aan wie hij het etiket ruw en onbeschaafd kon bevestigen. Vreemd? Nee, je zou toch denken dat je op zijn minst geestelijk gestoord moest zijn om vreemd te zijn, of op zijn minst excentriek. Maar hij wist wat ze bedoelde toen ze hem lomp had genoemd... Onbeschaafd, onontwikkeld. Ja, dat had ze bedoeld.

Maar had ze hem onontwikkeld gevonden toen ze met hem in het hoge, wilde gras naast de schuur had gelegen? Nee, allemachtig, toen niet! Ze had tegen hem gezegd dàt hij geweldig was, en dat hij haar uit deze wereld wegvoerde. Dat had ze hem niet één keer maar vele keren verteld; en ze had hem gekust met een vurigheid die even groot was als die van hem. Op zulke momenten wist hij dat ze voor elkaar waren geschapen en dat niets of niemand hen ooit kon scheiden. En ze had hem verteld dat hij boven alle mensen stond die ze kende: de mannen, de jagende, vissende menigte. Dat was natuurlijk na afloop, wanneer ze voldaan als een jong poesje in zijn omhelzing had gelegen. Hij kende ieder plekje van haar lichaam en zij van het zijne, en ze waren mooi geweest in elkaars ogen. Maar nu was hij lomp... en zij was een kreng. Dat was dan de eeuwigdurende liefde...

Hij voelde een felle steek van pijn tussen zijn ribben, als van een stoot met een bajonet.

Hij hoorde de stem van zijn moeder, die riep: 'Ben je boven, Geoff? Pa is thuis.'

Hij deed de deur open en riep terug: 'Ik kom er aan...'

Vijf minuten later kwam hij de zitkamer binnen met een strak gezicht, hoewel met geheven hoofd en rechte rug.

Zijn vader zat naast de haard en Geoff zei tegen hem: 'En, dat was het dan?'

'Ja jongen, dat was het dan, en daar ben ik blij om! Lieve help! Ik zou er gek van worden als ik in de stad moest wonen. Ik weet niet hoe Henry dat volhield.'

'Ach, je weet best hoe hij het daar volhield, John, want hij hield van de stad. Hij vond het vreselijk om op het land te zijn,' zei Bertha.

'Tja, je zult wel gelijk hebben.'

Bertha keek naar Geoff en voegde eraan toe: 'Hij voelt

zich schuldig, Geoff, want Henry heeft hem zijn geld nagelaten.'

'Nee!' Hij keek zijn vader aan en glimlachte. 'Was het veel?'

'Of het veel was?' Zijn moeder kwam er opnieuw tussen. 'Je kunt 't gewoon niet geloven. Die man leefde werkelijk op de armoedegrens, hij heeft zijn hele leven zo ongeveer droog brood gegeten, en dat met zo'n goede baan als hij had. We hebben het nooit kunnen begrijpen. Terwijl hij al dat geld op de bank had.'

'Al dat geld?' Geoff keek zijn vader weer aan en zijn moeder zei opgewonden: 'Vertel het dan, man. Vertel 't hem.'

'Tweeduizendzevenhonderd pond.'

'Wat! Heeft hij je dát nagelaten?' De gebeurtenissen van die avond verdwenen even naar de achtergrond, en hij kwam bij zijn vader zitten, legde een hand op zijn schouder en zei: 'Nou, dat is de moeite waard! Tweeduizendzevenhonderd. Nu kun je die fiets van jou in de rivier gooien en een auto kopen.'

'Een auto?' Zijn vader keek hem schuin aan en zei: 'Je ziet mij al in een auto rijden?'

'Ja, echt. En hoor eens,' – hij keek even naar zijn moeder – 'zet 't nou niet op de bank om het op te potten, geniet ervan. Ga er samen opuit en doe er wat leuks mee.'

'Ik weet 't niet.' Zijn vader schudde zijn hoofd. 'Ik voel me toch een beetje schuldig. Je weet dat ik me de laatste jaren nooit veel aan hem gelegen heb laten liggen. Hij werkte me op mijn zenuwen. Maar aan de andere kant besefte ik dat ik hem veel verschuldigd was voor de manier waarop hij in mijn jeugd voor mij heeft gezorgd. Hij heeft me grootgebracht, weet je. En als hij niet zo'n manie voor kamperen had gehad, had ik hier vandaag niet gezeten en had ik dit meisje nooit gevonden.' Hij greep Bertha's hand die op haar stok lag, en ging toen verder: 'Hij heeft jarenlang niets met me te maken willen hebben...'

'Nee, dat was niet om jou, dat was om mij...' viel Bertha

hem in de rede, 'of om alle vrouwen eigenlijk. Hij moest gewoon niets van vrouwen hebben. Hij wilde er niet eens eentje in huis hebben om voor hem schoon te maken. En dat terwijl hij zoveel geld had.' Ze zuchtte, glimlachte toen en zei: 'Het is me het weekend wel geweest.'

'Ja, dat heb ik van Phil Connor gehoord. Kwam hem op de terugweg tegen. Hij zei dat er gisteren toestanden waren bij die cottage. Dat iemand had geprobeerd er in te breken, en dat Kidderly met hem had gevochten en daarbij ook nog eens een gebroken kaak had opgelopen en in het ziekenhuis was beland. Dat zoiets hier in de buurt kan gebeuren! Wat kan zo'n man nou gedacht hebben in die cottage te zullen vinden?'

Geoff keek zijn moeder aan en zei: 'Je hebt het nog niet verteld?'

'Dat gedeelte niet, nee.'

'Welk gedeelte? Houden jullie iets voor mij geheim? Wat moet ik weten? Vertel op.'

Bertha tuitte haar lippen even voor ze met haar duim naar Geoff wees en zei: 'Deze soldaat hier was de indringer. Die Kidderly viel het meisje lastig, en zij begon te gillen.'

John keek zijn zoon even aan. Toen vroeg hij kalm: 'Heeft hij je herkend?'

'Nee.'

'Maar hij heeft je uniform wel gezien.'

'Ik had jouw oude jas aan en je pet op.'

'Je kunt 't geloven of niet,' lachte Bertha, 'maar hij was eropuit gegaan om Ted Honeysett op heterdaad te betrappen.'

'Nee! Waarom wilde jij Ted grijpen?'

'Ik zou 't je niet meer kunnen zeggen, pa. Ik denk dat ik me verveelde. Ik zal m'n legermanoeuvres wel hebben gemist. De waarheid is dat ik alleen maar wilde kijken of ik 't kon doen. Jij hebt altijd gezegd dat hij zo sluw was als tien wezels.'

'En, heb je 'm gegrepen?'

Er verscheen een glimlach op het gezicht van zijn vader,

en Geoff schudde zijn hoofd en zei: 'Nee. Hij heeft mij betrapt. Hij moet me al die tijd al in de gaten hebben gehad, want hij was degene die de dokter heeft gebeld. Ik was in staat geweest hem daar gewoon te laten liggen en het hem verder zelf uit te laten zoeken. Hij was niet dood, dus hij was wel weer bijgekomen. Maar Ted ging naar de telefooncel om voor barmhartige Samaritaan te spelen.'

'Hij is geen kwaaie kerel, die Ted. Een schooier waar het vis en gevogelte betreft; hij vist op het verkeerde moment en hij vangt fazanten voordat ze kunnen vliegen. Maar in zijn hart is hij geen kwaaie kerel. We hebben begrip voor elkaar. En ik wil wedden dat hij wist dat ik niet onder die jas en pet zat. Stond je stil?'

'Ja, ja, een tijdje.'

'Nou, hij waarschijnlijk ook, om jou uit te lachen... Allemachtig, ik kan je ook geen vijf minuten alleen laten. Nou ja, in elk geval is er iets goeds uit dit alles voortgekomen, want ik mag dat meiske wel. En ze zal zich goed aanpassen. Zo'n type is het wel.' Hij haalde zijn schouders op. 'Maar ik weet niet wat zij ervan zal vinden als ze tot de ontdekking komt dat ze onder een vrouwelijke sergeant moet dienen.'

'Ach, jij!' Bertha tikte met haar stok tegen zijn been en zei: 'Ik heb in m'n hele leven nog niet bazig gedaan, tegen wie dan ook; ik heb mensen dingen geleerd, ja, maar ik heb nooit bazig gedaan, dus ik weet echt niet van wie je zoon dat heeft.' Toen keek ze Geoff aan en voegde eraan toe: 'Het is gek, weet je, maar ik kan me niet voorstellen dat jij staat te brullen en mensen moet commanderen, volwassen mannen, bedoel ik, en soms zitten daar harde jongens bij.'

'Wacht maar tot hij sergeant-majoor is.' John knikte naar zijn zoon, en Geoff trok quasi-minachtend zijn wenkbrauwen op en zei: 'Ja, wacht maar eens af, dan kun je wat beleven.' En terwijl hij zich omdraaide voegde hij eraan toe: 'Ik ga eens kijken of er iets eetbaars in de keuken te vinden is. Blijf jij maar zitten' – hij stak zijn hand naar zijn moeder uit toen zij achter hem aan wilde lopen – 'ik ben nu een grote jongen, ik kan wel voor mezelf zorgen.'

Eenmaal buiten bleef hij staan en zei tegen zichzelf: 'Jawel, dan kun je wat beleven, sergeant-majoor... maar die dag zal komen. Ja, als 't aan mij ligt, die dag zal komen. God! Ik weet 't zeker. En daarna? Sterren? Ik zal alles op alles zetten om die binnen te halen. Al was het alleen maar om haar op haar nummer te zetten... Lomp en onbehouwen!'

Hij marcheerde de hal door alsof hij op het exercitieterrein liep, hij duwde de keukendeur open en liep Lizzie bijna omver. Hij stak zijn armen snel uit om haar op te vangen voordat ze viel, en hij hield haar even vast terwijl hij haar aankeek en zei: 'Dit is de tweede keer in twee dagen dat ik jou heb gered. Je begint er een gewoonte van te maken.'

Toen ze weer rechtop stond, veegde ze haar haar van haar voorhoofd naar achteren, keek naar hem op en zei: 'Ja, dat zal best. Want na de derde keer moet je trakteren, hè?'

Het was een kinderachtig gezegde, want waarom moest je na de derde keer trakteren? Hier had ze nooit eerder over nagedacht, dus liep ze met een glimlach weg, de hal in, en hij liep de keuken door terwijl hij herhaalde: 'Na de derde keer moet je trakteren.'

Deel twee

HET HUIS LAAGMEER

1

'Ik wil geen krijsende kinderen in dit huis ingekwartierd hebben. Ga ze dat maar vertellen.'

Alicia Bradford-Brown keek naar de weerkaatsing van haar neus in de spiegel, en ze zei met een stem die even irritant kalm was als altijd: 'Ga jíj hun dat maar zeggen, want ik doe het niet.'

'Dat doe jij verdomme wél!'

'Vloek niet tegen mij, Ernest.' Ze wendde zich af van de spiegel, met een kam in haar hand en haar arm uitgestoken, en ze gebaarde met de kam naar hem terwijl ze zei: 'Ik heb je daarvoor gewaarschuwd. Je kunt tegen me tekeergaan op je bekende imbeciele manier, maar ik tolereer niet dat je tegen me vloekt.'

'Nou moet jij eens goed luisteren!' Hij deed twee stappen naar haar toe, stak een hand uit en sloeg de kam uit haar vingers terwijl hij zei: 'Dit is mijn huis, en dat is iets dat jij wel eens schijnt te vergeten. Dit is nu mijn huis, en ik vloek... ik vloek verdomme wanneer ik wil, en wáár ik wil. Prent dat nou maar goed in die hersens van je.'

Er ging een huivering door haar slanke lichaam, maar haar gezicht verried niets toen ze zei: 'Als jij dat doet, Ernest, zal ik doen wat ik jou in het verleden meer dan eens heb gedreigd te zullen doen: dan ga ik bij je weg. En als ik dat mocht doen, dat weet je maar al te goed dat de meeste deuren in het graafschap voor jou dicht zullen blijven. Er is nu oorlog, ja, en er bestaat een zekere kameraadschap tussen grootgrondbezitters en hun arbeiders; maar onder dat alles wordt er een uitzondering gemaakt voor mensen als jij, Ernest, want jij hebt nooit iemand laten vergeten dat jij een bemiddeld man bent, terwijl je tegelijkertijd probeert te verbergen hoe je aan die middelen bent gekomen, en waar jij eigenlijk vandaan komt. Wanneer je echter vanaf het eerste begin openhartig was geweest over je afkomst, was je om jezelf geaccepteerd. Ik heb je dat al vele jaren geleden geprobeerd te vertellen. Maar nee, je bent een heel klein mannetje met een groot omhulsel, Ernest, maar het is een doorzichtig omhulsel...'

'Mijn God! Vrouw, nou ga je echt te ver! Ik heb er genoeg van, de maat is vol, dat verzeker ik je.'

'Maar nog niet zo vol als bij mij, Ernest.'

'Je moet mijn naam niet steeds op die manier herhalen, alsof het iets is dat aan je tong kleeft. Je bent... En keer me niet je rug toe!'

Ze draaide zich weer om en keek hem recht aan toen ze zei: 'Heb je liever dat ik je blijf aankijken met een gezicht dat uitdrukking geeft aan mijn gevoelens?'

Zijn grote, bleke gezicht had een paarse kleur gekregen en er liepen druppels zweet uit zijn grijze haren over zijn slapen.

Vroeger had ze nog wel eens met hem te doen gehad, wanneer zijn woede maakte dat hij een zwetende massa vlees met een paars gezicht werd, ze had zelfs medelijden met hem gehad omdat hij was zoals hij was, maar nu niet meer, en al vele jaren niet meer. Ze was met hem getrouwd om haar vader en dit huis te redden. Haar vader had haar offer niet lang overleefd, en dit huis, wist ze, was de kwelling waarmee ze ervoor had betaald niet waard. Het enige dat haar gedurende haar huwelijksleven enig geluk had gebracht, was de komst van haar kinderen. Ze had die aan hem te danken, hoewel ze bij ieder ander met wie ze was getrouwd ook de mogelijkheid van kinderen had gehad.

Op dit moment miste ze hen beiden, Andrew nog meer dan Janis, omdat ze niet wist of hij dood of levend was, of nog in Frankrijk op het strand zat of door de Duitsers gevangen was genomen. Haar schoonzoon Richard had het overleefd, hoewel het nog niet duidelijk was in welke staat. Janis was naar Dover gegaan, waar hij in het ziekenhuis lag. Het enige dat Janis wist was dat hij gewond was, maar ze had in elk geval de troost te weten dat hij in leven was, terwijl Andrew, haar lieve Andrew... De tranen vormden een prop in haar keel toen ze zich omdraaide en met ongewoon luide stem zei: 'Je maakt een scène bij de gedachte dat we misschien een paar kinderen in huis krijgen, terwijl je je totaal niet afvraagt hoe het met je zoon is, en wat hem kan zijn overkomen...'

'Hoe weet jij dat ik niet aan mijn zoon denk? Je denkt altijd dat jij de mensen zo goed kent, weet wat er in hun hoofd omgaat. Maar hoe zou het zijn als hij nu thuiskwam, en als ze Richard ook thuisbrachten, terwijl hij rust en verpleging nodig heeft, met horden vreemde kinderen die in het huis rondhollen? Je weet zelf hoe het gaat als hier kinderen komen. Het is de ruimte; die stijgt ze naar het hoofd, ze worden helemaal gek. Kijk maar naar die drie die we vorig jaar hadden.'

'Dit zijn geen kleine kinderen, dit zijn kinderen van veertien, twee jongens en twee meisjes, en ze zouden een handje kunnen helpen. Jij loopt steeds te kermen omdat Tom Midgely en Michael Rice zijn vertrokken, maar denk je ooit wel eens aan het huis? De enige die ik over heb is de kokkin, en Florrie Rice en Nancy Bassett, wanneer ze niet te dronken is om te komen werken.'

Het was vreemd, dacht hij toen hij haar aankeek: soms, zoals nu, praatte ze als een echte huisvrouw. Dan kon hij haar begrijpen, kon hij haar tegemoetkomen. Maar die andere kant van haar maakte hem zo kwaad dat hij er bijna krankzinnig van werd. Hij zou haar soms wel kunnen wurgen om haar kalme manier van doen, om zo verlost te zijn van de kwelling die haar aanwezigheid bij hem teweegbracht. Hij begreep niet waarom hij liefde moest voelen voor een vrouw die iedere centimeter van zijn lichaam minachtte en die iedere gedachte van zijn geest belachelijk maakte en kleineerde. Goed, goed, hij wist heel goed hoe hij zelf was, dat wist hij maar al te goed, en hij zou echt niet meer veranderen, daar was het te laat voor. Hij kon niet meer veranderen. Waarom zou hij, trouwens? Hij had zich omhoog gevochten in dit verdomde, bekakte wereldje, en dat was ooit zijn grote doel in dit leven geweest; maar wat was er gebeurd toen hij zijn doel had bereikt? Hij had ontdekt dat het niets voorstelde en dat het er koud en leeg was. Maar er was geen weg terug naar de warmte van zijn begin, want hij had die wereld volledig verloochend en hij was er op zijn beurt uit verstoten. Er was maar één persoon die hem enige troost bood, en dat was zijn dochter, want in Janis zag hij iets van zichzelf. Ze had zich door haar huwelijk verzekerd van een plaats binnen de magische cirkel en dat had hem veel voldoening geschonken, en ook opluchting, want toen ze van die chique school was thuisgekomen, had hij zo zijn verdenkingen gehad dat ze weer afspraakjes had met die jongen van Fulton, en dat terwijl hij had gedacht dat hij dit alles jaren geleden in de kiem had gesmoord, en hij wist dat als hij hen op heterdaad had betrapt, hij zijn geweer op die vent had gericht. Maar alle verdenkingen verdwenen als sneeuw voor de zon toen ze hem op zekere dag had verteld dat Dickie Boneford haar ten huwelijk had gevraagd. En die dag had hij haar zijn blijdschap getoond, want de Bonefords waren mensen van stand. Ze waren uit Schotland afkomstig. Hun landgoed was niet groot en ze waren niet bijzonder welgesteld, maar ze hadden een naam die vele generaties terugging, en ze bezaten een landhuis dat dit alles bewees.

Alles was goed gegaan voor Janis. Ze had bijna net zo goed voor dame gespeeld als haar moeder. Toen was die verdomde oorlog uitgebroken en nu lag haar man ergens in een ziekenhuis in Dover, aan flarden geschoten, voorzover hij het had begrepen. Stel dat hij stierf en zij hem geen erfgenaam had bezorgd? Ze was op dat punt heel eigenwijs geweest.

Hij draaide zich langzaam om en was al bij de deur toen de stem van zijn vrouw klonk: 'Ga jij het tegen hen zeggen?'

Hij bleef even staan, maar hij keek niet naar haar om – toen vertrok hij en smeet de deur achter zich dicht.

Zijn zwijgen was zijn antwoord geweest, dacht ze. Ze zou deze kwestie zelf moeten afhandelen. Ze had eerlijk gezegd zelf even weinig zin in kinderen die door het huis liepen te hollen als hij, maar als ze die niet namen, konden ze met een heel gezin worden opgezadeld, of met soldaten. Zoals Clara Johnson van De Torens tot haar schrik had ondervonden, toen ze bezwaar maakte tegen evacués en ze zes soldaten in gekwartierd had gekregen, en die bleken duizend keer erger te zijn dan welke kinderen dan ook.

Dat was eigenlijk wel een idee. Zíj zou het helemaal geen punt vinden om een paar officieren onderdak te moeten bieden; het zou eigenlijk wel leuk zijn. En Janis zou zich niet zo vervelen als er jonge mensen in huis waren. Maar aan de andere kant begreep ze echt niet waarom Janis zich moest vervelen met al het vrijwilligerswerk dat ze deed. Ze zou Richard wel missen. Natuurlijk zou ze Richard missen. Ze vroeg zich wel eens af waarom ze naar huis was gekomen in plaats van bij zijn ouders te blijven, want het waren alleraardigste mensen. Een beetje ouderwets, maar toch echt heel aardig. Maar Janis was zelf nou niet zo'n rustig type; ze bezat veel te veel energie. Ze leek te veel op... Ze onderbrak haar gedachten abrupt, want ze wilde zelfs tegenover zichzelf niet toegeven dat haar dochter op haar vader leek.

Toen er op de deur werd geklopt, riep ze: 'Binnen.' Florrie Rice stapte de kamer in en zei: 'De dame van het inkwartieringskantoor zegt dat ze over een kwartier de bus van de hoek moet hebben, want dat ze anders nog eens anderhalf uur moet wachten, mevrouw.'

'Ik kom direct naar beneden, Florrie.'

Florrie loensde wat met één oog – wat hoogstwaarschijnlijk de reden was waarom ze nog steeds in het huis werkte en niet voor de strijdmacht. En het oog leek onder haar knipperende oogleden op en neer te gaan toen ze zei: 'Ik moet u waarschuwen dat ze iemand bij zich heeft, mevrouw, een beetje een volks mens. Ze praat nogal luid. Ze is al tamelijk oud. Ik dacht dat ik u dat maar beter even kon zeggen.'

'Dank je, Florrie. Dank je.'

'Tot uw dienst, mevrouw.' Florrie trok haar hoofd met een ruk terug en liep toen naar buiten, en een paar minuten later volgde Alicia haar, na eerst diep adem te hebben gehaald, over de brede overloop, de indrukwekkende eiken trap naar de hal af, en vandaar naar de studeerkamer aan de andere kant waar alle... personen waren binnengelaten.

Ze hoorde de stem van 'dat mens' voordat ze de deur opendeed. 'Van me levensdagen niet. Ik heb van kindsbeen af in zulke huizen gewerkt. Nee, dank je wel, mijn niet gezien. Ik heb heus geen hekel aan werk, maar ik kan dat soort volk niet luchten of zien.'

Alicia deed de deur open en zag 'dat mens'. Ze was klein, dik en wat zij als 'slonzig' betitelde. Ze droeg een blauwe wollen jas en een grijze strohoed, en het gezicht eronder leek uit een patroon van rimpels te bestaan waaruit twee gitzwarte ogen haar aankeken.

'Goedemiddag, mevrouw Bradford-Brown.' Er klonk een nerveuze trilling in de stem van juffrouw Taggart.

'Goedemiddag, juffrouw Taggart. Wat kan ik voor u doen?'

'Nou, eh' – juffrouw Taggart keek naar haar gezelschap – 'het... het ging over die kinderen. Ik... ik had u gebeld, weet u wel.'

'Ja, ja, natuurlijk.'

'Nou, ik heb die twee jongens onder dak, maar... maar ik zit nog steeds met de meisjes, en... nou ja, ze hebben net zo'n leeftijd, veertien en... en...' Toen ze zweeg, verklaarde 'dat mens', terwijl ze de vrouw des huizes strak aankeek: 'Wat ze u probeert te zeggen is dat het twee wilde meiden zijn, complete jongensgekken, en dat het een hele toer zal zijn om op die twee te passen, en dat ze dacht dat ze mij hier wel kon dumpen om te helpen die twee onder de duim te houden. Maar ik heb nee gezegd. Ik bedank er feestelijk voor, dame.

Of u mij nou hebben wil of niet, ik heb zo m'n redenen om niet in zo'n huis als dit te worden ondergebracht, en dat zijn heel goeie redenen ook. Dus, zoals ik al tegen juffrouw Taggart zei, het was zonde van het busgeld voor mij, en ik kan maar beter gelijk naar Shields teruggaan. Ik ben heus niet bang voor bommen; ik heb liever bommen dan sommige mensen.'

'Mevrouw Price, alstublieft!'

'Alstublieft wat?'

'Wees even stil!'

'Er is hier niemand die zegt dat ik m'n mond moet houden als ik wil praten. Ik zeg altijd gelijk waar 't op staat. En hoor eens, ik kom d'r zelf wel uit, ik ga gelijk.'

'Wilt u nu even uw mond houden?' Juffrouw Taggart keek Alicia aan en zei: 'Het spijt me. Maar als u de meisjes zou kunnen hebben?'

'Eén moment.' Alicia stak met een vriendelijk gebaar haar hand uit. 'Als, zoals deze... eh...'

'Me naam is Meg Price, mevrouw Meg Price.'

'Ja, ja, natuurlijk. Als, zoals mevrouw Price zegt, dit meisjes zijn die veel aandacht nodig hebben, dan vrees ik dat ik geen personeel heb om voor hen te zorgen. Bovendien is mij medegedeeld... of liever gezegd, heb ik van het ministerie begrepen, dat ik misschien wat militairen krijg ingekwartierd.' Het was heel gemakkelijk om overtuigend te liegen. Ze was er volledig aan gewend; ze had er in de loop der jaren een kunst van gemaakt.

'O, juist ja. Nou, in dat geval zal ik verder moeten zoeken.' Juffrouw Taggart richtte haar blik op het raam en voegde er op verzoenende toon aan toe: 'Het is wel jammer, hè, dat uw prachtige bloementuin nu een groentetuintje moet worden? Nou ja,' – ze maakte even een snuivend geluid – 'niet echt een tuintje, maar u begrijpt wel wat ik bedoel. Dat zult u wel heel jammer vinden.'

'Nee, in het geheel niet; je kunt geen bloemen eten, en we willen maar al te graag zoveel mogelijk doen om in oorlogstijd onze bijdrage te leveren.'

'Ja, ja, natuurlijk. Nou, ik moet weer eens gaan. Ziet u, de bus... nou ja, die vertrekt om kwart voor drie van de hoek.'

'Dat begrijp ik. Goedendag, juffrouw Taggart.'

Een minuut later stond Alicia bij het raam van de zitkamer en zag de twee vrouwen de oprit aflopen, en terwijl ze bedacht wat een vreselijk mens die ene was, feliciteerde ze zichzelf ook met hoe netjes ze zich uit die situatie had weten te redden. Ze wenste dat die scène in de slaapkamer er niet aan vooraf was gegaan. Ze gaf het zichzelf niet graag toe, maar zulke incidenten maakten haar altijd van streek.

Toen ze zich omdraaide, keek ze op de Franse klok op de schoorsteenmantel. Kwart voor drie. Ze glimlachte bij zichzelf: ze hadden de bus vast gemist.

Juffrouw Taggart leunde tegen het boerenhek terwijl de andere vrouw in het gras van de berm zat, met haar voeten in een greppel, haar rug naar de weg. Ze hadden de afgelopen vijf minuten niets gezegd. Ze waren allebei moe, dorstig, en op hun eigen manier kwaad. Juffrouw Taggart was kwaad op mevrouw Bradford-Brown, die haar bijna twintig minuten had laten wachten, en voor deze keer was ze het eens met de mening van haar metgezellin over mensen van stand; die konden heel bot en onattent zijn.

Mevrouw Meg Price was kwaad omdat ze zich had laten overhalen helemaal naar hier te komen, ter voorkoming voor iets dat misschíén zou gebeuren. Het was niet dat ze een hekel aan het platteland had, het ging haar om de mensen die daar woonden en die ze niet mocht. Nou ja, niet allemaal. Maar het geval wilde dat de aardige, vriendelijke mensen allemaal vol zaten. Dit laatste huis waar juffrouw Taggart haar had willen stallen was nog erger dan de pastorie. Dominee Drinkwater had best een geschikte kerel geleken, maar zijn vrouw was een geweldige kakmadam, net als die van daarnet. Ze had haar graag met die twee schoffies opgezadeld. Veel succes ermee. Ze hoopte maar dat ze haar zilver achter slot en grendel had.

Ze tuurde de weg af. Het afgelopen halfuur was er geen levende ziel te bekennen geweest. Ze konden wel allemaal dood zijn.

Opeens stapte juffrouw Taggart bij het hek vandaan en zei pardoes: 'Daar komt iemand aan.' Het bleken twee vrouwen: de ene was een meisje van een jaar of zeventien, achttien, de andere een oude vrouw die met een stok liep. Ze bleven allebei staan toen ze ter hoogte van Meg waren, en de vrouw met de stok keek van de een naar de ander en zei: 'U gaat me toch niet vertellen dat u de bus hebt gemist?'

'Ja, toch wel.' Juffrouw Taggart knikte.

'Hoe lang hebt u al staan wachten?'

'O,' – juffrouw Taggart keek op haar horloge – 'een minuut of twintig.'

'Lieve help! Dan moet u nog bijna een uur wachten. Heeft u misschien zin in een kopje thee?'

Juffrouw Taggart en Meg Price wisselden een snelle blik, ze glimlachten allebei en antwoordden bijna gelijktijdig: 'Ja graag. Dat lijkt ons geweldig.'

'Nou, als u nog vijf minuten verder kunt lopen, zult u de ketel zien koken.' Terwijl Bertha dit zei, hielp het meisje de oude vrouw uit de berm overeind, en ze wisselden een blik en glimlachten. 'Het is warm, hè?' zei Meg.

Lizzie knikte en zei: 'Ja, zegt u dat wel. Ik vind het lekker, maar' – haar glimlach werd breder – 'ik begrijp dat u het niet zo lekker vindt.'

'Daar heb je gelijk in, meisje. Daar heb je gelijk in. Geef mij maar een stevige oostenwind, dan heb ik 't naar me zin.'

Lizzie liep naast de oude vrouw en Bertha vergezelde juffrouw Taggart.

Tien minuten later zat het viertal rond de keukentafel thee te drinken, en een van hen vergat, of scheen niet te weten, dat het tegenwoordig in deze magere tijden niet beleefd was om meer dan twee scones te nemen, en ze hapte gretig in de vierde terwijl ze Bertha aankeek en zei: 'Allemachtig! Ik heb in lange tijd niet meer zoiets gegeten. Bakt u die?'

'Nee. Lizzie hier kookt, en dat doet ze heel goed, net als al het andere.' Bertha glimlachte trots, alsof ze het over een dochter had. En Lizzies glimlach had een liefdevol blijk jegens een moeder kunnen zijn. Het bleef even stil rond de tafel, tot Bertha zei: 'Gaat u dus terug naar Shields?'

'Jawel. D'r zit niets veel anders op; maar ik vind 't geen probleem. Hoewel ik me een beetje zorgen maak dat ze me kamer hebben ingepikt. Ik had m'n spulletjes achter slot en grendel gezet. Maar alle lieden die daar in de straat zijn achtergebleven zijn heel behendig met een haarspeld, of met een stukje ijzerdraad. En ik zou niet verbaasd zijn als ze, denkend dat ik voorgoed weg ben, mijn huis al hebben leeggehaald. Mevrouw Ridley van de overkant, da's een best mens, hoor, en zij zou voor me oppassen, maar ze is het grootste deel van de dag naar d'r werk. Dus nou vráág ik je.'

Bertha staarde de oudere vrouw aan. Toen keek ze even naar het raam en zag daar John voorbijkomen, op weg naar het tuinschuurtje, waarschijnlijk om de schoffel te halen om nog even wat te wieden, want de grond was goed droog. Ze beet op haar lip. Toen hees ze zich overeind, pakte haar stok en zei: 'Wilt u me heel even excuseren?' En daarop liep ze de kamer uit.

Toen de deur eenmaal achter haar dicht was, keek Meg Lizzie aan en vroeg: 'Hoe oud ben jij, meisje?'

'Zeventien.'

'Je lijkt ouder; je had achttien of negentien kunnen zijn.'

'Ik wou dat de autoriteiten er ook zo over dachten. Ik... ik zou wel bij de ATS willen werken. Maar dan zou ik mam alleen moeten laten.'

'Waar hou je je nu mee bezig?'

'O, ik heb heel veel te doen. Ik ga naar een typecursus in Durham; dat heb ik het afgelopen jaar gedaan. Ik heb ook muziekles van mam.' Ze gebaarde met haar hoofd naar de deur. 'Ze is een geweldige pianiste en een fantastische lerares.'

'Ze zei dat jij haar metgezel was. Is ze dan niet je moe?'

'Nee, maar ze is net zo lief, of nog meer. Ik... ik heb erg met haar geboft.'

'Nou, ik kan alleen maar zeggen dat ze goed werk met jou heeft verricht. Ze heeft je dan misschien niet gebaard, maar ze heeft je wel goed opgevoed.'

'Nou, nou!' Toen juffrouw Taggart met haar tong klakte, viel de oude vrouw tegen haar uit: 'Wat heeft dat te betekenen? Heb ik iets miszegd?' Ze wachtte niet op een antwoord, maar boog zich over de tafel en voegde eraan toe: 'Weet je wat 't probleem met jou is, juffrouw? Je bent zo stijf als een houten bezemsteel. Je zou es jolig uit de band moeten springen.'

Lizzie had de grootste moeite om niet in lachen uit te barsten. Dit was echt een vreemde oude vrouw, maar ze vond haar heel aardig. Ze had aan de andere kant echter met juffrouw Taggart te doen, en toen die beledigde dame abrupt van tafel wilde opstaan, legde ze haar hand op haar arm, keek haar aan en zei: 'Neem nog een kop thee.'

Juffrouw Taggart slikte moeizaam en ging toen weer langzaam zitten, om vervolgens verbaasd op te kijken toen dat akelige ouwe mens zich opnieuw naar haar toe boog en zei: 'Het spijt me als ik je boos heb gemaakt. Het komt gewoon door die mond van me, die gaat altijd met mij aan de haal. En ik ben niet gewend om in beschaafd gezelschap te verkeren. Ik ben gewoon heel dom. Me eigen pa zei dat altijd tegen me. "Je bent gewoon een domme meid, Meg," zei hij dan. "Meg, je hebt niet meer verstand in je hoofd dan die meiden die zich in plaats van ballast in het ruim laten stoppen als ze uit Ierland komen."' Ze knikte, keek Lizzie aan en zei: 'En was dat niet vreselijk? Maar het is waar. Het was in de tijd van de aardappelziekte, en die arme drommels gingen dood van de honger.'

'O, mevrouw Price!' Lizzie schoot nu hardop in de lach en haar gezicht straalde toen ze zich omdraaide naar de deur toen John en Bertha binnenkwamen.

Bertha keek juffrouw Taggart aan en zei: 'Dit is mijn man, juffrouw Taggart.'

'Aangenaam kennis te maken.' John stak zijn hand uit.
'En dit is mevrouw Price.'

John keek neer in het verweerde gezicht, en mevrouw Price keek naar hem op, en ze namen elkaar even op. Toen stak John zijn hand uit en zei: 'Hoe maakt u het, mevrouw Price?'

'O, uitstekend, dank u wel. En hoe maakt u 't zelf?'

'Goed, dank u.'

'Mooi zo. U heeft hier een mooi huis... gezellig. Ik hou van gezellige huizen.'

'Daar ben ik blij om, want mijn vrouw hier...' hij knikte even naar Bertha, 'zegt dat ze graag zou willen dat u een tijdje blijft, als u dat schikt.'

Hij zag hoe de rimpelige mond openviel en een gat tussen de bovenste tanden en twee gaten tussen de onderste onthulde; en toen gingen de lippen weer op elkaar. Hij zag hoe ze haar verbaasde blik op Bertha richtte, tegen wie ze nu rustig zei: 'Klopt dat?'

'Ja. Ja, dat klopt.' Er klonk een lach in Bertha's stem.

Meg keek naar juffrouw Taggart, en zei: 'Wat vindt u ervan?'

'Ik... ik denk dat u erg boft om hier onderdak aangeboden te krijgen.'

Het was niet het juiste om te zeggen, en zeker niet tegen dit bijdehante ouwe mensje, en er waren minstens twee andere mensen in de kamer die dit beseften en een levendig antwoord verwachtten. Maar Meg zei heel rustig: 'Jawel, misschien heb je voor deze ene keer gelijk.' Toen keek ze weer van John naar Bertha en zei: 'Ik beloof dat ik u niet tot last zal zijn, en d'r komt nog een hoop werk uit m'n handen. Ik zal alles doen wat ik kan en meer. Dat zult u zien. Jawel, dat zult u zien.'

Nu sprak John. Hij zei: 'Hebt u nog spullen bij u?'

'Jawel, een beetje. Dat staat in het schoollokaal in Durham.'

'Nou, dan moesten we dat maar eens op gaan halen, hè? Ik heb nog genoeg benzine om heen en terug te gaan. En u, juffrouw Taggart, bent op die manier sneller terug dan wanneer u op de bus moet wachten. Wat vindt u daarvan?'

'O, heel graag. Dank u wel, meneer Fulton...' Ze wilde nog meer zeggen, maar slikte dit in. Pas toen ze afscheid nam van Bertha ging ze verder: 'Ik hoop dat alles goed zal verlopen. U moet het me laten weten als er problemen zijn, of wat dan ook.'

'Dat zal ik zeker doen,' zei Bertha. 'Maar ik weet zeker dat alles goed zal gaan. We zullen bovendien de nodige vrolijkheid met haar beleven.'

Juffrouw Taggart had het liefst geantwoord: 'Een kinderhand is gauw gevuld.' Maar ze deed er het zwijgen toe. Ze was dat rare mens kwijt, en dat was voor dit moment het belangrijkste.

Bertha wist tot op zekere hoogte wat juffrouw Taggart dacht, en ze had haar opmerking kunnen uitleggen door te zeggen: 'Weet u, Lizzie is de hele dag naar school en John is naar zijn werk, en door mijn handicap ben ik nogal aan huis gebonden, en dat geeft me te veel tijd om na te denken, want alle momenten van de dag loop ik over mijn zoon te piekeren. Ik heb nu al bijna vijf weken lang niets meer van hem gehoord. Dus u ziet, iemand als mevrouw Price zou mijn gedachten wat afleiden. En ze kan altijd in huis helpen, want ze zegt zelf al dat ze handig is, en dan hoeft Lizzie 's avonds niet meer van alles te doen wat ik niet meer kan doen. En daardoor maakt ze lange dagen.'

Maar als ze dit tegen juffrouw Taggart had gezegd, had ze een antwoord kunnen verwachten in de trant van: 'Ach, mevrouw Fulton, ik begrijp hoe u zich voelt, maar u moet wel bedenken dat u op dit moment niet de enige moeder bent die zich zorgen maakt.'

En daar was ze zich natuurlijk terdege van bewust, maar het maakte haar angst er niet minder op. Ze had dat altijd een dwaze opmerking van andere mensen gevonden: dat ze wisten hoe jij je voelde. Niemand wist echt hoe een ander mens zich voelde, want sommige mensen hadden een diepe weerstand tegen pijn en zwegen erover, terwijl anderen het uitgilden als hun pink pijn deed, en daarmee veel medelijden opwekten. Er bestond geen manier om pijn te meten en geen apparaat om de diepte ervan te bepalen, of het nou geestelijk of lichamelijk was.

2

De schemering begon te vallen toen Lizzie van Durham naar huis fietste. Ze stapte altijd halverwege Brook Hill af. Ze had de top kunnen halen, maar ze vond dit de inspanning niet waard. Toen ze eenmaal boven was, wilde ze weer opstappen om omlaag te freewheelen door de twee stukken bosland die het landgoed van Bradford-Brown van boerderij Negenhoven scheidden, toen ze bleef staan, met één voet op de trapper, want een paar meter voor zich zag ze, nog net zichtbaar in het schemerduister van de overhangende takken, aan de rechterkant een gestalte uit het bos komen. Haar hart sprong even op, en ze hoopte: 'Andrew'. Maar toen sprong de gestalte over een greppel en bleef midden op de weg staan, en haar hart bonsde nog steeds, maar nu op een andere manier.

Ze herkende kapitein Boneford zelfs op deze afstand, en in de schemering deed zijn gehavende gezicht hem des te meer opvallen.

Ze duwde de fiets snel verder en zei: 'Hallo kapitein. Dus u bent weer terug?'

'O, hallo. Hallo Lizzie. Ja, ik ben weer op mijn basis teruggekeerd.' Zijn stem klonk hoog en opgewekt. Als altijd. Het maakte allemaal deel uit van zijn pogingen de moed erin te houden.

'Hoe lang blijft u nu thuis?'

'Deze keer drie weken. Ik ben voorwaardelijk vrijgelaten, weet je. Wegens goed gedrag en zo. Hoe gaat het met jou?'

'Met mij gaat het goed, behalve dat ik ga gillen als ik voor maandagmorgen nog één distributiekaart zie.'

'Verveel je je een beetje?'

'Ja, eigenlijk wel.'

'Het is jammer dat je niet in dienst kon gaan. Maar aan de andere kant moet je je afvragen wie jou het meeste nodig heeft. De WAAFS, de ATS, de WRENS, of mevrouw Fulton.'

'Ja.' Ze knikte naar hem en glimlachte, terwijl ze zichzelf dwong hem recht aan te kijken.

Dat hoorde ook bij het spel dat hij speelde: hij keek je recht aan, en hij liet niets zien van de kant van zijn gezicht waar zijn oog rond en bruin was, met heel lange wimpers, en zijn huid, hoewel bleek, glad was – in elk geval voorzover het zijn wang betrof – tot aan zijn linker mondhoek. Daarvandaan liep over zijn kin tot aan zijn rechter haarlijn een verzameling ziekelijk roze stukjes huid, waardoor de hoek van zijn rechteroog omlaag werd getrokken en de mond slechts een vormloze spleet was, waarboven de beide neusgaten strak en ingevallen waren.

Lizzie zag snel dat de mond aan de hoek niet langer omlaag hing, en dat de dunne strepen weliswaar nog niet echt een vorm hadden, maar toch wat voller leken. Hij had echter nog steeds een handschoen aan zijn linkerhand. Drie maanden geleden had hij op zijn quasi-nonchalante manier verteld dat ze hem een nieuwe poot gaven, maar er scheen nog niets te zijn gebeurd. Ze vermoedde trouwens dat zijn gezicht toch belangrijker was. Arme, arme kerel.

Ze had hem in 1941 voor het eerst ontmoet. Het was laat in de avond, net als nu, en hij had geprobeerd zich af te wenden toen ze hem onverwachts had gezien. Zij had zich ook willen afwenden. Ze had zelfs willen weghollen, maar ze had zichzelf gedwongen te blijven staan en haar gezicht tot een glimlach te plooien terwijl ze zei: 'Ik bevind me, zoals gebruikelijk, weer eens op verboden terrein. Ik... ik ben Lizzie Gillespie, weet u, van mevrouw Fulton.'

'O ja. Ja, natuurlijk. Het... het spijt me dat ik je heb laten schrikken,' had hij gezegd. En zij had meteen gedacht: wat een aardige stem.

'Nee, nee,' had ze geantwoord, en ze had haar hoofd geschud. Daarna hadden ze elkaar even aan staan kijken voordat ze zichzelf had gedwongen te zeggen: 'Ik... ik ben blij u weer thuis te zien, meneer.'

Hierop had hij kortaf geantwoord: 'Ja. Ja, ik ben blij weer terug te zijn. Ik ga even een eindje wandelen.'

Toen ze die avond thuiskwam, was ze aan de keukentafel gaan zitten en had gehuild. En Bertha had haar armen om haar heen geslagen en haar getroost en gezegd: 'Je moet je er niet zo overstuur over maken. Hij mag van geluk spreken dat hij het er levend van heeft afgebracht.' Waarop zij had geantwoord: 'O mam, hij zou vast liever dood zijn. Ik weet zeker dat hij liever dood was geweest.'

En nu, een heel jaar later, dacht ze er nog steeds zo over.

Richard Boneford zei tegen haar: 'Mag ik een eindje met je mee lopen?' Waarop zij antwoordde: 'Natuurlijk. Ik zal blij zijn met uw gezelschap. Ik loop niet graag alleen hier in het bos.'

'Ben je bang door soldaten te worden lastiggevallen?'

'Nee, vreemd genoeg,' – ze lachte – 'door burgers. Hoe ouder ze worden, hoe erger ze zijn.'

'Heb... heb je een vriendje?'

'Nee, ik heb geen vriendje.'

'Nou, dan lijkt me dat ergens iemand iets mist.'

Ze schoot in de lach, keek hem aan en zei: 'Dat denk ik niet.'

'O nee?'

'Nee hoor.' Haar stem klonk ernstig.

'Hoe oud ben je nu, Lizzie?'

'Bijna negentien.'

'Een prachtige leeftijd. Trouwens, ik heb Andrew ontmoet, ik kwam hem zomaar tegen. Hij was in het ziekenhuis en liep mij daar tegen het lijf, en toen had hij het over jou.'

'O ja?' Haar stem verried niets.

'Het is pas vorige week dat ik hem zag. Hij hoopt dat hij wat verlof kan krijgen.'

'Dat is dan leuk voor hem.'

Hij legde zijn hand op het stuur, zodat ze met haar fiets bleef staan. Ze stonden nu op de open plek en hij keek haar aan met zijn goede oog naar haar toe gekeerd. Toen vroeg hij rustig: 'En vind je niet dat dat ook leuk is voor jou, Lizzie?'

'Ach, kapitein.' Ze bewoog haar hoofd ongeduldig. 'Wat zou daar nu van kunnen komen?'

'Alles wat je maar wilt, Lizzie, lijkt me zo. Als de oorlog niets anders heeft gedaan, dan heeft hij in elk geval veel barrières geslecht, en hij zal er waarschijnlijk nog meer slechten voor hij is afgelopen.'

'Niet waar het meneer Bradford-Brown betreft, kapitein.'

'De macht van meneer Bradford is tanende, Lizzie. Het is jammer dat dat niet eerder zo was, want dan waren een hoop dingen hier anders gelopen.' Zijn stem had zijn jolige klank verloren en hij bleef heel ernstig klinken toen hij zei: 'Hoe gaat het met de sergeant-majoor?'

Ze slikte even moeizaam voor ze antwoordde: 'Heel goed, naar zijn laatste brief te oordelen. Maar hij is niet langer sergeant-majoor, kapitein. Hij is bevorderd. Hij is nu tweede luitenant.'

'Tweede luitenant? Nou, nou! We gaan er wel op vooruit, nietwaar? Tja, dat is nou typisch een gevolg van die oorlog... Maar ik heb zo'n idee dat het heel lang geleden is dat hij voor het laatst met verlof is geweest.'

'Ja, dat is waar, en... en zijn moeder is erg ongerust. Dat is natuurlijk niet meer dan normaal. Ze zal geen rust kennen voordat ze hem veilig en wel thuis heeft.' Haar stem was weggestorven. Ze had het gevoel dat ze iets raars had gezegd, want als deze man wist van de relatie van zijn vrouw met Geoff, en uit de manier waarop hij over hem had gesproken kreeg ze de indruk dat dit inderdaad het geval was, dan zou zijn gemoedsrust nog verder worden verstoord wanneer Geoff nu thuis zou komen.

Uit wat ze van Meg had gehoord, en die had het weer van Florrie Rice, had mevrouw Boneford zich voor haar huwelijk danig met Geoff geamuseerd, en ook met anderen gedurende de lange perioden dat haar man in het ziekenhuis lag; zelfs toen hij net thuis was, had ze er geen probleem mee gehad om zich schandelijk te misdragen.

Of zoals Meg het op haar onverbloemde wijze gisteravond nog had gezegd: 'Ze moet eens een flink pak voor haar broek hebben, die daar; een echte madam, en dat op verschillende manieren. Het is maar goed dat ik me niet daar heb laten stallen, want dan had ik echt m'n mond niet kunnen houden.'

Alsof hij haar gedachten kon lezen, zei hij: 'Hebben jullie die evacuée nog?'

'Meg? O ja.' Ze lachte. 'Dat is me een portret.'

'Hoe dat zo?'

'Ze is vreselijk handig, en ze maakt altijd grapjes.'

'Het lijkt me iemand met een heel vriendelijk karakter.'

'Ja, ze is heel aardig en zorgzaam, ook al zou je dat op het eerste gezicht misschien niet van haar verwachten. Mevrouw Fulton is heel blij met haar gezelschap, want ik ben nu eenmaal de hele dag van huis.'

'Nou,' – hij zweeg even – 'je bent er bijna. En je had er al tien minuten geleden kunnen zijn als ik niet zo had staan kwebbelen.'

'O.' Ze draaide zich nu helemaal naar hem om en zei rustig: 'Het was leuk om u te spreken. En u mag me altijd ophouden, wanneer u maar wilt.'

Hij ging daar niet met een grapje op in, en het lid van zijn goede oog trilde even toen hij zacht zei: 'Dank je wel, Lizzie. Ik zal het in m'n oren knopen. Goedenavond.'

'Goedenavond, kapitein.'

Bij het huis aangekomen zette ze haar fiets in de schuur en liep snel naar de keukendeur, en toen ze die opendeed zaten Bertha en Meg – zoals bijna altijd – haar op te wachten. De thee stond klaar op de lange keukentafel, het vuur in de haard brandde vrolijk, de ketel stond op de zijplaat te sissen. Het was allemaal heel gezellig. Ze hield van deze keuken. Ze hield van de atmosfeer die haar altijd tegemoetkwam. Het was haar gewoonte om haar jas en toebehoren uit te trekken en op de houten bank in de alkoof naast de haard te leggen, om daarna haar handen bij de gootsteen te wassen en aan tafel te gaan zitten terwijl ze luisterde naar hun gebabbel en de vragen van Bertha en Meg over haar dag probeerde te beantwoorden. Maar toen ze vanavond de keuken binnenkwam, keek ze van de een naar de ander en mompelde: 'Ik... ik ben zo weer terug, ik moet even naar boven.'

Bertha en Meg wisselden een blik. Toen hobbelde Bertha naar de verste deur van de keuken en keek door de hal naar waar Lizzie de trap op holde. Daarna draaide ze zich om en zei tegen Meg: 'Ga eens naar boven om te zien wat haar mankeert. Ik heb een eeuwigheid nodig om die verhipte trap op te komen.'

Toen Meg op Lizzies deur klopte, kreeg ze geen antwoord. Ze duwde hem toch open, en zag in de donkere kamer hoe Lizzie de verduisteringsgordijnen dichtdeed. Ze zei tegen haar: 'Is er iets mis, meisje?'

'Nee, nee, Meg... Doe het licht even aan, wil je?'

Meg deed het licht aan; daarna liep ze door de kamer naar Lizzie, die nu de deur van haar kleerkast opendeed, en zei: 'Is er iets dat je dwarszit, meisje?'

Lizzie boog haar hoofd en drukte het tegen de rand van de kastdeur. Ze zei: 'Nee hoor.' Om dit vervolgens snel tegen te spreken door te zeggen: 'Ja, toch wel. Ik heb net met de kapitein gepraat. Ik heb zo vreselijk met hem te doen. Hij ziet er zo verloren uit. Hij had weer in zijn eentje in het bos lopen wandelen. Wanneer hij thuis is, schijnt hij het grootste deel van de tijd over het terrein te wandelen.'

'Meisje, meisje toch!' Meg sloeg haar armen om haar heen. 'We hebben allemaal met hem te doen, maar het heeft geen zin om je dat zo zwaar aan te trekken. Ik heb begrepen dat er duizenden zijn als hij. De ziekenhuizen liggen er vol mee, de arme stumperds, en sommigen zijn te gruwelijk om aan te zien. Bij hem is tenminste maar een deel van zijn gezicht weg, en ik vind dat ze 'm heel aardig oplappen.'

'Ze kunnen niet álles oplappen, Meg, en ik heb bovendien de indruk dat hem iets dwarszit.'

'Wat dan wel?' Het leek haar het beste om Meg haar gedachten met betrekking tot Geoff en mevrouw Boneford niet deelachtig te maken, want die oude vrouw kon misschien, geheel onbedoeld, zich toch op een dag iets laten ontvallen, waarbij ze vergat dat mam Geoffs moeder was.

Haar aarzeling maakte dat Meg zei: 'Nou, je weet meer dan je wilt zeggen. Maar ik zal jou dit zeggen, meisje: het heeft geen zin om al te verdrietig te doen over de kapitein. Hij kan altijd nog naar zijn eigen familie gaan en daar een tijd blijven. Maar ik neem aan dat hij natuurlijk liever bij zijn vrouw is. Zijn vrouw, poeh! Hoe dan ook, meidje, kom naar beneden, want Bertha maakt zich ongerust over je. En meneer kan elk moment hier zijn, en als hij ziet dat jij overstuur bent, laat hij voordat je 't in de gaten hebt de dokter komen.'

Lizzie glimlachte en zei: 'Goed, Meg. Ik kom zo beneden.' En ze boog zich impulsief naar voren en kuste de oude vrouw op de wang; en Meg sloeg al even impulsief haar mollige armen om haar heen en omhelsde haar, terwijl ze mompelde: 'Ik zal juffrouw Taggart prijzen tot de dag van mijn dood dat ze me hier heeft gebracht. Ik ben nog nooit van m'n leven zo gelukkig of zo goed af geweest. Je hebt echt geen idee. Je hebt geen idee.' Ze maakte zich vlug los en liep haastig de kamer uit, en Lizzie bleef staan en dacht: ja, ik weet het wel, Meg, ik heb echt een heel goed idee hoe de andere helft van de mensheid woont. Ik ben bij zulke mensen opgegroeid, en ik wist pas beter toen ik hier kwam. Net zoals dat met jou is gegaan. Nog geen twee kilometer verderop staat het huisje waar ik ben opgegroeid en waarin mijn stiefmoeder nog steeds woont met drie kinderen, en met een andere man.

Gedurende het eerste jaar dat ze in dit huis woonde had haar stiefmoeder hardnekkig de oudste jongen hierheen gestuurd. Zijn boodschap was altijd dezelfde: zijn moeder wilde een deel van haar loon hebben. Ze hield pas op met vragen toen pap, zoals ze John noemde, zichzelf ertoe had weten te brengen naar dat huisje te gaan om haar met de politie te dreigen, en dat hij een verklaring zou afleggen waarom hij haar stiefdochter onder zijn hoede had genomen.

Sinds die keer was ze haar stiefmoeder maar vijf of zes keer tegengekomen, en ze hadden geen woord met elkaar gewisseld. Maar toen Lizzie ouder was geworden en haar aardige uiterlijk in schoonheid was veranderd, hadden de venijnige blikken van de vrouw boekdelen gesproken.

Ze had in de loop der jaren ook weinig van haar zuster Midge gezien, die kort nadat ze van huis was weggegaan was getrouwd. Maar net als haar vader was de man weggelopen na de geboorte van het eerste kind. Ze woonde nu bij een man die haar nog twee kinderen had geschonken, maar hij was vriendelijk voor hen allemaal. Ze was een paar keer bij hen op bezoek geweest en was toen heel gastvrij ontvangen, maar het was toch heel moeizaam geweest, zowel voor Midge als voor haarzelf, want ze hadden niets gemeen. Midge was dezelfde gebleven: haar stoutmoedige daad om van huis weg te lopen leek al haar initiatief te hebben verbruikt. Ze was heel tevreden met haar bestaan als niet al te zindelijke huisvrouw met een man die haar iedere vrijdagavond zijn loonzakje gaf.

Ze staarde naar haar spiegelbeeld terwijl ze haar haar kamde. De kapitein had gevraagd of ze een vriendje had. En ze had 'nee' geantwoord. Nou ja, ze had toch ook geen vriendje? In elk geval geen vriendje waar iemand van wist...

Toen ze beneden kwam was John ook in de keuken, en Bertha wierp haar een snelle blik toe, richtte haar aandacht toen weer op haar man en zei: 'Nou, hij kan je daar toch zeker niet verantwoordelijk voor houden.'

'Maar dat doet hij wel. Daar word ik voor betaald. Hij zegt dat we honderd vogels zijn kwijtgeraakt sinds het sneeuwhoenseizoen in augustus is begonnen, maar dat is pure overdrijving. Dertig lijkt me meer in de richting. Maar aan de andere kant is dertig altijd nog dertig. En er verdwijnen ook fazanten, en dat is nog voor het seizoen begint.'

'Heb je niet tegen hem gezegd dat je niet op twee of drie plaatsen tegelijk kunt zijn? Je hebt ook nog twee avonden burgerwacht per week. Waarom neemt hij niet iemand in dienst om op die avonden te patrouilleren?'

John ging met een zucht aan de tafel zitten en zei: 'Je kunt niet van 's avonds tot 's ochtends vroeg alles bewaken; dat is onmogelijk. Ik beschouwde het zelf nog een beetje als een spelletje toen ik alleen de ouwe Ted Honeysett had om in de gaten te houden, en een enkele zwerver zo nu en dan. Allemachtig!' Hij schudde zijn hoofd en keek Meg aan. 'Het leven was toen nog eenvoudig, Meg. We wisten gewoon niet hoe anders het kon zijn.'

'Nou, dat weten we nu wel,' zei Bertha afgemeten. 'Kom, laten we de thee maar afruimen, want jij, meisje,' – ze draaide zich om en keek naar Lizzie – 'hebt nog een avond van pianospelen voor de boeg. Je gaat morgen dat podium niet op als je je oefeningen niet hebt gedaan.'

'Dat doet me aan iets anders denken,' zei John. 'Ik moet proberen wat benzine te bemachtigen. Ik heb nog genoeg om daar te komen, maar als ik niets weet te bedenken, zullen we terug moeten lopen.'

Ze hadden een paar minuten zitten eten toen Bertha zich naar John wendde en zei: 'En, is er verder nog nieuws hier uit de buurt? Want we hebben helemaal niemand gezien, hè Meg?' Maar voordat Meg antwoord kon geven zei John, terwijl hij neerkeek op zijn bord: 'George, van Bill Titon, is als vermist opgegeven. Zijn schip is gezonken. Dus ik denk niet dat Bill vanavond in De Haas zal zijn om stoom af te blazen. Maar ik heb wel met hem te doen. Jawel, en nog meer met haar, ook al heeft ze er nog twee over.'

Niemand zei iets, maar iedereen dacht hetzelfde, zelfs Meg, – dat hetzelfde bericht ook elk moment hier kon arriveren, over de zoon des huizes, de enige zoon des huizes.

3

Het concert was een succes geweest... Het was een programma met een zangtrio, twee solozangers, een goochelaar, drie sketches, waarvan er één veel boe–geroep ontlokte omdat de soldaten dachten dat het het standpunt van een sergeant weergaf – en twee pianosolo's die door juffrouw Elizabeth Gillespie werden gespeeld.

De piano was aan de voet van het podium in het schoollokaal geplaatst, en Lizzie had zojuist de spelers en het publiek begeleid in een gecombineerd zingen van een aantal populaire liedjes, van *Pack Up Your Troubles* tot *Down By The Old Bull and Bush*. En nu verspreidde het publiek zich, op een groepje soldaten en wat burgers na, die rond de piano bleven staan en Lizzie aanspoorden om verder te gaan met liedjes. En dat deed ze.

Terwijl ze zat te spelen, baande John zich een weg naar haar toe en zei: 'We stappen eens op. Kom jij zelf veilig thuis?'

Een van de soldaten die erbij stonden schreeuwde: 'Ze komt wel veilig thuis, pappie. Wij zullen ervoor zorgen dat ze veilig thuiskomt, begeleid door een heel regiment.' Hij salueerde met een bibberende hand, wat veel gelach veroorzaakte, tot John hem een koele blik toewierp voor hij tegen Lizzie zei: 'Ik zal op de hoek op de laatste bus wachten. Goed?'

'Prima.' Ze knikte naar hem, terwijl ze verderging met begeleiden.

Een halfuur later, toen de zangers allerlei sentimentele deunen stonden te kwelen, schreeuwde de conciërge: 'Het is tien uur! Ik moet gaan sluiten om deze zaal voor morgen klaar te maken. Willen jullie er nu een punt achter zetten?' Hij liep verder naar binnen en deed de lichten uit, behalve een vlak bij het toneel, en toen dit een koor van protest veroorzaakte, zei Lizzie, met iets van opluchting in haar stem: 'Hij heeft gelijk. Hij moet de boel hier opruimen. Bovendien moet ik de bus halen.'

'We hebben je vader beloofd dat we je naar huis zouden brengen, en dan doen we dat ook. Of in elk geval ik.' De soldaat greep haar muziektas van de piano en pakte haar arm. Maar ze duwde hem bij zijn schouder weg en zei: 'Nee, dank je wel, ik ga gewoon met de bus.'

'Nou, dan kan ik je toch zeker naar de bushalte brengen, of niet soms?'

'En ik ook,' zei een van de andere soldaten. Maar hierop zei de eerste man: 'In dit geval is één genoeg, en is twee een heel bataljon.'

Lizzie dwong zich tot een lach en wilde haar hardnekkige begeleider weer terechtwijzen, toen er een gestalte uit de schaduwen naar voren kwam en een stem zei: 'Daar zijn we dan. Sorry dat ik zo laat ben. Maar het lukte me niet om eerder te komen.'

De soldaat liet Lizzies arm langzaam los en de rest van de groep deinsde achteruit, terwijl ze automatisch verstrakten toen ze de mouw van de nieuwkomer zagen. Hij vroeg opgewekt: 'Hebben jullie een gezellige avond gehad, jongens?' En ze antwoordden achter elkaar: 'Ja meneer. Ja meneer. Prima.'

'Mooi zo.' De officier knikte naar Lizzie en zei: 'Ze speelt goed, hè?'

Er klonk enig gelach, en een van de mannen antwoordde: 'Zegt u dat wel, meneer. Ze swingt de hele boel bij mekaar. We hadden de hele avond wel door kunnen gaan.'

'Nou, dat was niet eerlijk geweest. Ze is een werkende jonge vrouw; niet als jullie, die de hele dag niets anders te doen hebben dan een beetje wandelen.'

Er klonk gelach, gejoel en boe–geroep. Hij was wel een geschikte peer, deze officier, ook al zat hij bij de marine.

'Goed, goedenavond dan, allemaal,' zei hij, terwijl hij Lizzie bij de arm pakte.

'Goedenavond, meneer. Goedenavond, meneer.'

Lizzie glimlachte naar de groep en zei: 'Goeienavond, jongens. Ik heb het erg gezellig gevonden.'

'Wij ook, juffrouw. Goedenavond. Goedenavond.'

Buiten richtte Andrew zijn afgeplakte zaklantaarn op haar gezicht en zei: 'Ga je me niet bedanken omdat ik je heb gered?'

'Ik geloof niet dat ik echt veel gevaar liep,' zei ze. 'Of in elk geval niet meer dan nu.'

'Daar zou ik niet zo zeker van zijn, als ik jou was.'

Hij richtte de zaklantaarn op de grond, pakte haar stevig bij de arm en liep met haar de poort van de school uit. Eenmaal buiten bleef hij staan en ze keken elkaar aan zonder veel meer dan een vage vlek van elkaars gezicht te kunnen zien, en hij zei zacht: 'Ga je met de bus? Die vertrekt over tien minuten. Anders kunnen we dat stuk lopen; we kunnen een kortere weg nemen. Voor je beslist, laat me even zeggen dat ik achtenveertig uur verlof heb. We vertrekken overmorgen met onbekende bestemming. Ik zal in elk geval voorlopig niet naar huis kunnen komen. En wat nog belangrijker is, ik wil met je praten. En ik heb al lange tijd met je willen praten, maar jij hebt me steeds weten te ontwijken.'

Ze zei zacht: 'Dan gaan we lopen.'

En dus liepen ze, hoewel zonder te spreken, tot ze de stad uit waren en de landweg bereikten.

De lucht was onbewolkt en met sterren bezaaid, en het leek er lichter dan in de stad, waar de gebouwen de duisternis van de nacht benadrukten en versterkten. Plotseling begon hij snel te praten, met korte zinnen. 'Lizzie,' zei hij, 'ik ben nu vijfentwintig. Deze oorlog wordt niet alleen in het buitenland uitgevochten, maar ook bij ons vlak voor de deur, en we zouden morgen allebei dood kunnen zijn. Het meest waarschijnlijke is dat ik dat zou zijn, en voor dat geval wil ik dat jij iets weet. Ik houd van je, Lizzie. Ik denk dat ik van jou heb gehouden vanaf het eerste moment dat ik je heb gezien. Je was vijftien, mager, spichtig, zonder enige belofte van de schoonheid die je vandaag bent. Maar er was echt iets. Nee, stil!' Zijn stem klonk bijna als een bevel toen hij uitriep: 'Ruk je nou niet los!' Zijn hand greep haar arm nog steviger vast, en hij drukte hem tegen zijn zij. 'Ik weet wat je wilt zeggen, je denkt aan mijn vader. Nou, vader of geen vader, hij gaat mijn leven niet beheersen. Ik zal je iets vertellen, Lizzie, iets wat ik zelfs tegenover mezelf niet heb durven bekennen. Ik heb een hekel aan mijn vader, ik heb een intense hekel aan hem. Wanneer ik andere oudere mannen zie die ik aardig vind en bewonder, vind ik het vreselijk om te bedenken dat ik uit hem ben geboren. Hij is zo platvloers, zo bot... Dat meen ik. Hij is zeldzaam platvloers en banaal. Hij kan alleen maar aan geld denken, en aan hoe hij kan binnendringen in een wereld die hem vanaf het eerste begin heeft afgewezen. Ik zou hem misschien moeten bedanken omdat hij mij een goede opleiding heeft laten volgen, maar daarmee heeft hij zichzelf geen dienst bewezen, want daardoor heb ik leren nadenken en andere waarden weten te waarderen. Nou, dat was het punt vader. En nu, wat mij betreft.' Hij bleef abrupt staan, legde zijn handen op haar schouders en herhaalde zacht: 'En nu wat mij betreft, Lizzie. Geef je een beetje om me?'

Haar stem brak bijna toen ze zei: 'Ja Andrew, ik geef om je. Ik... ik geef heel veel om je.'

'O Lizzie, Lizzie. Bedoel je dat je... dat je van me houdt?'

'Ja, dat bedoel ik. Maar ik wenste dat het niet zo was.'

'Lieve Lizzie!' Hij trok haar dicht tegen zich aan en voor het eerst kusten en omhelsden ze elkaar. En toen hij haar tenslotte losliet, legde hij zijn hoofd in zijn nek en lachte en schreeuwde in de nacht: 'De oorlog is afgelopen!'

'Andrew, Andrew. Zachtjes. Je weet nooit wie er meeluistert.'

'Nou, het is waar, het is waar; míjn oorlog is afgelopen. Ik heb gewonnen. O Lizzie!' Hij kuste haar opnieuw. Toen vroeg hij zacht: 'Wil je met me trouwen?'

'O Andrew, Andrew, ik weet het niet. Want wat jij ook mag zeggen, je vader is er ook altijd nog. Hij zou voor pap het leven ondraaglijk kunnen maken.'

'Maak je daar maar geen zorgen over. Hij weet dat hij niemand anders zou kunnen vinden die alles zó goed beheert als John. Er zou van alles in de soep lopen als John er niet was.'

'En hoe zit het met mevrouw Boneford?'

'Ach, Janis. Nou, ik denk niet dat zij ons veel problemen zal bezorgen. Ze heeft zelf al genoeg aan haar hoofd. Als ze zich er nou maar eens bij neer wilde leggen en er wat aan deed. Maar dat doet ze niet. Arme Dickie. Dat is echt een tragedie, hoor. Lizzie...' hij nam haar weer in zijn armen, maar hij bleef praten, 'als wij getrouwd waren en mij overkwam zoiets, zou jij je dan van me afkeren?'

'Nee. Nee, nooit! Nooit! Want onder je huid zou je nog altijd dezelfde man zijn.'

'Weet je dat ze zelfs niet naar hem wil kijken? Ze zorgt er steeds voor dat ze hem niet hoeft aan te kijken. Aan tafel zit hij met zijn goede kant naar haar toe, maar ze kijkt hem nog steeds niet aan. God mag weten hoe dat gaat als ze samen alleen zijn. Maar aan de andere kant gebeurt dat niet veel meer; hij heeft een eigen slaapkamer. Ik heb erg met hem te doen. Maar wat mijn zuster betreft: er zijn tijden dat ik haar het liefst een mep had verkocht. Ze is net als vader, weet je. Zij zou dat een vreselijke gedachte vinden, maar het is wel zo. Hoe dan ook, terug naar mijn eerste vraag. Wanneer ga je met me trouwen? Maar in de eerste plaats, juffrouw Gillespie, zult u in overweging moeten nemen dat ik waarschijnlijk zonder één penny kom te zitten. Als ik de oorlog overleef, zal ik een baan moeten zoeken. Maar daar heb ik met Richard over zitten praten. Hij zegt dat ik met hem zou kunnen samenwerken, hij is van plan rundvee te gaan fokken. Ik had in mijn vaders voetsporen zullen treden, hoewel die gedachte me nooit heeft aangesproken. Maar hij dacht dat accountancy wel van pas zou komen. Maar zelfs dan zou ik weer opnieuw moeten beginnen en de cursus moeten afmaken. Dus als er niets van Richards bedrijf terechtkomt, zul jij voor ons moeten werken tot ik wat meer vastigheid heb. Hoe lijkt dat vooruitzicht je?'

'Dat lijkt me helemaal niets, meneer Bradford-Brown, helemaal niets. Ik heb er altijd van gedroomd met een man met geld en bezittingen en een titel te trouwen. Ja, en een titel.'

Ze lieten zich in elkaars armen vallen en wiegden even heen en weer voor ze verderliepen, nu met hun armen om elkaar heen geslagen, en ze zei: 'Je hebt het nog niet over je moeder gehad. Hoe zal zij het opvatten?'

'Heel beleefd. Mijn moeder laat nooit blijken wat ze ervan vindt.'

'Ze zal het vast wel laten blijken wanneer je haar dit nieuws vertelt. Het zal inslaan als een bom. Het was al erg genoeg geweest als ik werkelijk de dochter van John en Bertha was geweest, maar als je bedenkt waar ik ben grootgebracht...'

'Doe niet zo gek. Bovendien lossen we dat probleem wel op wanneer het zover is. Maar wat ze ook mag zeggen of denken, het zal geen verschil maken.'

'Ik wou dat ik er ook zo over kon denken.'

Ze bleven abrupt stilstaan toen er een stem uit de duisternis klonk: 'Ben jij dat, Lizzie?'

'Ja. Ja, ik ben het, pap.'

Ze maakte zich los uit Andrews arm, maar hij pakte haar hand, en ze liepen vlug naar John, die het licht van zijn zaklantaarn op Andrews gezicht richtte en zei: 'O, bent u het, meneer. Ik begon ongerust te worden. Ik was niet op tijd bij de bus, en ik vroeg me af of ze nog steeds bezig was zich die meute soldaten van het lijf te houden.'

'Ik heb haar van hen gered, John; en ik heb trouwens nuttig gebruik gemaakt van de wandeling. Ik laat het aan haar over om het jou te vertellen. Maar ik kom morgen met je praten, John. Goed?'

Er was een korte aarzeling voordat John antwoordde: 'U bent te allen tijde welkom, meneer Andrew.' Daarna ging hij, enigszins scherp, verder: 'Kom gauw mee, liefje. Bertha is naar bed gegaan; ze voelt zich niet goed.'

Hierop zei Lizzie snel: 'Goeienavond, Andrew.' En hij antwoordde: 'Goeienavond, liefste.' Daarna voegde hij eraan toe: 'Goeienavond John. Goeienavond.'

'Goeienavond, meneer Andrew.'

John liep nu snel weg, zijn hand onder Liz' elleboog. Het duurde even voor hij sprak: 'En waar ging dát allemaal over, als ik vragen mag?'

'Ik... ik zal het u vertellen als we binnen zijn. Maar... maar wat is er met mam aan de hand? Heeft ze weer die pijn?'

'Ja, ja, hoewel ze dat niet wil toegeven – ik zal morgenochtend de dokter bellen – en het feit dat jij niet thuis was, hielp ook niet echt.'

'Het... het spijt me.'

Toen ze de keuken binnenkwamen, zei Meg: 'Ha, ben je daar, meisje. Ik begon al te denken dat je verdwaald was.' Ze draaide zich om bij het fornuis, met de theepot in haar hand, en ging verder: 'Maar het was een geweldig concert en je hebt prachtig gespeeld. Jawel, echt prachtig. Ik had graag meegedaan met dat zingen aan het eind, en...'

'Hoe is het nu met haar?'

'Ze ligt nu diep te slapen, John. Die pil heeft wonderen verricht. Maak je maar geen zorgen, alles is weer goed met haar. Wil je thee of chocolademelk?'

'Thee.'

'En jij, meisje?'

'Ja, thee graag, Meg.'

John schoof zijn stoel naar achteren en ging aan de tafel zitten. Hij keek naar Lizzie, die haar hoed afzette en haar haar gladstreek, en zei rustig: 'En, vertel eens.'

Ze kwam naast hem staan en keek hem aan toen ze zei: 'Andrew heeft me ten huwelijk gevraagd.'

Hij wendde zich van haar af, sloeg zijn handen in elkaar en timmerde er een paar keer mee op de tafel voor hij zei: 'Dat wordt niets. Dat wordt niets.'

'Waarom niet?'

'Ach Lizzie,' – hij schudde zijn hoofd – 'moeten we jou dat nog vertellen? Moet dat jou nog in de mond worden gelegd? Zijn vader zal het nooit goedvinden, en zijn moeder ook niet. Zij nog minder dan hij in dit geval, want onder die rustige manier van doen van haar heeft ze meer standsbesef dan de meesten, en de oorlog heeft er niets aan gedaan om dat te veranderen. En dan heb je hem ook nog: al die jaren heeft hij geprobeerd barrières te slechten en erdoorheen te kruipen, en dat is hem nooit gelukt. Maar dit van jullie zou er bij zijn dikke kop niet in willen. Dus je begrijpt...'

'Nee, ik begrijp 't niet.' Lizzies stem klonk scherp. 'Ik ben het helemaal niet met je eens. De dingen liggen nu anders. De mensen zijn nu anders. Wanneer deze oorlog voorbij is, zal alles heel anders zijn geworden.'

John draaide zich in zijn stoel om en zei op een al even scherpe toon tegen haar: 'Wanneer deze oorlog voorbij is, zal jongeheer Andrew volledig platzak zijn als er gebeurt wat jullie willen, want hij is financieel afhankelijk van zijn vader en hij heeft totaal geen papieren.'

'Maar hij heeft toch zeker een stel handen?'

'Doe niet zo onnozel, meisje. Bij dat soort mannen moet je niet aan handen denken. Je verwacht toch zeker niet dat hij als stratenmaker gaat werken? Nee. Hij zou zijn hoofd moeten gebruiken. En zoals ik al zei, hij heeft totaal geen papieren.'

'Hij... hij is accountant.'

'Daar is hij aan begonnen, meisje, maar hij heeft 't niet afgemaakt. En ga maar na: als de oorlog is afgelopen, zullen er duizenden jongens als hij om werk staan te trappelen, net als de vorige keer. Dan krijg je weer officieren die encyclopedieën verkopen. Ach, je weet er allemaal niets van.'

'Maar ik weet één ding wel, pap.' Haar stem klonk zacht en treurig. 'Ik houd van hem. Ik heb altijd van hem gehouden, vanaf het eerste moment dat ik hem zag, en... en hij houdt van mij. We willen het er gewoon op wagen.'

Hij wendde zich weer van haar af, boog zijn hoofd en zei: 'Dat neem ik aan, meisje. Het spijt me dat ik zo uitviel. Maar je weet' – hij keek haar nu van opzij aan – 'dat je voor mij als een eigen kind bent. En wat Bertha betreft, nou, het zou moeilijk zijn om haar ervan te overtuigen dat je dat niet bent.'

'Het spijt me. Het spijt me echt.' De tranen stroomden nu over Lizzies gezicht en John stond vlug uit de stoel op en zei: 'Toe, huil nou niet, meisje. Het zal allemaal wel op z'n pootjes terechtkomen. Het spijt me dat ik mijn mond zo ver heb opengetrokken. Hoor eens, ik ga even kijken hoe het met haar is.' Hij wendde zich van haar af en liep de kamer uit.

Toen Lizzie haar handen tegen haar gezicht sloeg, liep Meg met haar naar de bank en zei: 'Trek het je niet aan, meisje, alles zal wel goed komen. Doe jij gewoon wat je hart je zegt. En wat dat zoeken van een baan na de oorlog betreft, ach, dan moet je gewoon doen wat ik ook heb gedaan: voor hem werken tot hij zelf iets heeft gevonden. Mijn Jimmy heeft de eerste drie jaren na zijn afzwaaien geen steek kunnen doen. De scheepsbouw lag op z'n gat, en toen hij eindelijk een baan had, kon hij het niet lang volhouden vanwege het gas. Hij was niet slecht genoeg om een invalidenpensioen te krijgen, maar hij was ook niet gezond genoeg om te werken, en toch hebben we het overleefd en waren we gelukkig. En met jullie zal het net zo gaan. Hoe dan ook,' – ze klopte Lizzie op de schouder – 'God mag weten hoe het ons zal vergaan voordat dit alles is afgelopen. Dus leef en heb lief wanneer je kunt, meisje. Jawel, leef en heb lief wanneer je kunt, want uiteindelijk is het leven heel kort, en daar kom je pas goed achter als je oud bent en klaar om in je kist te gaan. Vooruit,' – haar stem werd luider – 'drink je thee op en laat zien dat er pit in je zit. Laat je niet op je kop zitten. En wat

John en zijn standsverschil betreft: allemachtig! Volgens mij wordt deze oorlog zo'n gelijkmaker dat ze na afloop dat woord uit het woordenboek zullen schrappen. Kom, drink die thee maar op.'

Ze gaf Lizzie de kop thee, en Lizzie keek op, knikte instemmend, maar gaf geen antwoord. Ze voelde zich altijd getroost door Meg; ze was zo'n ongecompliceerde ziel. Klassenverschil betekende niets voor haar, zij bleef mevrouw Meg Price, op welk niveau ze ook mocht verkeren. Maar van hen beiden was zij wel degene die wist dat haar pleegvader gelijk had. En toch ging ze met Andrew trouwen. Ja, ze ging met Andrew trouwen, en na de oorlog zou ze zich schikken in alles wat het leven haar te bieden had.

4

'Lizzie Gillespie!' Alicia kneep haar ogen halfdicht en tuurde naar haar zoon, en de uitdrukking van haar gezicht leek in te houden dat zelfs de naam op haar tong uiterst weerzinwekkend was, en ze herhaalde: 'Lizzie Gillespie. Dat kun je niet menen, Andrew.'

'Ik meen het echt, moeder. Ja, ik meen het echt.'

'Sinds wanneer? Ik bedoel, hoe lang is dit al...?'

'Al gaande? Voor mijn gevoel al jaren. Ik heb haar eigenlijk voor het eerst opgemerkt toen ze ongeveer zestien was, aan het begin van de oorlog.'

'Heb je haar al gevráágd?'

'Ja moeder, ik heb haar gevraagd, en ze heeft ja gezegd.'

'Natuurlijk heeft ze ja gezegd!' Haar stem klonk ongewoon hoog toen ze verderging: 'Ze is niet gek. Maar weet jij wel waar ze eigenlijk vandaan komt?'

'Ja moeder, ik weet waar ze vandaan komt. Wie weet dat hier niet?' Zijn stem klonk nu net zoals die van haar. 'Maar die vrouw was haar stiefmoeder en ze heeft al in geen jaren meer enig contact met die familie gehad, en ze is gewoon door de Fultons grootgebracht.'

'Ik weet heel goed door wie ze is grootgebracht; en wat zijn de Fultons uiteindelijk? Hij is arbeider op dit landgoed. Je kunt dit niet doen. Ik verbied het, Andrew! Ik verbíéd het!'

Hij keek haar treurig aan toen hij zei: 'Je kunt mij niets verbieden, moeder. Je schijnt te vergeten dat ik vijfentwintig ben. Ik zit al sinds het begin van de oorlog bij de marine. Mijn ideeën waren misschien ongewijzigd gebleven als er geen Duinkerken was geweest. Prent het nou maar goed in je hoofd, moeder, dat ik niet langer een kleine jongen ben en dat je me niets kunt verbieden.'

Hij zag hoe haar smalle hals breed werd toen ze naar lucht hapte, en haar stem klonk gesmoord toen ze antwoordde: 'Je... je vader, hij... hij zal...'

'Ja, dat weet ik, hij zal witheet zijn en zijn gebruikelijke woedeaanval krijgen, en hij zal waarschijnlijk tegen me zeggen dat hij me zal onterven en dat ik niets meer van hem krijg. Nou, dan weet ik in elk geval waar ik aan toe ben, nietwaar?'

'Je doet me pijn, Andrew, weet je dat wel?'

'Ik zie niet goed in waarom, moeder. Had het je ook pijn gedaan als ik je hier had staan te vertellen dat ik Irene Pringle ten huwelijk had gevraagd? Ze is dik, ze heeft niet één zinnige gedachte in haar hoofd, maar ze is de dochter van de rijkste man hier uit de buurt. Zou dat je gelukkig hebben gemaakt, moeder? Of zelfs Kitty Bewick? Wat dacht je van haar? Ze zou vast op haar paard willen trouwen, dat ene paard, want ze stapt er nooit af. Maar sinds haar vader is gestorven zit ze er toch heel warmpjes bij, nietwaar?'

Er viel weer een stilte voor Alicia zei: 'Ja, Andrew, ik zou hen beiden hebben verwelkomd, ook zonder hun bezit.'

'Maar dan had het geluk naar de hel kunnen lopen, samen met mijn persoonlijke gevoelens en voldoening, zolang de schone schijn maar wordt opgehouden, zolang je je maar aan je omgeving conformeert. Is dat het?'

'Ik zou het anders willen stellen, Andrew. De meer gebruikelijke frase zou zijn dat je je afkomst niet moet verloochenen. Ik zou echter willen zeggen dat je een plicht hebt tegenover je stand, vooral in een tijd dat deze gevaar loopt door het gewone volk te worden vernietigd. Weet je, Andrew, het kwam mij ooit beter uit dit te vergeten, en daarom weet ik nu helaas maar al te goed waar ik het over heb.'

Terwijl hij haar aanstaarde, besefte hij opeens dat de ware reden van de akelige sfeer in het gezin niet zozeer was veroorzaakt door zijn vaders tweeslachtige karakter – dat van bullebak en dat van strooplikker – als wel door zijn moeders onverbeterlijke wil om datgene te benadrukken en te behouden wat ze had: de status quo, de enige toestand waarin haar gezin diende te bestaan.

Hij zei heel kalm: 'Ik ga nu pakken.'

Toen hij zich omdraaide, zei ze: 'Je weet dat je vader je geen penny zal geven?'

'Daar ben ik me terdege van bewust. Maar ik denk dat ik dat wel zal overleven.'

'Jij bent niet geschikt om in een cottage te wonen, Andrew. Je hebt altijd een dure smaak gehad. Het kost veel geld om een jachtpaard te onderhouden, laat staan een vrouw.'

Hij zweeg even, keek haar over zijn schouder aan en liep toen de kamer uit. Ze bleef even naar de deur staan kijken voor ze zich met een ruk omdraaide en naar de bibliotheek liep. Hier nam ze de telefoon op en liet zich met het kantoor van haar man verbinden.

'Ik wil met meneer Bradford-Brown spreken, juffrouw Perkins.'

'Hij zit op dit moment in een vergadering, mevrouw Bradford-Brown.'

'Wilt u dan alstublieft tegen hem zeggen dat hij aan het toestel moet komen?'

Het bleef even stil voor juffrouw Perkins zei: 'Hij... hij vindt het niet prettig om te worden gestoord als hij... als hij een bespreking heeft met de directie.'

'Juffrouw Perkins, wilt u hem alstublieft doorgeven dat ik hem wil spreken! Het is belangrijk.'

'Goed, mevrouw Bradford-Brown.'

Alicia wachtte. Ze tikte met één hand op het tafeltje met ingelegd hout waar de telefoon op stond. Toen vond ze een stukje hout dat loszat. In plaats van het omlaag te drukken, schoof ze haar nagel eronder en begon eraan te plukken alsof ze het los wilde rukken.

Het plukken ging tijdens het wachten steeds sneller; toen

hielden de vingers op, want ze hoorde de stem van haar man. 'Wat is er in godsnaam aan de hand? Je weet dat ik een directievergadering heb, en het is belangrijk. Dat had ik je verteld voor ik van huis ging...'

'Luister alsjeblieft even naar me. Ik weet zeker dat je dít belangrijk zult vinden. Andrew heeft me zojuist verteld dat hij gaat trouwen, met Lizzie Gill...es... pie.' Ze sprak de naam heel langzaam uit, en herhaalde toen: 'Ik hoop dat je hebt gehoord wat ik zei. Hij wil met Lizzie Gillespie gaan trouwen.'

'Wát!?'

'Ik heb het nu al twee keer gezegd, Ernest. Hij is het stellig van plan, en als je niets doet, zal het waarschijnlijk pal onder onze neus plaatsvinden.'

'Mijn God! Dat meisje Lizzie Gillespie?'

'Díé Lizzie Gillespie.'

'Is hij nou helemaal gek geworden? Hoe lang is dit al gaande? Wist jij er iets van? Waarom heb je niet...?'

'Eén ding tegelijk. Ik wist er niets van. Ik weet niet hoe lang dit al gaande is, ik weet alleen dat hij toegeeft dat hij belangstelling voor haar heeft gehad sinds het begin van de oorlog.'

'Nou, laat dit maar aan mij over. Ik zal wel een eind maken aan die misstap van hem. Als hij denkt dat ik hem daarna nog zal onderhouden, heeft hij het bij het verkeerde eind. Laat dit maar aan mij over.'

'Dat was ook mijn bedoeling toen ik je belde, Ernest.'

Ze kon zich voorstellen hoe hij met zijn tanden knarste, niet alleen om het nieuws dat ze hem had verteld, maar ook om de toon van haar stem. Ze voegde eraan toe: 'Hij vertrekt met de trein van één uur, bedenk dat wel. Tot ziens.'

Toen ze de telefoon ophing, kwam Richard de kamer binnen, en hij zei onmiddellijk: 'O, het spijt me... Ik... ik wist niet dat je aan de telefoon was.'

'Het geeft niet, Richard, ik ben al klaar.' In tegenstelling tot haar dochter kon zij het wel verdragen om Richard aan te kijken. Hij had altijd over onberispelijke manieren beschikt, en zijn stem was hetzelfde gebleven. Wanneer ze hem aan de praat kon krijgen, was hij een gezellige gesprekspartner, en hij wist veel van muziek en kunst. Gisteravond, na het eten, hadden ze over Stravinsky en de *Vuurvogel* zitten praten, en over de connectie van deze componist met Rimski-Korsakov. Het had haar verbaasd dat hij van Dylan Thomas hield, maar niet zo dol was op T.S. Eliot. En toen ze zelf haar twijfels over haar gevoelens met betrekking tot de kunst van Picasso had uitgesproken, zei hij iets heel vreemds. 'Picasso,' zei hij, 'is een oorlog begonnen vóór deze oorlog, en in zekere zin was die net zo belangrijk, want via zijn schilderijen gaf hij uitdrukking aan de behoefte aan vrijheid voor iedereen, ongeacht de omstandigheden.' Hoewel ze het niet met hem eens kon zijn, luisterde ze toch naar hem. Ze wenste alleen dat Janis ook eens naar hem zou luisteren, zelfs naar hem zou kijken. Janis was heel eigenzinnig geweest sinds haar kinderjaren. Ze had haar in gedachten vergeleken met Andrew, en ze had gewenst dat ze meer op haar broer leek. Maar nu misdroeg Andrew zich op een manier zoals Janis nooit zou doen, want je moest haar nageven dat zíj in elk geval nog enig benul had van wat wel of niet gepast was, zoals ze had gedemonstreerd door die blaaskaak van Fulton aan de dijk te zetten en Richard te nemen.

Maar had ze Richard echt genomen? Bij zijn grote verdriet had ze hem de rug toegekeerd; en haar avontuurtjes begonnen veel commentaar op te leveren.

Ze zag hoe Richard naar haar toe liep: zijn rug was enigszins gebogen, zijn kin ingetrokken. Hij was ooit zo recht van houding geweest. Ze zei: 'Heb jij Andrew gezien?'

'Ja, Alicia. Ja, ik heb hem heel even gesproken. Hij was bezig zijn spullen te pakken.'

'Heeft hij je iets verteld?'

'Ja.' Hij knikte haar toe. 'Hij wil met Lizzie trouwen, met Lizzie Gillespie.'

'Wat vind je daarvan?'

Richard draaide zich opzij, en ze kon de uitdrukking op zijn gezicht niet zien, want de strakke, gehavende huid hield alle emotie verborgen. Ze wachtte op zijn antwoord op haar vraag, en ze verstijfde zichtbaar toen dit kwam, want hij zei: 'Ik weet dat je dit niet leuk zult vinden, Alicia, maar ik vind het een goede keuze. Ze is een charmant meisje, intelligent en heel mooi.'

'O Richard!'

Hij keek haar weer aan en zei: 'Ik wist dat je dit niet leuk zou vinden, maar zo denk ik erover.'

'Je hebt niet... nou ja, je hebt niet tegen hem gezegd dat je met deze keuze instemde?'

'Dat heb ik helaas wel gezegd.'

'Hoe kón je! Weet je wel wie ze is? Ik bedoel, waar ze is opgegroeid?'

'Ja, ja, ik heb alles over haar gehoord sinds ik in dit deel van de wereld ben gekomen.' En zijn stem leek nu van heel diep in hem te komen en werd bijna tot gestotter toen hij zei: 'Ze is het soort m... m... meisje, Alicia, dat t...t... trouw blijft aan de m... m... man met wie ze is getrouwd en aan wie ze ooit heeft beloofd hem lief te zullen hebben, w... w... wat er ook gebeurt. En ik kan me niet voorstellen dat Lizzie Gillespie haar ogen zou dichtdoen wanneer ik haar aankeek.' En hierop draaide hij zich met een ruk om en liet haar achter, terwijl ze tegen de tafel leunde om steun te zoeken, en met haar handen naar de halsopening van haar jurk greep.

De meisjes van het distributiekantoor waren erg onder de indruk van de knappe, chique marineofficier die af en toe langs hun raam liep, en ze fluisterden giechelend en probeerden te raden op wie hij wachtte. Waarschijnlijk een van de secretaresses van de bovenverdieping, misschien de nieuwste bekakte rekruut, degene die het over haar ouders had als over 'mama en papa'.

Lizzie zei niets. Ze hield haar hoofd gebogen en hielp de klanten. Maar klokslag twaalf uur trok ze haar jas van de haak in de wachtkamer en terwijl ze het kantoor, dat ooit een winkel was geweest, uitliep, wist ze dat ze vele tongen in beweging had gezet.

Haar eerste opmerking tegen Andrew was: 'Je had niet hier moeten wachten. Ze vragen zich allemaal af wie je bent.'

'Ja, ik vermoedde al zoiets.' Hij glimlachte naar haar, draaide haar om en nam haar bij de arm om met haar de straat uit te lopen.

Toen ze bij de brug kwamen, zei hij: 'Wil je iets eten?' Maar ze schudde haar hoofd en zei: 'Nee, dank je. Laten we naar beneden, naar de rivier gaan.'

Daar gingen ze op een bankje zitten waarop nog wat rijp lag.

Hij pakte haar hand en zei: 'Je bent koud, ijskoud.'

'Nee hoor. Mijn handen zijn altijd koud. Maar ik voel me prima. Wat... wat is er gebeurd?'

Hij wendde zijn blik van haar af en staarde over de rivier naar waar de huizen op de andere oever steil oprezen, en na een korte stilte zei hij: 'Het doet er niet toe. Het enige dat van belang is, zijn jij en ik. Hoe is het jou vergaan?'

Zij keek nu ook uit over de rivier terwijl ze antwoordde: 'De reactie van pap was, denk ik, ongeveer dezelfde als die van jouw ouders. Hij vindt 't krankzinnig en hij denkt dat zij het nooit zullen accepteren. Van mam weet ik nog niet hoe haar reactie is. Ze lag in bed toen ik gisteravond thuiskwam en ze sliep nog toen ik vanmorgen wegging. Wat heeft je vader precies gezegd?'

'Ik weet het niet, ik heb hem nog niet gesproken.'

'Dus het was de reactie van je moeder?'

'Ja. Maar Lizzie,' – hij greep haar beide handen en hield ze stevig vast – 'laat dit duidelijk zijn tussen ons. Het maakt geen donder uit wat anderen zeggen, wij gaan met elkaar trouwen, en dat gaan we zo spoedig mogelijk doen. Ik krijg binnenkort weer verlof: we gaan ons verplaatsen, maar zoals ik al zei, ik denk dat het naar de zuidkust is, waar de jongens het soms in hun hoofd halen om uit de lucht te vallen, in het Kanaal. Maar ik zal je iedere dag schrijven. Schrijf jij mij?'

'Natuurlijk, natuurlijk. O Andrew, ik... ik ben zo gelukkig. Maar zelfs terwijl ik dat zeg, ben ik bang. Het is net of het niet helemaal waar is. En... en ik weet dat als er geen oorlog was gekomen, dit niet was gebeurd. Vreemd is dat, tot nu toe had ik niemand van mezelf die aan de oorlog meedeed. Weet je, Geoff... nou ja, ik heb hem maar een paar dagen gezien voor hij naar het buitenland vertrok, en dat lijkt al weer een heel leven geleden. Ik was toen veertien. Ik ben hem nog steeds heel dankbaar, maar ik kan me nu zelfs zijn gezicht niet meer voor de geest halen. Hij lijkt me heel anders te zullen zijn dan de verschillende foto's van hem die mam overal in huis heeft staan. Hij is zo lang weggeweest, dat ik bang ben dat ze zal schrikken wanneer hij weer thuiskomt. Maar hoe dan ook, hij heeft nooit echt bij mij gehoord, zoals jij. Vanaf het eerste moment dat jij in dienst ging, ben ik me ongerust over jou gaan maken.'

'O lieve help. Lieve help.'

Ze lachte zacht en zei:'Ik heb een foto van je. Die was door de *Journal* gemaakt, maar je gezicht is er niet op te zien, bijna alleen maar je achterste.' Ze giechelde even. 'Je verdween over een hek toen je paard je bij de jacht had afgeworpen.'

'Nee, Lizzie!' Hij schudde van het lachen. 'En heb je die echt bewaard?'

'Ja, en iemand met veel gevoel voor humor had eronder gezet: "Jongeheer Andrew Bradford-Brown klimt over een hek".'

'O ja, ik herinner me die nog. Ja, ik weet 't weer.'

Hij voelde aan haar handen hoe ze huiverde, en hij zei: 'Kom, we moeten wat lopen. Je hebt het koud.'

Toen ze overeind kwamen, keek hij eerst de ene kant en toen de andere kant uit voor hij haar in zijn armen nam en kuste, en daarna hield hij haar gezicht tussen zijn handen en zei zacht: 'Het moet gauw gebeuren, die trouwerij van ons.'

En ze knikte, leunde tegen hem aan en fluisterde: 'Ja, ja, Andrew, heel gauw...'

Toen de trein het station binnenpufte, holde Ernest Bradford-Brown naar het perron, keek de ene en de andere kant uit, ontwaarde toen zijn zoon en baande zich een weg door de menigte passagiers naar hem en zijn gezelschap toe.

Andrew, die op het punt stond Lizzie een afscheidskus te geven, zag hem het eerst, en hij mompelde: 'O, lieve help! De boze ouder... Hallo vader. Het spijt me dat ik zo laat...'

'Wat denk jij verdomme wel dat je kunt doen? Ik... ik zal hier een stokje voor steken. Ik...'

Andrew onderbrak hem tandenknarsend: 'Tegen wie denk je wel dat je het hebt, vader? Jij kunt nergens een stokje voor steken, als ik van plan ben het te doen. Prent dat maar in je hoofd, en hoe eerder je het aanvaardt, hoe beter het is.'

De trein was tot stilstand gekomen en de mensen verdrongen zich om in te stappen. Andrew pakte zijn koffer, greep Lizzie bij de arm en trok haar naar een rijtuigdeur. Toen hij zijn koffer op de vloer zette, grepen behulpzame handen die en legden hem in het bagagerek, en toen draaide hij zich om en keek zijn vader weer aan, die gromde en op gedempte toon zei: 'Je krijgt helemaal niets. Ik geef je nog geen penny. Je zult met lege handen staan. Wat dacht je daarvan?'

'Zo wil ik het ook. Tot ziens, vader.' Daarop draaide hij zich om naar Lizzie, sloeg zijn armen om haar heen en kuste haar strakke, bleke gezicht. En toen ze zijn kus niet beantwoordde, zei hij: 'Maak je maar geen zorgen, liefste, ik zal je schrijven, ik zal je gauw schrijven.' Hij streelde voorzichtig haar wang, sprong toen in het rijtuig, smeet het portier dicht en schoof het raam omlaag.

De trein zette zich in beweging en Lizzie liep mee, waarbij ze zijn hand beetgreep tot ze het eind van het perron had bereikt. Daar bleef ze staan tot zijn gezicht achter een stoomwolk verdween.

Meneer Bradford-Brown stond Lizzie buiten het station op te wachten, en zijn eerste woorden waren: 'Jij denkt zeker dat je een goeie vangst hebt gedaan, jongedame?' Waarop ze zo kwaad werd dat ze met luide stem riep: 'Ja, meneer Bradford-Brown! Maar niet op de manier die u bedoelt. En wie denkt u trouwens wel dat u bent? Laat me dit wel vertellen, meneer Bradford-Brown. Ik heb het altijd al tegen u willen zeggen. De mening die u over uzelf hebt, wordt niet door anderen gedeeld. Ik zou me kunnen voorstellen dat uw vrouw bezwaar maakt tegen de keuze van uw zoon, maar niet u, want als u vergelijkingen maakt, dan doe ik dat ook, en ik verzeker u dat ik in een betere klasse ben geboren en getogen dan u ooit. Misschien waren we arm, maar wel fatsoenlijk. En als ik mijn vader of moeder nog had gehad, zou ik hen niet verloochenen. Dus blaast u maar niet zo hoog van de toren, meneer Bradford-Brown.'

Te zeggen dat hij verbaasd was bij deze tirade, was veel te zacht uitgedrukt. Hij was verbijsterd, en witheet. Hij brieste tegen haar: 'Jij! Jij! Hoe dúrf je! Dit zal ik je betaald zetten. Jij kent je plaats niet, juffertje, maar ik zal ervoor zorgen dat je die snel weer vindt. En... en laat me je dit wel vertellen: ik zie mijn zoon nog liever dood dan dat hij zich met jou inlaat.'

Die laatste woorden legden hen beiden het zwijgen op. Daarna, alsof hij zich toen pas realiseerde wat hij eigenlijk had gezegd, knikte hij naar haar en voegde eraan toe: 'Ja, dat meen ik. Zo'n hekel heb ik aan jou, juffertje.' En daarop draaide hij zich om en liet haar bevend achter, als middelpunt van nieuwsgierigheid van een groepje mensen dat iets verderop langs de stoeprand stond.

Toen ze zich omdraaide, moest ze langs hen heen, en een van de vrouwen raakte haar arm aan en zei: 'Laat je niet op je kop zitten, meid. Laat je niet op je kop zitten.' Ze klonk net als Meg. Lizzie was opeens het liefst naar huis gehold om haar hoofd op Megs schouder te leggen en haar huilend haar angsten te bekennen. Ze dacht op dit moment niet aan Bertha, want Bertha zou net als John zijn: ze zou zeggen dat een mens zijn plaats moest kennen en dat er niets goeds van kwam als je de grenzen overschreed.

Haar gedachten gingen terug naar de foto van Andrew die over het boerenhek werd geworpen en elk moment op zijn hoofd terecht kon komen, wat zijn dood had kunnen zijn; en ze hoorde opnieuw de woorden: 'Ik zie mijn zoon nog liever dood dan dat hij zich met jou inlaat.' Heel even dacht ze dat ze onpasselijk zou worden op het trottoir.

5

Toen Lizzie die avond thuiskwam, was Bertha niet in de keuken. Ze zat ook niet piano te spelen, ze zat bij de haard in de zitkamer. En toen ze de deur opendeed, keek Bertha naar haar om en zei: 'Hallo daar.' En Lizzie begreep uit de uitdrukking van haar gezicht en uit de toon van haar stem dat haar, wat zij noemde, een 'hartig gesprek' te wachten stond. Dit werd al snel duidelijk, want ze was nauwelijks aan de andere kant van de haard gaan zitten of Bertha schudde haar hoofd en zei: 'En, wat gaan we hieraan doen, meisje?'

'Je bedoelt: wat ga ík hieraan doen?'

Bij wijze van antwoord zei Bertha: 'Hij is hier geweest, meneer Bradford-Brown, en hij ging vreselijk tekeer. Hij heeft gedreigd dat als jij met meneer Andrew blijft omgaan, hij hem het huis uit zal zetten, dat de deur voor hem dicht zal blijven.'

'Heeft hij dat echt gezegd? Nou, ik weet zeker dat Andrew zich daar niet erg over zal opwinden.'

'Lizzie,' – Bertha boog zich naar haar toe en stak smekend haar handen uit – 'ik heb je behandeld alsof je mijn eigen kind was. Dat weet je zelf ook. We houden allebei heel veel van je, en ik wil niet dat jou verdriet of narigheid wordt aangedaan, maar... maar dat zal wel gebeuren als dit doorgaat, want je kent het gezegde' – ze haalde diep adem voordat ze verderging – "je moet niet te ver buiten je soort trouwen". Het zijn mensen van stand. Of in elk geval zij, zijn moeder. Die vader is niet veel soeps, maar zij wel. En... en jij zou je daar helemaal niet op je gemak voelen...'

'Ik voel me overal op m'n gemak.' Lizzie was gaan staan.

'Denk eens na over wat je daar zegt, mam. En dat terwijl jij me de afgelopen vijf jaar hebt opgevoed.'

'O meisje, ik bedoel niet dat je je niet in gewoon gezelschap weet te gedragen, maar zij zijn echt heel anders. Ze hebben hun eigen regels en wetten. Ze hebben hun eigen manier van doen. En dat is niet de onze.'

'Mam, mam!' Ze boog zich over Bertha heen. 'Je verbaast me echt. Je buigt je voor hen in het stof. Ik had nooit gedacht dat jij je voor iemand in het stof zou buigen. Wat zijn ze trouwens? Heel gewone mensen. Laat me je dit vertellen. Ik ga met Andrew trouwen, wat zijn vader ook mag zeggen, of zijn moeder, of...' Ze deed haar ogen stijf dicht en draaide zich met een ruk om toen Bertha zei: 'Of John of ik of wie dan ook? Dat is het, hè? En John is in alle staten, dat kan ik je wel verzekeren.'

Er viel een lange stilte voor Lizzie zei: 'Ja mam, zo zit het helaas.'

'Nou, meisje, dan valt er niets meer te zeggen. Ik heb gedaan wat ik kon, ik heb geprobeerd je tot andere gedachten te brengen. Maar omdat dat niet lukt, nou ja... dan lukt 't niet. Maar ik weet één ding wel: als jij hiermee doorgaat, zal dit alles heel moeilijk worden voor John, heel moeilijk. Echt. Hoewel meneer Bradford-Brown hem niet kwijt zal willen, zal hij het hem toch knap moeilijk maken.'

Bertha kwam overeind, zuchtte diep en mompelde: 'Nou, nu dat is gezegd, kunnen we maar beter thee gaan drinken. Trouwens, ik heb een brief van Geoff gekregen. Hij maakt het goed, maar zoals gewoonlijk mag hij niet zeggen waar hij zit of wat hij doet, alleen dat... nou ja, dat hij graag thuis zou willen zijn. En ik moet zeggen dat hij naar jou heeft gevraagd, en hij zei dat hij dacht dat hij je niet meer zou herkennen als hij je zag.'

'Lizzie draaide zich om, nu met tranen in haar ogen, en ze liep haastig naar Bertha toe, sloeg haar armen om haar heen en zei: 'O mam, mam. Ik zou echt alles willen doen om jou niet verdrietig te maken, maar ik... ik moet je vertellen dat ik... dat ik al jaren verliefd ben geweest op Andrew. Daarom heb ik nooit een ander vriendje gehad. En ik heb kansen genoeg gehad.'

'Nou, nou, meisje! Maar wat kansen betreft, ja, daar weet ik alles van, en ik heb me wel eens afgevraagd waarom... Maar toch...' Ze duwde Lizzie bij zich vandaan, glimlachte naar haar en zei: 'Ik ben ook jong geweest. Dat moet ik wel bedenken. En kijk nou toch! Raap die stok eens voor me op, waar jij hem op de grond hebt laten vallen.'

Toen ze naar de keuken liepen, zei Lizzie: 'Waar is Meg?' Bertha antwoordde: 'Ze is naar Shields om te zien of haar huis er nog staat. De bus kan er elk moment zijn. Ik had gedacht dat John al thuis zou zijn, zodat hij haar op kan halen, want ze zal wel van alles en nog wat bij zich hebben.'

Lizzie keek op haar polshorloge. 'Die bus komt over vijf minuten aan, als hij tenminste op tijd is,' zei ze. 'Ik ga haar wel even ophalen.' En daarop liep ze haastig de hal door, pakte haar jas en hoed uit de garderobe en liep het huis uit, blij dat ze kon ontsnappen aan de bedekte kritiek die Bertha uitstraalde.

De schemering lag als een nevel over de heuvels in de verte; de lucht hing laag, met opnieuw een dreiging van regen. Ze hadden twee droge dagen gehad, maar daarvoor had het bijna onophoudelijk geregend, en de rivier was sterk gestegen en hier en daar buiten haar oevers getreden.

De bushalte was op een stuk van de weg dat langs de rivier liep. Op één plek liep de oever steil af naar het kolkende water, en ze zag tot haar vebazing dat er een berg rommel in een grote struik halverwege de oever was blijven steken. Ze had nog nooit meegemaakt dat de rivier zo hoog stond.

Toen de bus de halte naderde, minderde hij vaart en de chauffeur zwaaide naar haar. Ze kon zien dat er maar drie passagiers in zaten en geen van hen was Meg, dus bleef ze kijken tot hij om de bocht van de weg was verdwenen.

Dit was de eerste keer dat Meg de bus had gemist. Was

haar iets overkomen? Ze hoopte vurig van niet. Ze was erg op Meg gesteld geraakt, er ging iets heel troostvols van haar uit.

Langzaam begon ze terug te lopen naar huis, terwijl ze zich af en toe omdraaide om naar de heuvel in de verte te kijken, denkend: nu Meg die bus heeft gemist, zal ze wel die naar de kruising bij Fuller nemen, ook al betekent dat dat ze verder naar huis moet lopen. Ja, dat had ze vast gedaan.

Zou ze haar fiets gaan halen? Nee, ze ging lopen. Maar ze bleef opnieuw besluiteloos staan, een besluiteloosheid die ze zich lang zou heugen, want als ze had gefietst, of met haar fiets aan de hand had gelopen, was haar blik naar alle waarschijnlijkheid recht vooruit gericht geweest. Maar nu begon ze, met de sterke wind in de rug, in de richting van de kruising te lopen.

Binnen heel korte tijd hoorde ze vlakbij, rechts van zich, naast het lawaai van de wind het geluid van de rivier die snel voortraasde. Dit was eigenlijk een ongewoon geluid, maar de zware en voortdurende regenval van de laatste tijd had de rivier veranderd in een bredere en veel diepere en snelstromende vloed, die door de wind die stroomafwaarts blies, nog verder werd voortgedreven.

Ze stond nu op de heuvel, een geleidelijke helling die omhoog liep naar de kleine brug die ooit de enige verbinding tussen twee dorpen had gevormd en nog altijd vaak door boeren en fietsers werd gebruikt.

Maar de opwinding die Lizzie bij het horen van het ongewone geluid van de snelstromende rivier kon hebben beroerd, veranderde plotseling in schrik. Ze had de brug gezien, en de massa rommel die zich aan de ene kant had opgehoopt als gevolg van een ontwortelde boom die was meegesleurd en nu voor de opening van de stenen boog onder de brug was blijven steken.

Doordat een gedeelte van de bedding was geblokkeerd, stroomde de rivier nog sneller door de vrije opening in de boog, en de ongekende kracht van het geweld bracht bij haar een angst teweeg die nog groter werd toen ze een man langs de oever naar de rivier omlaag zag gaan. Haar angst ging over in ontzetting toen ze besefte wie de man was die nu de rivier in waadde.

Grote God! Wat was hij van plan? Nee! Nee! En de wanhoop dreef haar ook het water in, terwijl ze gilde: 'Kapitein! Kapitein!'

Het water stond tot aan haar huiverende middel toen ze zag hoe hij zijn arm uitstak om een tak van de boom te grijpen en daar wild aan te rukken. Zijn poging om de boom los te trekken moest gedeeltelijk zijn gelukt, want hij werd er opeens met een ruk door omgedraaid, zodat hij haar kant uit keek.

En nu was hij degene die riep: 'O, grote God! Lizzie! Lizzie!'

Hij probeerde zich een weg naar haar toe te banen, toen een beweging in de massa rommel hem omhoog deed kijken.

Plotseling werd hij meegesleurd, en hij klampte zich wanhopig aan de tak vast terwijl Lizzie zich op hem liet vallen.

Op hetzelfde moment dat hun uitgestrekte handen elkaar raakten, klonk er een scheurend geluid, alsof de brug zelf werd ontworteld, en onder haar grijpende hand kwam de massa hout omhoog en rukte haar los en wierp haar op haar rug.

Toen het water over haar hoofd kolkte, besefte ze dat ze misschien zou verdrinken. Daarna kwam ze weer boven en werd aan alle kanten met hout en wol gebombardeerd. Ze wist dat het wol was toen haar vingers ernaar klauwden. En toen werd ze weer onder water getrokken. Maar nu begreep ze dat ze zich aan iets vastklampte, niet alleen met haar hand maar ook met haar armen, en het was iets zwaars. Eerst was het boven haar, en toen onder haar.

Alsof ze het zag gebeuren, voelde ze hoe ze op de harde grond rolde en ze stelde zich voor dat ze een lange, diepe zucht van opluchting slaakte en voldaan bleef liggen waar ze lag. En dit deed ze enige tijd voordat ze een poging deed om haar ogen open te doen.

Ze moest haar oogleden een paar keer omhoog dwingen voor ze begreep dat ze in ondiep water lag en dat ze niet alleen was, want ze omarmde dat gewicht, en het gewicht omarmde haar.

Ze draaide haar hoofd opzij, hoestte en spuugde een golf rivierwater uit. Maar hij verroerde zich niet, en zij lange tijd ook niet. Daarna, alsof ze uit haar slaap wakker werd, sloeg ze haar armen om hem heen, klopte hem in het gezicht en hijgde: 'Is… is alles goed met je?'

De beschadigde kant van zijn gezicht en zijn kaak waren bedekt met modder uit de rivier. Die leek sterker aan die plekken te kleven, en hij zag eruit als een wilde.

Zijn goede oog ging open, en de pijn in die blik legde haar het zwijgen op, zodat ze niet die domme vraag stelde: 'Waarom? Waarom?'

Hij haalde beverig adem, spuwde wat water uit, veegde zijn mond met zijn vingers af en hijgde toen: 'Ach Lizzie, het spijt me.'

'Stil maar.'

'Dit… dit deed de deur dicht.'

Ze vroeg niet wat de deur dichtdeed. Toen zei hij: 'Het… het had je dood wel kunnen zijn. Dit… dit zal ik mezelf nooit kunnen vergeven.'

'Doe niet zo gek. Hoor eens, we moeten hier weg.' Ze wilde overeind komen, maar viel weer op haar knieën, en haar hele lichaam huiverde. Hij wilde ook in beweging komen, maar slaakte een kreun, en ze draaide zich snel naar hem om en zei: 'Wat is er?'

'Mijn been. Mijn voet. Ik… ik heb 'm zeker verstuikt.'

'Kun je staan?'

Toen hij dat probeerde, kromp hij ineen van de pijn. Steunend op zijn elleboog hees hij zich verder over de oever omhoog. Toen hij eenmaal boven was, liet hij zich op zijn zij vallen en zijn hele lichaam verkrampte, als van de pijn. Ze knielde naast hem neer, sloeg haar armen om hem heen en zei: 'Stil nou maar, alles komt goed. Stil maar. Luister goed. Ik... ik moet hulp gaan halen. Begrijp je dat?'

Hij stamelde: 'Li... Li... Lizzie. Laat me niet alleen. Laat me alsjeblieft niet alleen.'

Ze keek hulpeloos om zich heen. Ze had gedacht dat ze door alle rommel een eind de rivier waren afgesleurd. Maar de brug was nog geen vijftien meter bij hen vandaan. Ze hadden het geluk gehad dat ze opzij waren gegooid.

Maar ze kon haar oren niet geloven toen ze een rauwe stem vanaf de weg hoorde schreeuwen: 'Ben jij dat, Lizzie? Wat doe je daar in godsnaam?'

Ze draaide zich om en keek omhoog, met een gezicht dat straalde van opluchting, en ze riep: 'Meg! Wat ben ik blij jou te zien!'

Ze zag dat Meg niet alleen was, maar ze kon niet goed zien wie ze bij zich had. Ze riep: 'Kun je even hier beneden komen?' Toen lieten haar armen Richard los, ze hees zich overeind en schreeuwde: 'Nee Meg! Het is te steil voor jou. Ga terug naar het huis om pap te halen. Zeg tegen hem dat meneer Boneford zijn been heeft bezeerd.'

'Ik kom wel omlaag, en ik heb Honeysett bij me.'

Even later keken Meg en Ted Honeysett op het tweetal neer. Meg riep uit: 'Jullie zijn nat. Jullie zijn allebei helemaal nat! Wat is er gebeurd?'

'Hij... hij is in de rivier gevallen. Hij is er slecht aan toe, ik denk niet dat wij hem zelf mee kunnen krijgen.'

'Dat lukt wel, als we hem omhoog kunnen krijgen.' Ted Honeysett boog zich over Richard heen en zei: 'Ik heb mijn handkar hierboven staan, meneer. Ik heb er wat hout op liggen, maar dat kan ik er zo afkieperen. Kunt u staan, meneer Boneford?'

Richard probeerde het, en met hulp van Ted wist Lizzie hem op de been te krijgen en Meg steunde hem in de rug terwijl ze voorzichtig over de oever omhoog zwoegden. Het kostte zo'n inspanning dat ze allemaal stonden te hijgen tegen de tijd dat ze de weg hadden bereikt.

Daar legden ze hem in de berm, terwijl Ted het hout uit de kar kiepte.

Richard lag nog steeds te rillen, als van pijn, toen ze hem overdwars op de platte handkar hadden gelegd. 'Moet hij naar het Huis?' vroeg Ted. Maar Lizzie antwoordde: 'Nee, naar ons huis.' En hierop knikte Ted en begon hij de kar te duwen, terwijl hij zei: 'Jawel, dat lijkt me beter.' Toen keek hij Lizzie bezorgd aan en zei: 'Volgens mij ben jij er bijna net zo slecht aan toe als hij, meisje. Wat is er gebeurd?'

'Hij... hij is in de rivier gevallen.'

'Jawel. Nou, zulke dingen komen wel eens voor. Hoe dan ook, meisje, misschien moet jij maar op deze kant van de kar gaan zitten, om als rem te fungeren als we omlaag gaan...'

'Grote goden!' was wat Bertha en John bijna tegelijk zeiden toen ze werden geconfronteerd met het spektakel bij de keukendeur.

Maar Lizzie zei: 'Ik leg het later wel uit, mam... pap. Kan hij in Geoffreys kamer worden gelegd? Hij is er slecht aan toe.'

'Ja, ja natuurlijk.' En John hielp hen Richard naar de keuken te brengen. Daarna droeg hij hem samen met Ted Honeysett naar boven.

Maar het waren Meg en Bertha die hem uitkleedden en in bed stopten, nadat John opdracht had gegeven een bad voor Lizzie te laten vollopen en ervoor te zorgen dat ze erin stapte, en snel ook.

Beneden vroeg John aan Ted Honeysett: 'Wat is er gebeurd?'

'Het heeft geen zin om dat aan mij te vragen, meneer Fulton, dat is iets wat ik ook graag zou willen weten. Ik was mevrouw Price tegengekomen; ze liep langs de weg te sjokken. Ze was op de kruising bij Fuller uit de bus gestapt, een stomme bus om te nemen, vind ik, om hierheen te gaan, maar ze had nou eenmaal die andere gemist. Ik had wat hout gesprokkeld... niet uit uw gebied!' Hij stak zijn vinger uit naar John. 'Ryebank had een boom die met de storm omlaag was gekomen. Hij zei dat ik de kleine stukjes mocht houden als ik alles opruimde. Je moet tegenwoordig voor alles betalen, je krijgt niets meer voor niets. Maar goed, we kwamen op de top van de heuvel, en zij liep maar te kwekken, mevrouw Price, over Shields en over de troep die ze er hier en daar van hadden gemaakt. Ze maakte me aan het lachen, zij daar. Goed, ik keek toevallig omlaag, en toen zag ik die twee daar liggen. Ik dacht dat ze een potje lagen te vrijen, maar het was een rare plaats om een potje te vrijen, zo aan de waterkant, met hun armen om elkaar heen! Toen slaakte mevrouw Price een gil, en jawel, zij waren het, meneer Boneford en jullie Lizzie, en ze klampten zich als twee verzopen katten aan elkaar vast. Dat... dat is alles wat ik weet, behalve dat ze zei dat ze in de rivier waren gevallen. Maar wat me wel opviel was de troep die bij de brug was blijven steken.' Hij knikte weer naar John. 'Rare boel hoor, dat hij zomaar in de rivier was gevallen. Maar waarom moest zij dan óók in de rivier vallen? En dat met al hun kleren aan. Wat vindt u hier nou van, meneer Fulton?'

John zei nu, met een heel rustige stem: 'Ik weet niet wat ik ervan moet vinden, Ted. Maar ik wil je één ding vragen: vertel het niet verder voordat we precies weten wat er aan de hand is. Begrijp je?'

'Goed, ik begrijp het. Ik kan mijn mond dichthouden als ik dat wil, daar heb ik meer dan genoeg ervaring mee.' Hij grijnsde, liep toen naar de deur en zei: 'Het valt te begrijpen, vindt u niet, dat je jezelf van kant wilt maken als je er zo uitziet. Ze is een dappere meid, die Lizzie van jullie. Een beste meid. Jawel, een beste meid. Goedenavond, allen tezamen.'

'Goeienavond, Ted, en dank je wel. Als je nog eens in de buurt bent, kom dan even langs. Misschien heb ik wel iets voor je.'

Ted Honeysett draaide zich in het donker bij de deur om en zei, met een stralend gezicht: 'Dat is heel vriendelijk van u, meneer Fulton. Dat zal ik doen. Dat zal ik doen.'

Meg kwam de keuken in en zei: 'Ik moet een paar warme

kruiken klaarmaken, maar ik denk niet dat die veel zullen helpen. Ik denk dat je beter de dokter kunt halen, die kerel is er slecht aan toe. En moeten ze op het Grote Huis niet gewaarschuwd worden?'

'Ja,' zuchtte John. 'Ja, zij zullen ook moeten worden gewaarschuwd. Ligt hij nog steeds te rillen?'

'Ja, en niet zo'n beetje ook; en hij voelt zich ook erg licht in het hoofd. Met Lizzie is het ook niet best. Heb je nog wat whisky in huis?'

'Ja, er zit nog wat in de fles.'

'Nou, geef haar maar een flinke scheut met wat heet water. Maar bel eerst de dokter.'

Toen hij de hal inliep om de dokter te bellen, bedacht hij hoe vreemd het was dat Meg in een crisis de leiding nam. Het was fijn om haar in huis te hebben...

De dokter zei dat hij het eerste uur nog niet weg kon, hij had nog een paar patiënten in de wachtkamer zitten, maar hij zou zo gauw mogelijk komen.

Even later vertelde John dit aan Lizzie, terwijl hij haar de dampende beker gaf, en toen ze er een slokje van nam en rilde, zei hij: 'Hij zal ook naar jou moeten kijken.'

'Met mij is niets aan de hand, hoor. Is dit whisky? Je weet best dat ik geen whisky lust.'

Ze zette de beker op het nachtkastje, trok het beddengoed om haar schouders en zag hoe John zich op de rand van het bed liet zakken voordat hij zei: 'Wat is er gebeurd?'

Ze staarde even naar de gewatteerde deken voor ze antwoordde: 'Ik... ik denk dat hij zelfmoord probeerde te plegen. Hij... hij is een goed zwemmer – dat heeft hij me ooit verteld – maar hij had geen enkele kans gehad als hij door de volle kracht van die berg rommel was geraakt, en dat terwijl hij zijn volledige uniform aan had. Ik... ik denk dat hij er zeker van wilde zijn dat het lukte.'

'Het was jou ook bijna gelukt.'

'Ik... eh... ik stond een eindje verderop.'

'Hoe heb je hem dan te pakken kunnen krijgen?'

'Dat... dat lukte me niet; ik geloof dat hij mij te pakken kreeg. Ik weet het niet precies, het gebeurde allemaal heel snel. Ik weet alleen dat ik doodsbang was. Ik dacht echt dat ik er geweest was.'

'En dat had ook best kunnen gebeuren. Die verdomde idioot ook!'

'Toe pap, bedenk wel...'

'Jawel.' Hij knikte. 'Ik heb echt heel erg met hem te doen, maar ik denk ook aan jou. Jij had ook kunnen worden meegesleurd.'

'Nee hoor. Echt niet. Hij probeerde terug te gaan toen hij mij zag, maar het was al te laat.'

'Hoe bedoel je, te laat?'

'Nou, hij had de tak weggetrokken, of wat het was waardoor alle rommel voor de brug bleef steken. Heb je al naar het huis gebeld?'

'Nee. Ik doe niets voordat de dokter is geweest.'

'Ze hoeven het niet te weten, hè pap? Ik bedoel, zíj hoeft het niet te weten. Ze zullen het hem er heel moeilijk mee maken.'

'Hoor eens, meisje, dat moet hij zelf maar uitmaken. Trouwens, hoe moeten wij aan dokter McNeil verklaren dat hij in ons huis is en dat jij er ook niet best aan toe bent? En Meg zegt dat hij ligt te ijlen, dus je weet niet wat hij er allemaal uit zal gooien. Maar breek jij je daar het hoofd maar niet over. Je hebt al meer gedaan dan je plicht was. Mijn God! Maar ik denk niet dat hij je echt dankbaar zal zijn.'

'Hij is een aardige man. Onder dat uiterlijk van hem is hij nog steeds dezelfde.'

'Jawel, dat weet ik. Maar je kunt de mensen niet dwingen er zo over te denken wanneer ze hem aankijken, je moet hem eerst kennen. Naar mijn mening had hij beter in het ziekenhuis kunnen blijven tot hij weer toonbaar was.'

Ze schoof omhoog in haar kussen. 'Nee pap, dat zou nog jaren kunnen duren. Ik geloof dat hij al zes operaties heeft gehad. God mag weten hoe hij er eerst heeft uitgezien, en hij is toch zeker een mens. Hij wilde terug naar het gewone leven.'

'Goed, goed, wind je niet op. Wat mankeert je? Naar mijn idee heb je je vanavond al genoeg voor hem uitgesloofd. Blijf nou maar stil liggen. Bertha komt zo bij je.'

Het was vreemd, bedacht ze, dat hij het op dit moment niet over 'mam' maar over 'Bertha' had, hoewel zij altijd 'mam' en 'pap' zei. En Bertha had het over hem altijd als over John. Dit had haar in de loop der jaren wel eens dwarsgezeten, en het had gemaakt dat ze zich afvroeg waarom Bertha op haar zestiende verjaardag tegen haar had gezegd: 'Je zegt altijd keurig "mevrouw" tegen mij, maar je mag gerust "mam" zeggen, en ik weet zeker dat John het niet erg zou vinden om "pap" genoemd te worden. Zou je dat willen?' Ze had geantwoord dat ze dat heel graag zou willen. Het had haar enige tijd gekost om aan de gedachte gewend te raken en ze was er nooit echt zeker van geweest of meneer Fulton, zoals ze hem eerst had aangesproken, met zijn nieuwe titel akkoord ging.

Toen de deur achter hem dicht was, liet ze zich in bed zakken. Ze was moe, uitgeput. Haar hoofd deed pijn en ze had het nog steeds koud. Ze pakte de beker, trok een vies gezicht en dronk de rest van de whisky op, en even later werd ze slaperig. Maar toen ze bijna in slaap viel, had ze het gevoel dat ze weer onder water lag, en ze hapte naar lucht en draaide zich om en om, terwijl ze nog steeds stevig werd vastgehouden. Nu was zijn gezicht boven haar, en hij riep: 'Lizzie! Lizzie!' En zij riep terug: 'Stil maar, Richard. Stil maar.' Vanaf dat moment kwam er een kalmte over haar. Er was iemand die het haar van haar voorhoofd wegstreek en er was een stem die zei: 'Stil maar liefje, ga maar slapen. Je bent veilig. Ga maar slapen.' En ze wist dat het Meg was, en ze zei tegen haar: 'Ik heb nooit eerder Richard tegen hem gezegd.'

'Stil meisje. Ga nou maar slapen. Je zult je morgenochtend een stuk beter voelen. Ga nou maar slapen.'

6

Zoals Meg zei, gebeurden de dingen altijd in drieën. Zo had die arme kerel de afgelopen vier dagen boven gelegen zonder te weten waar hij was. Hersenschudding, had de dokter gezegd. En dan had Lizzie een kou die maakte dat ze de longen uit haar lijf hoestte. En tenslotte waren er die kakmadam en die grote schreeuwlelijk uit het huis. Ze waren hier twee keer geweest en ze waren iedere keer naar boven gegaan met een gezicht alsof het hier stonk. En vanmorgen was zíj gekomen, zijn vrouw. Ze hadden de grootste moeite gehad om haar op te sporen. Ze was weggegaan zonder haar ouders of haar man te vertellen waarheen. Ze hadden haar pas gisteravond gevonden. Ze was heel beleefd geweest, dat moest je haar nageven, en ook heel bedeesd. Meg was bezig geweest hem te wassen toen de deur openging en John zei: 'Hier is mevrouw Boneford, Meg.'

Hij was vanmorgen bijgekomen en was nu gelukkig helder van geest. Hij had heel zinnig tegen haar gesproken, waarbij hij zich voortdurend had verontschuldigd voor alle overlast die hij had veroorzaakt, en hij had gezegd dat hij maar beter naar huis kon gaan. Toen was de deur opengegaan, en toen hij zijn vrouw zag, was hij dichtgeklapt als een oester. En zij had ook niet veel te zeggen gehad, in elk geval niet zolang Meg in de kamer was. Ze had heel beleefd gepraat, en ze was bij het voeteneind blijven staan, niet naar hem toe gelopen, en ze had gezegd: 'Hoe gaat het met je?' Hij had geen antwoord gegeven, maar haar alleen maar aangestaard met dat ene goede oog van hem, het oog dat heel veel kon zeggen als je er goed op lette.

Meg had zich wat opgelaten gevoeld, en dat was een nieuwe ervaring voor haar. Ze had iets onnozels gezegd in de trant van: 'Ik kom straks wel weer terug om u verder op te doffen.' En daarop was ze de kamer uitgegaan en had hen samen achtergelaten, maar ze was nog maar nauwelijks de trap af of de vrouw kwam de hal in en zei: 'Is mevrouw Fulton thuis?' En ze had geantwoord: 'Ze is boven, in haar kamer. Ze heeft nogal schokkend nieuws gehad.'

'Ach, wat akelig,' had ze gezegd. 'Hopelijk is het niet al te erg.'

'Tja, ze weet eigenlijk nog niet hoe erg het precies is. Maar ze heeft bericht gekregen dat haar zoon Geoffrey gewond is.'

'Geoff... rey gewond?'

'Ja. Dat is het laatste nieuws. Maar ze heeft in geen eeuwigheid een brief van hem gehad. Het bericht was natuurlijk niet gedateerd. Dus u kunt zich voorstellen dat ze nogal overstuur is. John is nu bij haar.'

'Ja, ja natuurlijk. Het spijt me,' had ze gezegd. Dat was alles, en ze was naar de deur gelopen.

'Als u later op de middag terugkomt, kunt u misschien even met haar praten,' had Meg voorzichtig gezegd, en de vrouw had zich bij de deur omgedraaid. 'Ik... ik... misschien kom ik vanmiddag wel niet terug, maar wilt u tegen mevrouw Fulton zeggen dat ik het heel verdrietig vind van... van haar zoon. Heel verdrietig.'

'Jawel, dat zal ik zeggen.'

Toen Meg alleen in de keuken stond en thee in de pot deed, knikte ze en zei hardop: 'Er zit iets niet goed tussen die twee. Hij heeft waarschijnlijk geen mond tegen haar opengedaan. Hij kéék in elk geval alsof hij niet van plan was dat te doen. Arme kerel, ik heb echt met hem te doen. Waarom kunnen ze d'r niet gelijk wat bruine huid op zetten, in plaats van dat roze, babyachtige spul? Waar halen ze dat eigenlijk vandaan? Het is nog niet zo erg dat het zo strak zit, maar die kleur! Zo roze als de billetjes van een baby!'

Een week later kwam bij Lizzie bijna dezelfde gedachte op toen ze tegenover Richard in de zitkamer zat.

Zijn uniform was gewassen en geperst. Zijn verstuikte enkel was bijna geheeld, hoewel hij nog een stok tegen zijn stoel had staan, wat aanleiding had gegeven tot enige vrolijkheid tussen Bertha en hem, al was het dan van beiden wat geforceerd.

Ze hadden meer dan een kwartier zo tegenover elkaar gezeten, waarbij het gesprek voornamelijk over het weer ging, en het ging nog steeds over het weer toen ze vroeg: 'Hoe lang doet u erover om thuis te komen? Dat wil zeggen, als u onderweg geen zware sneeuwval krijgt?'

'Nou, als ik bedenk hoe Matty rijdt, en zeker als hij het stuur van een legervoertuig in handen heeft, dan vermoed ik dat we het binnen vier uur kunnen doen.'

Ze keken elkaar aan vanaf hun plaatsen aan weerszijden van de haard. Toen boog Lizzie zich naar voren, pakte de pook en duwde een smeulend houtblok in het roodgloeiende hart van het vuur terwijl ze rustig zei: 'Waarom gaat u niet terug naar het Huis?'

Hij keerde de goede kant van zijn gezicht naar haar toe, en het oog knipperde toen hij zei: 'Om die vraag te beantwoorden zou ik je moeten vertellen waarom ik heb geprobeerd me van kant te maken.' Maar daarna klopte hij op zijn verminkte wang en ging verder: 'Dat was niet alleen hierom, want je kunt het geloven of niet, maar er liggen daar in het ziekenhuis jongens die er veel slechter aan toe zijn dan ik... veel slechter. En het was evenmin om het feit dat ze het niet kan verdragen om me aan te kijken, hoewel dat mijn hart bijna deed breken. Het was...' Hij ademde diep uit en likte over zijn lippen voor hij verderging: 'Omdat ik haar met een vriend van me heb betrapt. Ik had al enige tijd mijn verdenkingen gehad, ik begreep dat er iemand moest zijn, maar toen hij het bleek te zijn...' Hij zweeg abrupt, stond op en draaide zich om naar de haard, waar hij een poosje met uitgestoken handen voor bleef staan voor hij zich er weer van afwendde, zijn stok pakte, op haar neerkeek en zei: 'Ik had hem de vorige dag nog gesproken. We hadden wat gedronken en lang zitten praten. En toen was hij daar, waren ze daar samen. Het was heel toevallig dat ik hen vond. Weet je, we hadden plannen gemaakt om samen iets te ondernemen, hij en ik, wat te gaan jagen. En ik voelde me opeens zo neerslachtig dat ik besloot naar huis te gaan... naar mijn eigen huis. En omdat ik wist dat hij met verlof zou gaan, dacht ik dat ik hem zou vragen met me mee te gaan. Ik... ik ging naar Durham, want ik wist dat hij daar was ingekwartierd. Ik was er wel eerder geweest. Feitelijk was het daar dat ik hem aan Janis heb voorgesteld. Toen ik op de deur klopte en de hospita opendeed, staarde ze me met open mond aan en zei toen: "O grote God!" Ze begon te ratelen: "Hij is er niet. Hij is niet thuis." Ik kon nog net mijn voet tussen de deur zetten, en toen ik dit deed, ving ik een glimp op van een groene regenjas die in de hal over een stoel lag, met de capuchon omlaag. De capuchon was met bont gevoerd. Het was een heel chique jas. Ik had hem voor Janis gekocht toen we pas waren getrouwd.'

Hij zweeg opnieuw, en ze kon het zweet in straaltjes over zijn opgelapte huid zien lopen. Hij ging verder: 'Toen ik de deur verder openduwde, gooide ik de arme vrouw bijna op haar rug. Maar ik holde de trap op en ik deed twee deuren open voor ik hen zag. Als ik een revolver bij me had gehad, had ik hen allebei doodgeschoten; als ik sterk of gezond genoeg was geweest, had ik niet hem, maar haar gewurgd. Maar sinds ik dit heb' – hij tikte voorzichtig met zijn vinger op zijn kin – 'schijn ik geen fut meer in m'n lijf te hebben, geen kracht. Mijn energie en ik zijn vreemden voor elkaar geworden. Dus wat heb ik gedaan? Ik heb me gewoon omgedraaid en ben weggelopen. Tja, de rest ken je.' Hij wendde zich weer van haar af en legde zijn hand op de schoorsteenmantel toen hij tenslotte zei: 'Ik voelde me tot in het diepst van mijn hart gekrenkt en vernederd; ik voelde me in alle opzichten geen man meer. Ik leek minder, en ik was minder.

Ik zei tegen mezelf dat ik het haar niet kwalijk kon nemen omdat het enige dat ik van haar wilde troost was, en begrip, genoeg om mij erdoorheen te helpen tot het wonder geschiedde en ik er weer als een menselijk wezen uit kon zien, ook al wist ik dat dit in mijn geval nooit echt zou gebeuren.'

'O meneer Richard!' Ze stond op, pakte zijn hand van de schoorsteenmantel, hield die vast en zei: 'U komt hier echt weer doorheen. Dat weet ik zeker. Het zal echt weer beter gaan. U moet gewoon volhouden. Wanneer moet u terug naar het ziekenhuis?'

'Over twee weken.'

'Nou, dat is dan de volgende stap.'

'Ik wil helemaal niet. Ik heb besloten dat ik er genoeg van heb.'

'Toe, alstublieft! De dokters zijn tegenwoordig zo knap. Houdt u alstublieft vol. U zei vorige week dat u zoveel aan me te danken had. Nou, dan wil ik dat u daar iets voor terugdoet. Ik wil dat u belooft dat u de behandeling zult volhouden... Goed?'

Hij staarde haar even zwijgend aan. Toen glimlachte hij op zijn scheve manier en zei: 'Goed, Lizzie. Maar dan wil ik één ding aan jou vragen. Zou jij af en toe eens met mevrouw Fulton en Meg bij mij thuis op bezoek willen komen? Mijn ouders zouden het heerlijk vinden om jullie te ontmoeten, en vooral jou. Trouwens, ze weten niets van deze toestand, maar ik zal het hun vertellen als ik weer thuis ben, en dan vertel ik ook dat ik echtscheiding aanvraag.'

'Echtscheiding?'

'Ja. Ik heb het haar al verteld. Zij is er niet op tegen, maar haar ouders wel.' Hij glimlachte grimmig. 'Het schandaal, weet je, het schandaal. Weet je wat haar moeder me gisteren vroeg? Ze vroeg of ik de schuld op me wilde nemen. En toen ik zei dat ik dat niet van plan was, was ze verbijsterd. "Je gedraagt je niet als een heer," zei ze. 'Het mocht wat!' gromde hij. "Als jij je dochter had geleerd zich als een dame te gedragen, had ik daar misschien nog iets van kunnen leren," zei ik. En wat haar vader betreft, kan Meg je vertellen dat hij als een dolle tekeerging. Ik moest hem echt even herinneren aan waar hij was.'

'Dus u gaat ermee door?'

'Ja. Weet je, Bernard was niet de eerste, voorzover ik heb begrepen, en ook niet de tweede of zelfs maar de derde. Ik heb zelfs geruchten gehoord, hoewel ik niet weet hoeveel daarvan waar is, dat ze hier een langdurige verhouding met de zoon des huizes heeft gehad.'

In de stilte die hierop volgde, keken ze elkaar aan, en Lizzie knipperde even met haar ogen en dacht: 'Verboden toegang voor ongevoegden'.

Toen ze haar hand weer terugtrok, hield hij zijn hoofd scheef en zei zacht: 'Ik hoop dat Andrew en jij heel gelukkig zullen zijn. Hij is een goeie kerel, die Andrew. Hij is heel anders dan de rest van die familie. Ik zou me trouwens niet voor kunnen stellen dat iemand niet gelukkig met jou zou kunnen zijn.'

Ze bloosde hevig en zei toen lachend: 'Ik ben geen weldoende engel. Ik heb ook zo mijn kuren. Die hebt u nog niet meegemaakt. Vraag maar aan mam.'

Hij glimlachte. Daarna zei hij op plechtige toon: 'Ik wil je iets zeggen, Lizzie. Het lijkt op dit moment misschien dwaas en onbelangrijk, maar deze oorlog zou nog wel eens lang kunnen duren en er kan van alles gebeuren. Ik wil dat jij me belooft dat als je ooit een vriend nodig hebt, je naar mij toe komt. Wil je me dat beloven?'

Ze staarde hem aan. Ze kon zich niet voorstellen dat zich ooit een situatie zou voordoen waarin ze zo hevig een vriend nodig zou hebben dat ze naar hem toe zou komen. Maar aan de andere kant was hij een goede vriend, een geweldige vriend. Hij was zo'n aardige man. Ze zei rustig: 'Dat beloof ik je, Richard.'

Ze kon dat heel makkelijk beloven, want als hij eenmaal terug was naar zijn landgoed in Schotland, kon ze zich niet voorstellen dat ze elkaar ooit weer zouden ontmoeten. Nu hij van zijn vrouw ging scheiden, was er voor hem geen reden om nog hier te komen. Maar hij had haar natuurlijk wel uitgenodigd om samen met mam en Meg bij hem thuis op bezoek te komen. Maar dat had uit beleefdheid kunnen zijn, en als antwoord op alle gastvrijheid die hij hier had genoten. Ze voelde spijt bij de gedachte dat hij wegging, want ze had gedacht dat ze hem op de een of andere manier misschien kon helpen. Hij had zelf gezegd dat hij met haar kon praten. En zoals Meg altijd van haar zei, ze was in gezelschap net een blikopener. Ze kon niet alleen praten, maar ze kon ook anderen aan het praten krijgen.

Plotseling zei hij: 'Daar is de auto. Tot ziens, Lizzie. En dank je wel. Ik... ik ga nu afscheid nemen van de anderen.' En toen ze met hem naar de deur wilde lopen, voegde hij eraan toe: 'Ga alsjeblieft niet mee naar de deur. Blijf gewoon waar je bent.' En daarop draaide hij zich enigszins abrupt om.

Toen de deur eenmaal achter hem dicht was, bleef ze er even naar staan kijken. Ze bedacht dat ze het jammer vond dat hij wegging.

Deel drie

1943

1

Het was eind mei 1943. Er was veel gebeurd in het land en in het buitenland, en ook in huis. In maart waren er veel schepen gezonken. Het hele land snakte naar adem. De enige hoop leek nog te zijn dat de Amerikanen een wondermiddel wisten te bedenken om op die manier de oorlog een andere wending te geven.

Op deze dag, donderdag 27 mei, zat Meg aan de keukentafel die voor de thee was gedekt, en ze keek naar de vier andere mensen die er ook zaten: Bertha, John, Lizzie en Geoffrey, en Lizzie stak haar hand uit, raakte Meg aan en zei: 'Je moet niet huilen, Meg.' En Bertha zei: 'Neem een kop sterke thee. Stil nou maar!'

Meg veegde ruw met een grote zakdoek haar gezicht af en zei: 'Dank je, Bertha, maar het lijkt wel of ik de hele dag thee heb gedronken. Iedereen was heel lief voor me. Allemachies! Je hebt nog nooit zoiets gezien. Ik had gedacht dat ik nooit iets ergers zou zien dan het marktplein, die donderdag in 1941. Maar onze straat was vandaag echt één puinhoop. Me huis staat er niet meer. Al m'n spullen zijn weg. Maar aan de andere kant: wat maakt het uit? Nu er zoveel arme mensen zijn gedood en ik weet niet hoeveel gewond. Allemachies! Ik heb er gewoon bij staan huilen. Ik heb nog nooit van m'n leven zo gehuild. Toen ik m'n tweeling verloor omdat hun boot kapseisde, heb ik gehuild. En toen ik hem, me man, verloor, heb ik gehuild. Maar vandaag was het een ander huilen. Het is maar goed dat ik m'n foto's had meegebracht. Dat is alles wat ik nu nog van hen over heb.'

John stond van tafel op, legde een hand op Megs schouder

en zei: 'Je bent je huis kwijt, Meg, maar laat me je dit wel vertellen, je hebt híér een huis zolang je zin hebt om te blijven. Nietwaar, Bertha?' Hij keek over de tafel naar Bertha, en die knikte en zei: 'Beslist. Beslist, Meg. En dat weet je toch, hè?'

Meg veegde opnieuw haar gezicht met de grote zakdoek af en zei toen: 'Dat is heel vriendelijk van je, John, en ook van jou, Bertha, maar... maar ik word een dagje ouder en ik wil niemand tot last zijn. Iemand van de gemeente heeft vandaag trouwens gezegd dat ze ervoor zouden zorgen dat ik goed onderdak kom wanneer ik... terugga.' Ze dwong haar gezicht tot een glimlach toen ze zei: 'Ik zal wel erg moeten wennen om weer in een stad te wonen nadat ik hier in de wildernis heb gezeten. Het is me hier goed bevallen. En dan zeggen de mensen nog dat er op het land niets te beleven valt. Allemachies! Ik heb meer gezelligheid gekend sinds ik hier ben, dan ik daar in jaren heb gehad.'

'Nou, gezelligheid hebben we hier zát, Meg. We kunnen je daar altijd van voorzien.' John was weer gaan zitten en grijnsde naar zijn zoon en zei: 'D'r is hier gezelligheid genoeg. Wat jij, Geoff?'

Geoff draaide zijn hoofd opzij en glimlachte strak. 'Ja hoor, alle soorten. Van dolle pret tot onderbroekenlol.' Toen John zag hoe zijn zoon zijn stoel naar achteren schoof om overeind te komen, viel hem een zorgelijke gedachte in: zijn zoon was veranderd. Hij had gedacht dat hij met zijn nieuwe rang en status anders terug zou komen... wat meer gepolijst of zo. Maar hij was nu meestal heel somber, terwijl hij vroeger altijd in was geweest voor een grap en een grol. Nu school er niets geestigs of vrolijks in zijn antwoorden; ze waren allemaal even zinloos als dat van daarnet. Misschien kwam het door zijn verwondingen, dat hij geestelijk zo was veranderd. Zelfs al had hij geluk gehad, dat hij er zo vanaf was gekomen. Hij zou natuurlijk de rest van zijn leven mank lopen, en zijn linkeronderarm was nagenoeg onbruikbaar. Maar hij leefde in elk geval nog, en daar hoorde hij dankbaar voor te zijn.

Hij was nu meer dan twee maanden thuis, maar hij had zijn draai nog steeds niet weten te vinden.

John zag hem naar de achterdeur lopen en zijn pet van de houten pin pakken. Hoewel hij nu uit het leger was, droeg hij nog steeds zijn luitenantsuniform, en zelfs als hij alleen maar een eindje door het bos ging wandelen, dofte hij zich op voordat hij naar buiten ging. Hij had verlangend uitgezien naar de terugkeer van zijn zoon, maar hij moest diep in zijn hart bekennen dat er sinds zijn terugkeer een gespannen sfeer in huis had gehangen. Hij was niet dezelfde jongen die het leger was ingegaan. De dingen die hij had meegemaakt, hadden hem volledig veranderd...

Geoff liep over de weg tussen de twee bossen door. Zijn tempo werd beperkt door het feit dat hij zijn linkervoet goed moest optillen voordat hij hem naar voren kon brengen en zijn gewicht erop kon laten rusten. Het zou gemakkelijker zijn geweest als hij een wandelstok had gebruikt, maar sinds hij thuis was, had hij die afgezworen. Het was genoeg, vond hij, dat zijn moeder er een moest gebruiken. Zijn schouders waren licht gebogen en zijn hoofd hing naar voren. Als hij zo liep, leek hij vele centimeters kleiner.

Voor de zoveelste keer in de afgelopen weken vroeg hij zich af wat hij moest doen. Moest hij een kantoorbaan zoeken? Achter een bureau zitten? Hij keek naar zijn linkerarm. Die zwaaide niet zoals zijn rechterarm. Hij veronderstelde dat hij dankbaar moest zijn dat hij er nog aan zat, dat hij geen stalen koker aan zijn elleboog had, met een haak aan het eind. Er waren veel dingen waar hij dankbaar voor hoorde te zijn, maar hij kon zich niet dankbaar voelen, voor wat dan ook. Het was daar allemaal zo anders geweest, daar waar hij zich iemand had gevoeld. Hij had zijn bevordering gekregen, hij had verder kunnen klimmen. Hij werd algemeen geaccepteerd en hij stond bekend als een eersteklas leider. Hij had een dikkere huid gekregen, en iedere gevoeligheid die hij nog bezat, scheen te zijn gesmoord en gestorven. De begraafplaats ervan was in Sidi Barrani geweest,

Kerstmis 1940, toen ze de Italianen achterna hadden gezeten door Barida, Tobroek, Derna en Benghazi, tot Agheila aan toe. Maar toen moesten die verdomde Duitsers erbij komen, en hadden ze Tobroek halsoverkop moeten verlaten. Toch kwamen ze tegen het eind van 1941 weer terug, en wisten weer tot Agheila te komen. Het was net een soort schommel geweest, maar hij was er heelhuids doorheen gekomen, zonder één schrammetje. Hij had overal om zich heen mannen dood zien neervallen, er was zelfs een kogel geweest die een deuk in zijn helm had gemaakt; en dus geloofde hij dat hij geen nummer had. Dat wil zeggen, tot de slinger de andere kant uit bewoog, toen de Duitse en Italiaanse tegenaanval hen terugdrong naar de Gaza-linie, buiten Tobroek. En daar was zijn huid weer dun geworden. Het was niet alleen dat hij aan één kant was geraakt, want hij kon het eerst helemaal niet geloven, hij was gewoon verdergegaan, of liever gezegd, verdergekropen, terwijl hij had geschreeuwd als een gek. Toen was die granaat ontploft, en waren ze er allemaal in één klap geweest. Zijn sergeant, Jim Rolston, en ook de jonge Hal Fairbanks. Hij had hem pas twee weken tevoren tot korporaal bevorderd. En Bodger Ripton, die eeuwig in de nor zat, maar die de beste ritselaar van het hele bataljon was. Je hoefde het maar te noemen, en Bodger wist het voor je te regelen; en kreeg bijna altijd op zijn lazer omdat hij het voor je had geregeld. En Spud Winter, die de meest afgrijselijke verhalen over zijn Ierse moeder vertelde, en als je al die verhalen optelde, moest ze wel de grootste hoer van Dublin zijn geweest. Spud was zijn hele diensttijd gelijk met hem opgetrokken, en hij was erbij geweest toen hij was bevorderd. Maar als het even kon, stond hij daar en zei: 'Sergeant, ik bedoel meneer, ik bedoel... nou ja, 't zit zo. Weet u, me moeder...'

Ach Spud! Spud! En dan had je Harry. Harry Cole, kapitein Harry Cole. Hij was goed voor hem geweest, die Harry. Dat was het enige woord dat hij voor hem wist te bedenken: 'goed'! Hij had hem welkom geheten in de club. Er was geen houding van 'snel opgeklommen' bij Harry, zoals bij sommige anderen. Harry was klasse geweest. Zijn vader was een beroemd iemand, en hij was de enige zoon van zijn vader. Maar toen had hij opeens geen gezicht meer, geen schouder, geen arm, toen was hij niet meer dan een bloederige massa. Zijn benen waren er nog steeds, en ze lagen over Spud heen.

Hij had zelf op zijn zij gelegen, en zijn bewustzijn zakte weg hoewel hij, vlak voordat het helemaal was verdwenen, nog de resten van Spud en Harry had vastgegrepen, en dat was alles wat hij zich herinnerde, tot er een stem zei: 'Hallo daar! Hoe is het met jou?' Hij had omhooggekeken naar het gezicht boven de witte jas, en in plaats van 'goed' te zeggen, had hij gegild en gevloekt en geschreeuwd, tot alles weer stil was geworden. En zo was het sindsdien steeds geweest. Het enige verschil was nu dat het geschreeuw in zijn dromen begon, en dat hij wakker werd met hun naam op zijn lippen.

Hij draaide zich abrupt om, om naar het huis terug te gaan, en toen hij dichterbij kwam, zag hij Lizzie naar buiten komen. Ze droeg een blauwe katoenen jurk met een driekwart witte wollen jas eroverheen, en ze droeg grijze open schoenen, en op haar hoofd had ze een roomkleurige strooien hoed.

Ze bleven allebei staan. Zij was de eerste die iets zei. 'Heb je lekker gewandeld?'

'Ja.' Hij knikte even, en zweeg toen weer. Het duurde een paar seconden voor hij zei: 'Weet je, ik ben nog steeds niet van mijn verbazing over jou bekomen. Ik zie je in gedachten nog steeds als dat magere, sprieterige meisje dat ik mee naar huis heb gebracht. Hoeveel jaar is dat geleden?' Hij boog zijn hoofd en keek haar vragend aan.

'Nou, dat hoor je zelf ook te weten, je bent in 1937 het huis uit gegaan, en het is nu 1943.'

'Ben jij dan negentien?' Hij schudde zijn hoofd.

'Bijna twintig.'

Hij zweeg opnieuw. Ze was heel mooi. Ze had iets fris over zich, waar hij geen woorden voor had. Het was niet alleen haar huid of haar ogen, maar ook de hele indruk die ze maakte. En ze ging trouwen met Andrew Bradford-Brown.

Hij had de laatste tijd gemerkt dat hij niet graag praatte, maar als hij ermee begon, deed hij het zonder verder na te denken, dus zei hij nu wat hem het meeste bezighield: 'Weet je zeker dat je met Andrew wilt trouwen?'

Ze staarde hem even aan. Het was de eerste keer dat hij over haar trouwplannen begon. Hij leek die nadrukkelijk te hebben genegeerd. Zelfs toen Andrew was komen logeren, zoals onlangs, en hij in de zitkamer op de bank had geslapen, had hij er ook niet met hem over gepraat. Toen ze hier later iets over tegen Andrew had gezegd en had opgemerkt dat het beeld van de man die ze eerder had gekend niet paste bij de man die nu in huis was, had Andrew haar uitgelegd dat dit misschien geen wonder was, gezien alles wat hij had meegemaakt, en dat zulke ervaringen een man sterk konden veranderen. Kijk maar naar Richard, bijvoorbeeld. Naar zijn mening was Richard er veel slechter aan toe, want, om met zijn woorden te spreken: 'Je zou de dingen beter onder ogen kunnen zien als je op een normale manier uit je ogen kon kijken.'

Haar stem klonk enigszins kortaf toen ze die openhartige vraag beantwoordde. 'Ja, natuurlijk ga ik met Andrew trouwen, dat weet je best. Waarom stel je zo'n voor de hand liggende vraag?'

'Alleen maar omdat hij een Bradford-Brown is. Die zijn niet te vertrouwen, weet je, geen van allen. Kijk maar hoeveel mensen niets van die man moeten hebben, en toch is hij zijn zoon, hoort hij ook bij die familie. Je kunt nooit loskomen van alles wat je ouders in je hebben gestopt.'

'Andrew is heel anders dan zij, heel anders dan zijn vader of moeder, of' – ze knikte nadrukkelijk bij de laatste twee woorden – 'zijn zuster!'

Zijn huidskleur was nog steeds bruin, maar die kleur leek af en toe opeens te verbleken tot een wasachtig grijs, en dat gebeurde nu ook. Ze wist alles over zijn verhouding met Richards vrouw, voordat die was getrouwd. Ze had de details niet van Bertha of John, en ook niet van Meg, maar via Nancy Bassett, een wasvrouw die in het huis had gewerkt. Nancy werkte nu in een legerkantine in Durham, en was dol op geroddel. Ze veronderstelde dat ze haar het zwijgen had moeten opleggen toen ze over de bewoners van het Grote Huis begon, maar dat had ze niet gedaan.

Ze hoorde van Nancy dat er ruzie was geweest tussen mevrouw en meneer, en dat mevrouw Boneford het niet op kon brengen om haar man aan te kijken, en dat zij jarenlang 'iets had gehad' met de man die nu voor haar stond.

Toen hij pas thuis was gekomen, had ze medelijden met hem gehad, en het was een gevoel dat veel leek op wat ze voor Richard voelde. Maar naarmate de weken verstreken en hij in de omgang een somber en moeilijk mens was gebleken, was dit gevoel overgegaan en had ze ontdekt dat ze zelfs een hekel aan hem begon te krijgen, en dat klonk door in haar stem toen ze hem toevoegde: 'Jij kent hen natuurlijk beter dan ik, maar ik kan alleen maar naar eigen bevinding spreken, en ik heb Andrew niet anders meegemaakt dan als vriendelijk en goed en... en' – ze zweeg even – 'als een... een heer.'

Ze bleven elkaar even vijandig aan staan kijken. Toen ontspande zijn gezicht zich en hij lachte even toen hij zei: 'Jij vergelijkt mensen met elkaar, hè? Je vindt dat ik geen heer ben. Nee, stil...' Hij stak zijn hand waarschuwend op en zei: 'Ik weet heel goed wat ik ben, echt, ik weet wat ik ben, en het spijt me dat je me zo ziet. Maar' – hij liet zijn stem dalen – 'ik ben lang weggeweest, ik heb inderdaad van alles meegemaakt, en ik ken de familie Bradford-Brown beter dan jij. Maar ik moet toegeven dat ik weinig met Andrew te maken heb gehad, en... en ik ben blij voor jou als je denkt dat je gelukkig zult worden.'

Hij had haar de wind uit de zeilen genomen, en het gevoel van afkeer verdween. 'Dat weet ik wel zeker, Geoff,' zei ze. Toen legde ze haar hand op zijn arm en voegde eraan toe:

‘Kom naar mijn concert. Misschien vind je ’t niet geweldig, ik bedoel de nummers, maar er valt echt wel iets te lachen.’

‘Nee, dank je. Misschien een andere keer. Mam zegt dat je al aardig naam begint te maken in de stad. Wat is er vanavond? Een samenzang?’

‘Nee, niet zoiets banaals.’ Ze schudde haar hoofd. ‘Ik ben een van de twaalf artiesten. Ik open het gedeelte voor de pauze, en ik open de tweede helft. Zoals een sopraan die in het concertcomité zit laatst tegen me zei: “We bewaren de sterren altijd voor het laatst”.’

Hij schoot iets oprechter in de lach en zei: ‘En wat had jij daarop te zeggen?’

‘Ik heb gezegd dat ik zou proberen er een lange schemering van te maken, en weet je,’ – ze beet op haar lip en haalde haar schouders op – ‘dat is me gelukt ook, want de jongens riepen steeds “bis”, en dat hoor je eigenlijk niet te doen, weet je, niet bij dat soort concerten, niet vóór het eind. Maar ik heb drie toegiften gespeeld, en ze konden die allemaal meezingen. Ze was woest, en toen ik het podium afkwam’ – ze giechelde – ‘zei ik: “De volle maan komt nu op.” Weet je, na mij kwamen twee mannen met een komisch nummer, en die maakten er écht iets van. Dus ik kon me niet bedwingen, en ik zei tegen haar: “Die stellen vanavond alle sterren in de schaduw.” En die zaal gaat om tien uur dicht, dus aan het eind was er nauwelijks belangstelling voor haar. Ik voelde me na afloop wel een kat, maar ik werd echt pissig van dat mens, zoals Meg zou zeggen.’

Zijn gezicht was inmiddels wat opgeklaard, en hij vroeg: ‘Is zij er vanavond ook?’

‘Jazeker. Ze is een heel belangrijke dame in verband met de geldinzamelingsacties.’

‘Ja, en geld spreekt. Maar jij weet in elk geval voor jezelf op te komen! Ik denk dat ik dat vanaf het eerste begin al had begrepen. Herinner je je nog de dag dat ik je voor het eerst mee naar huis heb gebracht?’

‘Zeker.’ Ze knikte. ‘Ik herinner me die dag maar al te

goed, en ik heb je er nooit echt voor bedankt, maar dat doe ik nu wel. Je hebt me die dag de kans op een nieuw leven gegeven, en een mam en een pap. Vond je het vreemd om te horen dat ik je ouders "mam" en "pap" noemde?'

'Nee hoor. Helemaal niet, want moeder kon het meteen goed met je vinden. Je bent haar dochter, zo ziet ze je echt.'

'En jij bent mijn grote broer.'

Hij gaf even geen antwoord, en toen zei hij zacht: 'Ja, als je 't zo bekijkt, dan ben ik je broer.' Hij kon zich opnieuw niet beheersen en zei: 'Je bent heel mooi, Lizzie, weet je dat wel? Je bent een knappe vrouw geworden. Ik kon het gewoon niet geloven. Ik weet nog hoe ik, toen ik een paar weken geleden thuiskwam en jou zag, dacht dat jij iemand anders was. Ik kon je niet plaatsen. Het betekende een schok voor me en het deed me ook beseffen hoeveel jaren er voorbij waren gegaan, en... en dat ik zoveel had gemist.'

Ze bloosde en zei lachend: 'Ik weet niets van mooi zijn. Ik denk dat je ook iets aan je ogen moet hebben gehad.'

'Ach,' – het woord klonk wat ruw – 'doe niet zo quasi-bescheiden. Zo ben je niet. Je weet zelf heel goed hoe je eruitziet, je weet wat je bent. Vooruit, maak dat je wegkomt, anders ga ik nog onbeleefd tegen je doen.'

Ze schoot in de lach en zei: 'Groetjes, Geoff.'

'De groeten,' antwoordde hij.

Ze had nog maar een paar stappen gelopen toen ze naar hem omkeek en riep: 'Je zult ervan lusten als ik terugkom, omdat ik die bus heb gemist.'

Hij gaf geen verder commentaar, maar keek haar alleen maar na toen ze wegholde. Daarna beet hij op zijn onderlip, draaide zich om en begon naar huis terug te lopen.

Het was vol in de zaal. Lizzie had het programma na de pauze geopend met Chopin – een etude, gevolgd door een wals – en ze stond nu in de coulissen om een kwartet het podium op te laten gaan, toen een stem in haar oor zei: 'Je vriend is er. Hij staat op je te wachten. Kom, geef mij je muziek maar, ik pas er wel op.'

Ze mompelde automatisch: 'Wat?' Ze keek de toneelmeester even aan, maar toen draaide ze zich snel om en zag daar, aan het eind van de gang, Andrew staan die naar haar zwaaide.

Haar hart was licht toen ze zich een weg naar hem toe baande, en ze begroette hem fluisterend met: 'Waarom? Wanneer ben je gekomen? Je schreef dat het volgende week was.'

'Kom mee.' Hij greep haar bij de hand en trok haar mee door een kleedkamer naar een andere gang, waar ze haar hoed en jas van een haak griste. Toen stonden ze op straat, en daar, in het zachte schemerlicht, keken ze elkaar aan.

'O Andrew, hoeveel tijd heb je?'

'Niet lang. Hoor eens, ik moet met de trein van twaalf uur terug. Kom, dan gaan we een eindje lopen.' Hij pakte haar nu bijna ruw bij de arm en liep met haar de straat door.

'Waarheen?' vroeg ze. 'Gaan we naar huis?'

'Nee, daar hebben we geen tijd voor. Laten we gewoon een eindje het land in lopen.'

'Wat... wat is er, Andrew?'

Hij zuchtte even voor hij mompelde: 'Er hangt iets in de lucht. Ik weet niet precies wat. Ik had over veertien dagen verlof zullen hebben, en alles was al geregeld, de trouwvergunning en zo. Ik heb een brief van Richard gehad, en hij zei dat hij graag mijn getuige wilde zijn. Maar de adjudant liet me vanmorgen bij zich komen en zei dat hij het betwijfelde of ik een week zou kunnen krijgen. Hoogstens misschien een paar dagen. Er zijn de laatste tijd veel overplaatsingen geweest, van mijnenvegers naar grotere schepen.'

'Denk... denk je dat je misschien naar het buitenland moet?'

'Zou kunnen. Maar ik weet het gewoon niet. Het is allemaal heel geheimzinnig, en de plannen schijnen voortdurend te worden veranderd. Maar hij heeft me in elk geval vierentwintig uur gegeven. Ik ben een halfuur geleden aangekomen. Ik heb jouw huis gebeld en Meg nam op. Ze vertelde dat je hier was.'

'O Andrew!' Ze klampte zich aan zijn hand vast. 'Het leek zo veilig wat jij deed. Nou ja, niet echt veilig natuurlijk, maar iedere reddingspoging leek een snelle actie, en daarna weer terug naar de basis. Maar nu...!'

'Maak je niet ongerust, misschien gaat het wel niet door. Luister goed.' Hij lachte even. 'Misschien ben ik midden op zee wel veiliger dan op de wal, of in Londen, tegenwoordig. Lieve help, Lizzie, Londen! Je hebt geen idee. Iedereen die daar woont is een held of een heldin. Ja, de vrouwen zijn ook echte heldinnen.'

'Je maakt dat ik me een vreselijke sukkel voel, zoals ik hier op het distributiekantoor zit. Ik had in dienst willen gaan, weet je. Ik heb geprobeerd om...'

'Doe niet zo dwaas. Dat is nou het enige dat mij nog wat gemoedsrust geeft, de wetenschap dat jij – in elk geval betrekkelijk – veilig bent.'

Ze hadden langs de rivier gelopen, waren toen talloze treetjes opgeklommen om vervolgens weer in de stad uit te komen, en ze waren lachend omgedraaid en verder gelopen, tot ze op het open land kwamen.

'Hoe laat is het?' zei ze.

'Tien voor negen.'

'Moet je echt met die trein?'

'Ja, als ik morgenochtend terug wil zijn. Of liever gezegd, als ik om twaalf uur weer op appèl moet zijn.'

Ze bleef opeens staan, keek hem recht aan en zei fluisterend: 'Je... je zegt dit toch zeker niet omdat je problemen hebt met die twee dagen vrij om te trouwen? Het betekent toch zeker niet dat jullie meteen weggaan... ik bedoel naar het buitenland?'

'Nee hoor.' Hij greep haar handen stevig vast. 'Ik wilde je alleen maar even zien, om het je zelf te vertellen. Ik weet dat je al dingen had geregeld, en die cottage in het Lake District had gehuurd.'

Toen ze bij een weiland met een kapot hek kwamen, bleven ze even staan en keken in de verte naar een stuk bos dat zwart afstak tegen de donker wordende avondhemel, en als bij afspraak staken ze het weiland over en liepen het bos in. Voor ze in de schaduw van wat kreupelhout gingen liggen, deed hij zijn jas uit en zijn pet af, en zij deed hetzelfde met haar hoed en jas. En toen lagen ze in elkaars armen. In de schaduw van het struikgewas was zijn gezicht maar vaag te zien en zijn stem klonk als van heel ver weg toen hij zei: 'Je... je hebt geen spijt... van de vorige keer?'

'Nee Andrew, echt niet.'

'Ik... eh... maakte me daar wat ongerust over.'

'O lieverd, je moet je echt niet ongerust maken.'

'Ik zal me pas gerust voelen wanneer we getrouwd zijn... stel dat er iets gebeurt? Ik bedoel...'

'Daar zou ik dan blij om zijn.'

'Maar alleen wanneer we getrouwd waren. Ik moet er niet aan denken dat jou zoiets zou overkomen.'

'Het overkomt anderen ook, het gebeurt maar al te vaak, liefste.'

'Dat kan wel zijn, maar niet bij jou. Alsjeblieft niet bij jou.'

Ze duwde zich een eindje bij hem vandaan en keek hem even onderzoekend aan, terwijl ze op gedempte toon zei: 'Het maakt niet uit wat mij overkomt, Andrew, zolang het me maar door jou overkomt.'

'O Lizzie, ik voel me de gelukkigste man ter wereld. Ik weet al wat ik ga doen als dit allemaal voorbij is, ik heb het helemaal uitgedacht. Richard heeft me al een tijdje geleden op de gedachte gebracht. Ik heb 't je toen verteld, weet je nog? Hij stelde voor dat ik echt het boerenbedrijf in ging, en ik vond het een geweldig idee, want ik wist dat vaders bedrijf niets voor mij was, zelfs al had ik de kans gekregen. En in de laatste brief die ik van hem heb gehad zei hij dat ik na de oorlog beslist met hem moest gaan samenwerken. Hij leek me veel stabieler. Hij heeft veel achting voor jou, weet je. Ik denk dat hij me een beetje benijdt, en dat kan ik best begrijpen. Ja, ik ben blij dat hij van Janis af is. Ze was echt niet goed voor hem, of voor wie dan ook, zelfs niet voor zichzelf... Zou jij de vrouw van een boer willen zijn?'

'Ik zou jouw vrouw willen zijn, Andrew, of je nou boer of vuilnisman bent.'

'O, lieve Lizzie.' Hun monden vonden elkaar en hun lichamen smolten samen. De schemering werd steeds dieper, en zelfs toen ze elkaar niet meer konden zien, lagen ze nog steeds dicht tegen elkaar aan gedrukt.

Ze zei opnieuw: 'Hoe laat is het?'

Hij keek op zijn horloge, en de verlichte wijzers gaven twintig minuten voor elf aan.

'We moesten maar eens teruggaan,' zei hij.

'O Andrew.' En weer klampten ze zich aan elkaar vast.

Toen ze zich tenslotte afklopten, hun jas aantrokken en door het weiland naar de weg liepen, had de torenklok in de verte elf uur geslagen. Pas toen ze snel naar de stad terugliepen, zei hij: 'Hoe moet je in 's hemelsnaam naar huis? Je kunt misschien beter in een hotel blijven.'

Maar ze antwoordde: 'Ik zal even naar huis bellen. Pap zal wel met de oude bus komen. Hij houdt altijd nog een beetje benzine in reserve.'

Het was bijna half twaalf toen ze bij het station waren en zij naar huis kon bellen. John nam op en ze zei: 'Hallo pap. Zou je me misschien kunnen komen ophalen? Andrew moet weg met de trein van twaalf uur.'

Zijn antwoord was scherp. 'Je had echt eerder iets van je moeten laten horen. Bertha was dodelijk ongerust.'

'Het spijt me, pap, maar we hadden zo weinig tijd.'

Zijn toon bleef strak toen hij antwoordde: 'Goed. Ik kom je meteen halen.'

Toen ze de telefooncel uitkwam, zei ze: 'Het is goed. Hij komt eraan. Heb je tijd voor een kop thee?'

'Nog net. De trein is er nog niet.' Hij keek naar het perron.

Ze dronken ieder twee koppen thee, maar ze lieten de broodjes die ze hadden besteld onaangeroerd liggen.

Toen de trein puffend het station binnenliep, werd Lizzie plotseling overvallen door een afgrijselijk gevoel van paniek, en ze sloeg haar armen om hem heen en stamelde: 'O Andrew, Andrew. Ik... ik wou dat je niet wegging.'

'Stil maar, liefste, stil maar. Ik kom weer terug. En ik zal je in elk geval morgen opbellen.'

'Hoe laat?'

'Nou, ergens tussen half zes en zes uur, wanneer jij thuiskomt. Of nee... wacht eens even,' – hij zweeg – 'ik weet nog niet waar ik om die tijd zal zijn. Maar als ik eropuit moet, zal ik eerst naar je huis bellen om een boodschap achter te laten. Is dat goed?'

'Ja liefste, alsjeblieft. Doe dat alsjeblieft. O Andrew!'

Er was een hoop bedrijvigheid om hen heen, maar ze wilde hem niet loslaten, en hij hield haar ook stevig vast. Toen zei ze, alsof ze tot zichzelf kwam: 'Nu kun je vast geen zitplaats meer vinden.'

'Ja hoor. Om deze tijd is het niet zo druk meer.' Hij maakte het dichtstbijzijnde portier open en stapte het rijtuig in, draaide het raampje omlaag en hing boven haar naar buiten. In het groene licht dat aan het dak van het station hing, konden ze elkaars gezicht nauwelijks ontwaren.

'Maak je maar geen zorgen, liefste. Alles zal goed komen. En de volgende keer is...' Hij wees naar de ringvinger van zijn linkerhand en zei glimlachend: 'Ik heb 'm al.'

'Echt waar?'

'Ja. Ik heb 'm bij Woolworths gekocht.'

'Andrew!' Ze dwong zich tot een glimlach en voegde eraantoe: 'Eentje van blik is ook goed.'

Er werd op een fluitje geblazen. De locomotief braakte een grote wolk stoom uit, ze konden elkaar niet meer verstaan. Toen de trein langzaam in beweging begon te komen, liep ze niet mee over het perron maar bleef hem na staan kijken terwijl ze werd overmand door een verpletterend gevoel van verdriet.

Toen de trein in de duisternis achter het eind van het perron was verdwenen, vroeg ze zich af: 'Wat mankeert me toch?' En ze draaide zich langzaam om en liep het station uit. Daar, bij de stoeprand, stond John, met Geoff naast zich. Ze keken haar allebei onderzoekend aan, en toen ze niets zei, scheen John met een afgeplakte zaklantaarn in haar gezicht en zei: 'Is alles goed met jou?'

'Ja hoor.' Haar stem klonk verslagen.

John stapte achter het stuur en Geoff hielp haar achter in de auto. Hij had niets gezegd, en hij zei ook niets tijdens de rit terug naar huis.

Eenmaal binnen, begroette Meg haar met: 'Is alles goed met jou?' Toen keek ze haar nog eens wat beter aan en zei: 'Wat je ook mag zeggen, je ziet er niet zo uit. Kom, ik heb net wat chocolademelk gemaakt. Het is lekker warm, drink 't maar gauw op. Geef je spullen maar hier.' En ze trok Lizzies jas uit en pakte haar hoed. John vroeg: 'Slaapt ze?'

En Meg antwoordde: 'Nee, dat denk ik niet, maar ze heeft haar pil al ingenomen.'

Hij liep snel door de keuken naar de deur aan de andere kant, terwijl Meg naar Geoff keek en zei: 'Wil jij nog een beker?'

Bij wijze van antwoord knikte hij. Toen ging hij op de bank naast Lizzie zitten en vroeg kalm: 'Is alles goed?'

'Ja, alles is goed.'

'Daar zie je niet naar uit. Moet zijn lichting opdraven?'

'Opdraven?'

'Ja, wordt hij ergens gestationeerd?'

'Nou, eh... dat... dat weet hij niet precies. Misschien, maar er is niets zeker.'

'Nou, dan heb je niets om je ongerust over te maken.' Hierop stond hij op en zei: 'Welterusten dan maar.'

'Welterusten,' zei ze.

'Welterusten Meg.'

'Welterusten. Slaap lekker.'

Toen ze de keuken voor zich alleen hadden, liep Meg naar Lizzie, keek haar onderzoekend aan en zei: 'Wat is er gebeurd? Toch geen ruzie gehad of zo?'

'Nee hoor.' Lizzie schudde heftig haar hoofd.

'Wat is er dan aan de hand?'

'Ik... ik weet het niet.'

'Gaat de trouwerij niet door?'

'Jawel, maar hij zal er geen week voor vrij krijgen, hoogstens twee dagen. Maar het is allemaal al geregeld. Hij heeft de papieren, en' – ze glimlachte even en wees naar haar vinger – 'de ring.'

'Jawel, dat is een goed teken. Allebei die dingen zijn nodig. Het zal nu niet lang meer duren, meisje.' Ze klopte haar op de schouder. 'Dus maak je maar niet ongerust, je wachten is bijna voorbij. Het heeft alles bij elkaar al veel te lang geduurd.'

'Meg?'

'Ja meisje?'

'Ik kreeg op het station zo'n vreselijk akelig voorgevoel toen hij bij me wegging. Ik heb me nooit eerder in m'n leven zo gevoeld. Ik kan het niet uitleggen.'

'O, dat stelt niets voor, meisje. Ik kreeg 't iedere keer wanneer mijn jongen moest inschepen, en toen was 't niet eens oorlog. Als je echt om iemand geeft, dan is dat niet meer dan natuurlijk. Als je zulke gevoelens niet had, zou je ook niet om hem geven. Dat is niet meer dan normaal. Drink nu maar gauw je chocolademelk op en ga naar bed. En wat mij betreft: ik moet zien dat ik die trap nog op kan komen. Het is een lange dag geweest.'

'Het spijt me, Meg, dat ik je zo lang heb opgehouden.'

'Jij hebt me niet opgehouden, Lizzie, ik heb mezelf opgehouden. Ik houd mezelf gewoon bezig om maar niet te hoeven denken. Ik kan er maar niet overheen komen, wat er in Shields is gebeurd. Maar ik denk dat ik één ding heb om dankbaar voor te zijn: ik heb kind noch kraai om me ongerust over te maken. En toch schijn ik me over ieder ander zorgen te maken, en vooral over jou. Kom mee, sta op uit die stoel en ga naar boven.'

Ze hees Lizzie overeind. En toen ze haar de keuken uit had zien gaan en de deur achter zich dicht had zien doen, zei ze bij zichzelf: 'Hoe kwam ik er nou bij om te zeggen dat ik me iedere keer zo had gevoeld wanneer mijn jongen naar zee ging? Daar is helemaal niets van waar.'

2

De volgende morgen was John niet in staat om te werken. Hij had koorts. Bertha was opgestaan, maar zij voelde zich ook niet lekker en dus had Geoff de dokter gebeld.

Om half twaalf kwam dokter McNeil puffend de trap af, en zag hoe Geoff hem in de hal opwachtte. 'Verkoudheid,' zei hij. 'Een zware verkoudheid. Een paar dagen in bed en dan is hij weer helemaal de oude. Over hem maak ik me niet zoveel zorgen, maar wel over je moeder.'

'Wat bedoelt u?'

'Net wat ik zeg, ik maak me zorgen over haar. Ze heeft in de afgelopen twee jaar drie hartaanvallen gehad. Haar hart tikt als een tijdbom... het kan elk moment misgaan.'

'U bedoelt...?'

'Ja, dat bedoel ik. Het kan elk moment gebeurd zijn. Ze maakt er niet veel ophef over. Zo is ze niet. Maar ze wil rust en vrede, en geen zorgen.'

'Nou, die rust en vrede heeft ze hier wel. Misschien... misschien heeft ze zich zorgen gemaakt toen ik weg was, maar...'

'Ja, dat is waar. En nu je terug bent, is dat van haar af. Toch kropt ze zulke dingen op. Hou je vader een beetje in de gaten. Zorg dat hij goed op zichzelf past. Ze heeft het er steeds over dat hij in alle soorten weer rondzwerft en dan nat thuiskomt. Goed, ik moet weer eens gaan.' En toen, alsof hij zich bedacht, voegde hij eraan toe: 'Trouwens, hoe is het met jóú?'

'O... Goed. Vrij goed.'

'Moet je nog naar het ziekenhuis?'

'Ja, af en toe, voor controle.'

'Voor je arm? Kun je die al wat beter bewegen?'

'Nee, niet veel.'

'Daar was ik al bang voor. Je zult ermee moeten leren leven. Nou, ik moet nu echt gaan. Waarom mensen 's zomers verkoudheden oplopen is me een raadsel.

Meg hield de voordeur voor hem open en hij liep langs haar heen alsof ze lucht was, en toen ze de deur achter hem had dichtgedaan, keek ze Geoff aan en zei: 'Vreemde snijboon is dat. Ik zou 'm niet aan m'n doodsbed moeten hebben, hij is in staat om me een zetje de kist in te geven, alleen maar om tijd te sparen.'

Geoff glimlachte en zei: 'Dat zou best kunnen. Maar als hij dat deed, zou jij waarschijnlijk het deksel optillen en zeggen: "Hé daar, niet zo'n haast jij, wil jij wel eens even je handen thuis houden?" '

Ze schaterde het nu uit. Het was de eerste keer sinds hij weer thuis was dat hij een grapje met haar had gemaakt. Ze had even gedacht dat hij bezwaar had tegen haar aanwezigheid in huis, tot ze besefte dat hij tegen iedereen zo deed. Ze keek hem na toen hij met één tree tegelijk de trap opliep, als een kind dat nog niet vast op zijn benen stond, en ze dacht: hij begint bij te draaien. Ze zeiden dat hij altijd een grapjas was geweest, altijd klaar stond met een antwoord. Hij kon heel beminnelijk zijn als hij zijn best deed.

Ze liep naar de keuken en dacht: wat een leuk huis is dit, een gelukkig huis. Als ze niet aan Shields dacht, en aan de mensen die omgekomen waren, dan kon ze af en toe vergeten dat het oorlog was...

Om twaalf uur ging de telefoon. Meg nam op. Het was Lizzie, die zei: 'Is er nog voor mij gebeld?'

'Nee, meisje.'

'Ik had het ook niet echt verwacht, weet je, maar Andrew zei dat hij zou proberen te bellen als hij kon, maar hij zal wel gebeld hebben tegen de tijd dat ik thuiskom... Hoe is het met pap?'

'De dokter zei dat het een zware verkoudheid was.'

'En met mam?'

Het bleef even stil voor Meg zei: 'O, best hoor, nog steeds hetzelfde. Ze roept dat ik nog steeds niet weet hoe ik rijstpudding moet maken.'

Lizzie schoot in de lach en zei toen: 'Tot ziens.' En Meg antwoordde: 'Tot ziens...'

Lizzie kwam om ongeveer tien voor zes thuis. Bertha was in de keuken, en Lizzie vroeg haar zonder omhaal: 'Is er nog gebeld?'

'Niet voor jou, meisje,' zei Bertha. 'Maar hij zal wel op verkenning zijn. Ze schijnen bij bosjes uit de lucht te vallen, die luchtmachtjongens. Krankzinnige waaghalzen. Ga je maar gauw fatsoeneren, je thee staat klaar. Raad eens wat we eten?'

'Geen idee.'

'Kippers.'

'Kippers!' Lizzie glimlachte breed. 'Waar haal je opeens gerookte haring vandaan?'

'Je zult het niet geloven. Ted Honeysett was vanmiddag aan de deur. "Vier stel", zei hij, "lust je die? Regelrecht uit Craster." En hij vroeg hoe het met John was. Hij is geen kwaaie kerel. Dat heb ik altijd al gezegd.'

'Nee, niet als hij kippers meebrengt. Wat heeft hij als tegenprestatie gevraagd, een koppeltje fazanten of een zalm?'

'Toe zeg, doe niet zo cynisch.'

'Doe niet zo cynisch, zegt ze,' zei Lizzie, toen ze door de keuken liep. 'Ik wed dat er de komende dagen een paar vogels vermist zullen worden, nu hij weet dat pap niet buiten komt.'

'Nou, hier is iemand die hem dat niet kwalijk kan nemen,' riep Meg met luide stem vanuit de provisiekamer. En Lizzie antwoordde lachend: 'Natuurlijk niet! Heb je al overwogen om wat eendeneieren te ruilen voor iets van zijn koopwaar?'

'Nee, maar dat is wel een idee. En ik kan je vertellen dat ik er vanmiddag vier heb geraapt, deze keer van de eenden van

Hobson. Ryebank heeft die van hem achter gaas gezet, de inhalige vrek.'

Lizzie liep lachend de hal door naar de wc. Na haar gezicht te hebben gewassen bracht ze wat lichtroze poeder aan, en wat lipstick. Toen boog ze zich naar de spiegel, schoof haar ene lip over de andere en bekeek zichzelf even. Hij zei dat ze mooi was. Geoff had gezegd dat ze mooi was. Andrew had ook gezegd dat ze mooi was, en heel vaak. Was ze echt mooi? Ze had gedacht dat ze aardig was om te zien, maar mooi? Juffrouw Thompson van het kantoor boven, die was mooi en knap. Waar ze haar kleren vandaan haalde, met de kledingbonnen die haar waren toebedeeld, daar giste iedereen naar, maar niemand wist het zeker, want het waren chique mantelpakjes die ze droeg. Ze leek net iemand uit *Vogue*. Ja, ze was heel mooi. Maar ze was ook heel slank. Ze was het soort vrouw dat een zak kon dragen en er toch aantrekkelijk uitzien. Je had van die mensen. Ze beschouwde zichzelf niet als zo iemand. Ze had nou eenmaal van die ronde heupen, en een royale boezem. Haar taille mat slechts vijfenzestig centimeter, maar haar bovenwijdte was vijfentachtig. Nee, ze kon zichzelf niet als echt mooi beschouwen, niet echt knap. Maar zolang Andrew haar mooi vond, was dat het enige dat ertoe deed.

Om tien uur had ze nog steeds niets van hem gehoord, en ze ging in de zitkamer zitten met een akelig gevoel in haar maag. Ze had zichzelf de hele avond beziggehouden, waarbij ze de trap op en af was gehold en Meg had geholpen de maaltijden voor de volgende dag klaar te maken. Een paar minuten geleden had ze Meg weten over te halen naar bed te gaan; ze had tegen haar gezegd dat ze van plan was nog een uurtje op te blijven, omdat Andrew ongetwijfeld zou bellen, hoe laat het ook mocht worden.

Geoff zat tegenover haar, diep in de gemakkelijke stoel, met één been stijf voor zich uitgestoken, het andere gebogen bij de knie. Hij zat te lezen. Hij las veel. Daar verbaasde ze zich over. Ze zag hem zelden zitten zonder een krant of tijdschrift of boek in zijn hand. Toch praatte hij nooit over iets dat hij had gelezen. Hij zat nu een boek van George Orwell te lezen. Ze had opgemerkt: 'Gekke titel, *The Road To Wigan Pier*', maar hij was er niet op ingegaan. Hij had alleen maar zijn schouders opgetrokken en daarna gezegd: 'Hoor eens, waarom ga je niet naar bed? Ik blijf tot twaalf uur op. Ik zal je wel roepen als hij nog belt. Hij kan overal zitten.'

'Hij zei dat hij...'

'Lizzie,' – zijn stem klonk nu scherp – 'je weet wat voor werk hij doet, hij kan elk moment moeten uitrukken. Ze springen nou eenmaal niet op vastgestelde tijden uit het vliegtuig in het Kanaal.'

'Dat weet ik. Dat weet ik.' Haar stem klonk even scherp als die van hem. En hij viel tegen haar uit: 'Nou, als je dat zo goed weet, waarom zit je daar dan te piekeren?'

'Omdat hij zei dat hij zou opbellen als hij er vanmorgen was, of anders rond etenstijd. Hij... hij kan niet de hele tijd op wacht hebben gezeten. Hij had bovendien kunnen bellen als hij in de haven was.'

'Nou, dan betekent dat dat hij niet in de haven was; hij is er waarschijnlijk op uitgestuurd zodra hij arriveerde. Ze maken niet alleen maar korte tochtjes. Hij kan best voor een hele dag... of voor twee dagen weg moeten, lijkt mij, om kerels te zoeken.' Zijn stem werd zachter en hij zei: 'Hoor eens, ik begrijp best hoe jij je voelt, maar het komt wel goed, en je zult je morgen een geweldige malloot vinden als die telefoon gaat. Dat kan elk moment gebeuren, misschien morgenvroeg wel.'

Hij hees zich overeind uit zijn stoel, liet zijn boek op een bijzettafeltje vallen, kwam toen naar haar toe en zei vriendelijk: 'Ga toch naar boven. Ik neem de telefoonwacht over, van tien tot twaalf. Ik beloof je dat ik niet in slaap zal vallen, en als hij aan de telefoon is, zal ik hem vriendelijk begroeten, dan zal ik gewoon brullen: "Wat denkt u verdomme wel dat u doet, meneer, door haar al die tijd te laten wachten? U blijft aan de lijn tot ik haar heb gehaald, of anders krijgt u een trap voor uw kont. Heeft u me goed begrepen?" '

Ze boog lachend haar hoofd. Ze had hem nooit eerder horen vloeken of zijn sergeant-majoorstem horen gebruiken. Zijn moeder hield niet van vloeken. Zijn vader vloekte nooit, op een enkel 'verdorie' na. En wat grofheden als 'een trap voor je kont' betrof, nou, ze wist zeker dat hij dat niet in aanwezigheid van zijn moeder zou hebben gezegd, want Bertha was heel precies in dat soort dingen. Maar nu hij op deze manier had gesproken, leek hij opeens een stuk gewoner, aardiger. Het bracht in zekere zin een schaduw terug van de man die ze zich herinnerde.

Ze wilde gaan staan, maar hij was zo dichtbij dat ze haar hand op zijn schouder moest leggen, en ze keek hem aan en zei gedwee: 'Ja meneer. Ik zal doen wat u zegt, meneer. Dank u wel, meneer.'

Hij draaide zich snel om en verloor bijna zijn evenwicht, zodat ze hem automatisch vastgreep, en ze bleven elkaar even glimlachend aankijken voor ze zei: 'Alweer dronken. Dit is de laatste waarschuwing die je krijgt, luitenant. Je had inmiddels moeten weten dat je niet mag drinken als je telefoonwacht hebt. Nog één keer, en je verliest niet alleen je sterren, maar ook je strepen. Dan word je volledig uitgekleed.' Hierop barstte ze in lachen uit, sloeg haar hand voor haar mond en zei met stralende ogen: 'Dat meende ik niet echt, dat jij je strepen zou kwijtraken.'

'Ik geloof er niets van. Volgens mij meende je dat wel degelijk. Dat komt door dat baantje op het distributiekantoor.'

Ze liep, nog steeds lachend, bij hem vandaan en halverwege de keuken draaide ze zich om en vroeg: 'Je vindt 't niet erg?'

'Ga nou maar gauw naar bed en ga slapen. Ik roep je wel als er wat is.'

'Bedankt, Geoff. Welterusten.'

'Welterusten Lizzie.'

Zijn sterren en strepen verliezen... uitgekleed worden.

Gek dat ze dat moest zeggen. Vreemd. Dat had deel uitgemaakt van de nachtmerrie. Hij had er maandenlang last van gehad, maar nu was het niet meer van belang. Rond de tijd van zijn bevordering was hij zeker bang geweest dat hij iets verkeerds zou doen, dat hij zijn zelfbeheersing zou verliezen, dat hij iemand die hij niet uit kon staan een mep zou geven, en dat hij dan van alles werd ontdaan: zijn sterren en strepen, en zijn kleren.

Er kwam die avond geen telefoontje van Andrew, en ook de volgende morgen niet, en Lizzie ging misselijk van spanning naar haar werk. Ze had Geoff laten beloven dat als er zou worden gebeld, hij contact met haar zou opnemen op het distributiekantoor. Het maakte niet uit dat privé-telefoontjes verboden waren, het was haar alle risico's waard.

Ze belde rond etenstijd naar huis. Nee, zei Meg, er was niet opgebeld. Maar ze moest zich maar niet ongerust maken, hij zou vast wel voor de thee hebben gebeld...

Ze holde het hele eind van de bus naar huis, en kwam hijgend binnen.

Bertha, Meg en Geoff zaten rond de tafel. Ze keken haar allemaal aan, en Meg zei meteen: 'Nog niets, meisje, maar wees nou maar niet ongerust: geen bericht, goed bericht.'

Bertha legde haar hand op haar arm en zei: 'Er zal wel een reden voor zijn.'

'Hij... hij zal toch niet zomaar naar het buitenland zijn gestuurd, ik bedoel rechtstreeks?' Ze keek naar Geoff, en hij schudde zijn hoofd en zei: 'Nee hoor, niet zomaar. Die troepenschepen moeten eerst worden nagekeken en in orde worden gemaakt. Dat weet hij ook wel. Het heeft waarschijnlijk niets met inschepen te maken. Toen hij je vertelde dat er iets in de lucht hing, kon dat van alles betekenen, naar Land's End gestuurd worden, of naar John o'Groats, dat weet je nooit bij die reddingsdiensten, of bij torpedoboten. Ja, hij zal wel Duitsers uit de Noordzee moeten oppikken, misschien wel hier vlak voor de kust. Kom, doe je jas uit en neem een kop thee.'

Ze keek Bertha aan en vroeg: 'Hoe is het met pap?'
'Zijn temperatuur is wat gedaald, maar die verkoudheid zit nu op zijn borst. Ik denk dat hij nog een paar dagen in bed zal moeten blijven.'
'Ik ga even naar hem toe.'
'Nee. Drink eerst je thee op, en eet wat. Daarna kun je een poosje naar hem toe.'
'Tot de telefoon gaat,' klonk Megs stem.
En ze herhaalde de woorden bij zichzelf: 'Tot de telefoon gaat...'
Die avond ging de telefoon twee keer. De eerste keer was het met de vraag of meneer Fulton voor meneer Carter kon invallen bij de Burgerbescherming, omdat die met een zware verkoudheid op bed lag.
Geoffs antwoord hierop was: 'Dat zijn er dan twee.'
Het tweede telefoontje was van mevrouw Hobson, om te vragen of iemand van hen even naar de boerderij kon komen, ze had wat boter voor hen. Geoff nam opnieuw op, en hij bedankte de boerin hartelijk en zei dat hij de volgende morgen zou komen.
Iedere keer dat de telefoon ging, was Lizzie boven aan de trap verschenen, en als ze Geoff de hoorn weer op de haak zag leggen, draaide ze zich om en liep weer naar haar slaapkamer. Daar liet ze zich op het bed vallen, greep de gestikte deken vast en begroef haar gezicht in het kussen terwijl ze mompelde: 'Alstublieft, alstublieft, laat hem niets overkomen! Het... het is belangrijk dat hem niets overkomt. Alstublieft! Alstublieft!' En na de tweede keer hief ze haar hoofd op en keek omhoog naar het plafond. 'Ik had het hem moeten vertellen, maar... maar ik was er nog niet zeker van. Ik weet 't nog steeds niet zeker. Maar het zou kunnen. O, alstublieft, alstublieft, laat hem veilig zijn...'
Ze viel pas tegen twee uur in slaap. En ze was weer wakker toen Meg haar om half acht een kop thee bracht. 'Heb je nog wat geslapen, meisje?' vroeg ze.
'Niet veel, Meg.'

'Nou, dat is geen manier om verder te gaan. Je maakt jezelf nog ziek. Je gaat vandaag naar je werk?'

'Ja, ik ga naar m'n werk… dat lijkt me beter.'

'Ja, dat denk ik ook. Maar zoals ik steeds heb gezegd: geen bericht, goed bericht. Als er wat was gebeurd, had je dat allang gehoord.'

'Denk je?'

'Ja natuurlijk.'

'Ik ben mevrouw Bradford-Brown niet, Meg, nog niet.'

Meg dacht even na. Toen knikte ze en zei: 'Dat is waar, dat is waar. Maar ze zouden toch íémand hebben gewaarschuwd, en dan hadden zij het jou laten weten.'

Toen ze klaar was om het huis uit te gaan, zei Geoff tegen haar: 'Waarom ga je niet op je fiets naar je werk? Dan hoef je niet op de bus te wachten.'

'Het is een hele klim terug,' zei ze. 'Het is maar tien minuten korter, en… en ik heb vaak geen puf meer aan het eind van de dag.'

Hij liep met haar mee naar de deur. 'Ik zal het je laten weten zodra ik iets heb gehoord,' zei hij kalm.

'Bedankt, Geoff.'

Ze liep weg en bedacht hoe aardig hij deze dagen voor haar was geweest. Ze wist niet wat ze had moeten beginnen als hij niet thuis was geweest. Hij leek niet langer de gewonde soldaat, maar eerder de sergeant, de luitenant, de man die de leiding had.

Geoff keek haar door het hek na, tot ze schuilging achter de haag langs de weg.

Ondanks al zijn gepraat over dat Andrew hier of daar werd opgehouden, voelde hij dat er iets mis moest zijn. En wat Meg had gezegd, dat geen bericht goed bericht was, dat gold misschien in het buitenland, maar niet op dit kleine eiland.

Hij draaide zich om en liep weer naar binnen. Bovendien… als hem iets was overkomen, zou zij waarschijnlijk de laatste zijn die het hoorde. Zijn adres zou nog steeds op het

Grote Huis staan, en op zijn papieren zou niet zijn vermeld dat de deur voor hem dicht was gegaan. De leider van zijn eskader, of wie het daar voor het zeggen had, zou zelfs met het ophanden zijnde huwelijk denken dat het een familieaangelegenheid was en dat het meisje bekend zou zijn bij zijn ouders. Het was niet waarschijnlijk dat Andrew hem had verteld wat voor verschoppelingen ze samen waren.

Kort na de lunch werd er aan de voordeur gebeld. Bertha zat boven bij John; Geoff was in de zitkamer, en Meg zat in de schommelstoel in de keuken te dommelen. Maar ze schrok op en liep de hal in toen de deur van de zitkamer openging en Geoff verscheen. Ze knikte naar hem en zei: 'Ik ga wel.'

Toen ze de deur opendeed, viel haar mond even open. Op de stoep stond die jonge vrouw, Janis, met een hautaine blik. Ze zag er even knap en elegant uit als altijd, en Meg herkende haar op slag. Dit was de vrouw die die dag de slaapkamer in was gekomen; dat wil zeggen de vrouw van meneer Boneford, of nu misschien de ex-vrouw van meneer Boneford, ze wist niet of de scheiding al definitief was.

'Kan ik meneer Fulton alstublieft spreken?'

'Hij ligt op bed met een zware verkoudheid.'

'Mevrouw Fulton dan?'

'Die is boven bij hem.'

Megs stem klonk grof. Ze draaide zich niet om, maar ze wist dat Geoff uit de deuropening was gekomen en naar haar toe liep.

'Wat wilt u?' vroeg ze.

'Ik wil graag iemand van de familie spreken.'

'Het is wel goed, Meg. Ik handel dit wel af.' Geoff duwde haar zachtjes opzij en keek naar het gezicht dat hij in geen vijf jaar had gezien, en hoewel de aanblik ervan zijn hart niet sneller deed kloppen, voelde hij toch hoe de spieren van zijn kaak verstrakten. Het leek een volle minuut te duren eer Janis zei: 'Ik... ik heb bericht van Andrew. Ik vond dat... eh... dat zij het moest weten.'

'Andrew?'

Toen hij achteruit stapte, moest hij Meg nog verder wegduwen. Hij pakte haar hand van de deur en zei toen: 'Kom binnen.'

Janis liep langs hem heen en hij deed de deur dicht, waarna hij met haar naar de zitkamer liep. Eenmaal binnen, draaide hij zich om en deed de deur dicht voor hij de kamer inliep.

Ze volgde hem langzaam, terwijl haar ogen heen en weer gingen, alsof ze verbaasd was over de netheid en de gezelligheid van dit huis.

Hij had zich omgedraaid en keek haar aan, en wees naar een stoel, terwijl hij zei: 'Wil je niet gaan zitten?'

Ze ging zitten en keek hem even aan. Zijn stem klonk anders, hij zag er heel anders uit. Ze had gehoord dat hij erg kreupel liep, maar dat viel wel mee. Hij zag er ouder uit. Zijn uniform stond hem ook goed.

Geoff ging niet zitten maar bleef staan, met zijn hand op de rugleuning van een stoel, en hij zei: 'Andrew? Wat is er met hem gebeurd?'

Ze boog haar hoofd. 'Hij... hij is dood,' zei ze.

'Wat!'

'Ze... ze hebben gisterochtend bericht gekregen. Ik wist het niet tot... tot een uur geleden. Ik woon nu niet meer thuis, weet je. Ik... kwam wat spullen ophalen. Ik' – ze likte even langs haar lippen – 'ik vond dat zij het moest weten. Dat... was niet meer dan eerlijk. Maar zo zagen zij het niet.'

'Hoe bedoel je, zo zagen zij het niet?'

'Nou,' – ze stak een hand uit, met de palm naar boven – 'je weet toch wat er gebeurd is? Ze wilden haar niet erkennen. Maar... maar ik vond... nou ja, zoals ik al zei...'

De toon die hij tot dusver had aangeslagen was een goede imitatie geweest van de stem van Harry Cole: achter uit zijn keel, hooghartig, langzaam maar niet lijzig, met ieder woord afzonderlijk uitgesproken. Harry was heel goed geweest in het imiteren; hij had af en toe iedereen aan het lachen weten te krijgen. Maar nu vergat hij Harry's stem even, vergat dat de eerste gedachte die bij hem opkwam toen hij Janis enkele momenten geleden had gezien, de gedachte aan de woorden 'plomp en onbehouwen' was geweest. Nu wilde hij haar, instinctief, laten zien dat hij een beschaafd individu was geworden. Maar zijn stem klonk bijna als een blaf toen hij zei: 'Bedoel je dat ze niet van plan waren het haar te laten weten?'

Ze hees zich overeind, schudde haar hoofd en zei: 'Het spijt me. Het spijt me.'

'Het spijt je! Wat voor mensen zijn dat eigenlijk? Wanneer... wanneer is het gebeurd?'

'Gistermorgen.'

'Gistermorgen?' Hij fronste zijn wenkbrauwen.

'Hij kwam door Londen. Er was een luchtaanval geweest. Het schijnt dat hij samen met andere militairen heeft geprobeerd een vrouw en haar kinderen uit een gebombardeerd huis te redden, en dat het gebouw is ingestort. Er waren drie doden, en... en ik geloof dat de vrouw en de kinderen ook zijn gedood, als ik het goed heb begrepen. De leider van zijn eskader heeft gisteravond gebeld.'

'Een gebombardeerd huis?' Hij schudde ongelovig zijn hoofd. 'Dus het is niet op zee gebeurd? Een gebombardeerd huis, zeg je. Het valt haast niet te geloven.'

'Nee, het is haast niet te geloven.'

Hij zag haar moeizaam slikken, en hij besefte dat ze het over haar broer had, en hij zei, maar om een andere reden: 'Mijn oprechte deelneming.'

Ze gaf even geen antwoord, en toen zei ze: 'We hebben nooit een hechte band gehad, maar hij was tenslotte mijn broer, en hij was een goed mens.' Ze keek naar hem op en zei: 'Zul je het haar vertellen?'

Hij gaf geen antwoord, dus ging ze verder: 'Ik begrijp dat ze zouden gaan trouwen?'

'Volgende week.'

'Is je vader erg ziek?'

'Nee.' Hij schudde zijn hoofd. 'Hij heeft alleen maar een zware verkoudheid.' Zijn ogen dwaalden even van haar weg, tot hij haar weer aankeek en zei: 'Als hij dienst had gehad, hadden we dit waarschijnlijk eerder gehoord, neem ik aan?'

'Ik betwijfel het.'

'Hoe bedoel je?'

'De bedienden weten het nog niet eens. Ik zou het zelf ook niet hebben geweten als ik niet binnen was gekomen toen ze zich opmaakten om naar Portsmouth te vertrekken. Zijn stoffelijk overschot was daar naartoe gebracht.'

'Wil je zeggen dat zij... dat ze... dat ze daarheen waren gegaan zonder haar iets te laten weten? Grote God!' Hij schudde zijn hoofd. 'Jij hebt me een geweldig stel ouders, zeg!'

Hij had verwacht dat ze met een defensieve opmerking tegen hem zou uitvallen, maar ze zei rustig: 'Dat ben ik met je eens. Ze zijn uniek, zo vol begrip. Ik neem aan dat je weet dat ik ga scheiden?'

'Dat heb ik gehoord.'

'Ik ben daarom, net als Andrew, de deur uitgezet. Ik heb hun goede naam in het graafschap door het slijk gehaald... Heb je Richard nog gezien sinds je terug bent?'

'Nee, er was voor mij geen enkele reden waarom ik meneer Boneford zou ontmoeten, nietwaar? We leven immers in totaal verschillende werelden?'

Ze was tot halverwege de kamer gelopen voor ze zei: 'Wapenbroeders, zou je kunnen zeggen. En deze oorlog heeft veel verschillen weggevaagd, al wil niet iedereen dat inzien.' Ze draaide zich om en keek hem aan. Hij was maar één stap achter haar en er klonk een trilling in haar stem toen ze zei: 'Als je Richard had gezien, zou je de situatie waarschijnlijk beter begrijpen.'

Hij haalde zijn schouders even op, en zijn toon was weer die van kapitein Cole toen hij zei: 'Die situatie gaat mij totaal niet aan.'

'Nee, nee, natuurlijk niet.' Ze maakte weer een gebaar

met haar hand, alsof ze iets van zich afwierp. Het betekende dat ze een vergissing had begaan door te opperen dat hij begrip zou hebben voor een situatie die hem eigenlijk niets aanging.

Toen hij langs haar heen liep en de deur voor haar open wilde doen, bleef ze staan en zei: 'Als ik weg ben, zul je je wel afvragen waarom ik de moeite heb genomen om dat meisje over Andrew te komen vertellen. Nou, dat zit zo. Ik vind dat ik haar wat verschuldigd ben. Ik neem aan dat je hebt gehoord dat ze Richard heeft gered van het plegen van zelfmoord, en dat ze zichzelf daarbij aan een groot gevaar heeft blootgesteld. Nou, als hij in zijn poging was geslaagd, had ik dat de rest van mijn leven op mijn geweten gehad… Poeh! Hij heeft me hier in huis verteld dat hij zich van mij liet scheiden, in jouw slaapkamer om precies te zijn. Ik zag dat al je schooltrofeeën nog aan de muur hingen. Ik vond het heel ironisch. Ik kan het hem niet kwalijk nemen dat hij van me wil scheiden. Hij heeft er goed aan gedaan, en ik ben blij dat ik vrij ben, of vrij zal zijn als alles achter de rug is. In elk geval…' Haar stem klonk niet langer luchthartig en werd droevig toen ze door de hal liep en zei: 'Daarom vond ik dat ik het aan haar verplicht was om haar niet langer in spanning te laten, want als zij hun zin hadden gehad, had ze niets geweten voordat het allemaal voorbij was en hij begraven was. Ze had natuurlijk' – ze knikte – 'Scotland Yard kunnen bellen, maar ik denk dat het dan een nog grotere schok was geweest.'

Hij deed de voordeur voor haar open, en toen ze op de stoep stond, draaide ze zich naar hem om en zei: 'Tot ziens, Geoff. Ik ben blij dat jij erdoorheen bent gekomen. Je hebt geluk gehad.'

Hij zei niet: 'Tot ziens en bedankt voor je komst.' Maar hij keek haar na toen ze naar het hek liep, waar haar paard stond vastgemaakt. Hij zag hoe ze behendig als een jongen opsteeg, en daarna haar paard in een snelle draf bracht.

Waar ze nu ook mocht wonen of werken, ze was nog

steeds in staat een paard te houden. Zij zou altijd een paard nodig hebben. Hij deed de deur dicht. Toen bleef hij naar de telefoon staan kijken. Allemachtig! Andrew dood! En dat wisten ze al sinds gistermorgen. De rotzakken! Allemachtig, hij hoopte dat ze midden in een luchtaanval terechtkwamen en aan flarden werden geblazen. Ja, dat hoopte hij... of nee, dat ze alleen maar gewond waren, verminkt, net als Richard, of dat ze ledematen moesten missen. Jawel, een snelle dood was nog te goed voor die twee. Maar hoe moest hij dat nieuws aan Lizzie vertellen?

Terwijl hij naar de telefoon bleef staren, gingen zijn gedachten alle kanten uit, en hij zei tegen zichzelf: ze is nog knapper dan vroeger. Toch had haar aanblik hem niets gedaan. Nou, daar was hij God dankbaar voor. Ze was na zijn vertrek nog maandenlang een kwelling voor hem gebleven, voor lichaam en ziel. Maar uiteindelijk hadden de oorlog en het bloed van de oorlog hem van haar bevrijd. Ja, goddank. Maar Lizzie. Lizzie? Zou hij naar Durham gaan om het haar te vertellen? Nee, dat kon hij haar niet op een openbare plek vertellen. Het was veel beter om te wachten tot ze thuiskwam. Ja, veel beter.

Hij draaide zich om om naar de keuken te lopen, toen hij Meg al bij de deur zag staan. 'Problemen?' vroeg ze.

Hij knikte. 'Andrew. Hij... hij is dood.'

'O godallemachtig! Nee, néé!'

Ze legde haar arm tegen de deurpost, legde haar gezicht erop en begon te huilen. Hij liep naar haar toe, sloeg een arm om haar schouders en voerde haar mee naar de keuken terwijl hij zei: 'Stil nou maar. Luister goed. Juist jij zult je flink moeten houden. Ze zal je nodig hebben.'

Na een poosje zei ze tegen hem: 'Wie moet het haar vertellen?'

'Ik,' zei hij. 'Ik zal het wel doen.'

Hij wachtte op de bus, en toen die kwam, hielp hij haar uitstappen. De conducteur zei: 'Tot ziens dan maar weer.' Ze gaf geen antwoord maar bleef Geoff aankijken, en hij keek haar aan.

Na een paar seconden zei ze: 'Wat is het?'

Hij slikte moeizaam. 'We... we hebben bericht gehad.'

Haar hand vloog naar haar keel. Ze maakte de bovenste knoop van haar wollen jas open en trok de revers opzij, als om zichzelf lucht te geven. 'Wat is het?' vroeg ze weer. 'Zeg het me.'

Hij stak zijn hand uit, pakte haar bij de arm en trok haar naar zich toe terwijl hij haar bleef aankijken. Hij had gezegd dat hij het haar zou vertellen, maar dit was moeilijker dan alles wat hij ooit eerder had moeten doen. Als de mannen om je heen sneuvelden, moest iemand anders voor dat vertellen zorgen. Hij had nooit veel met Andrew op gehad, voornamelijk omdat hij een Bradford-Brown was, maar er was iets dieps tussen Lizzie en Andrew geweest, iets waarom hij hen benijdde. En nu moest hij haar vertellen dat dit er niet meer was, dat het was verdwenen onder neervallende bakstenen. Geen roemrijk einde op het slagveld, alleen maar een berg bakstenen en cement die op je neerstortte.

Hij begon: 'Toen hij in Londen aankwam, heeft hij daar een paar jongens geholpen. Die... die probeerden een vrouw onder het puin vandaan te halen, en...' Zijn stem dreunde voort, weidde uit over het verloop van de gebeurtenissen, en ze luisterde naar hem met grote ogen en een open mond. En toen hij zag dat ze haar ogen dichtdeed, met haar mond nog steeds wijdopen, en hij het gekwelde gekreun hoorde, zei hij: 'Niet doen, Lizzie! Niet doen! Kom mee. Niet doen.' En hij trok haar naar zich toe en drukte haar met zijn goede arm stijf tegen zich aan terwijl hij haar gezicht tegen zijn hals duwde, in een poging het vreemde geluid dat ze uitstootte te smoren.

'Kom mee naar huis!'

Toen hij haar voorzichtig van zich af duwde, zag hij tot zijn verbazing dat haar gezicht droog was, dat ze niet huilde. Met zijn arm stevig om haar heen geslagen liepen ze terug naar huis.

Bertha en Meg waren in de keuken. Ze liepen allebei naar haar toe, maar ze zeiden niets, ze leidden haar naar het bankje en duwden haar daar zachtjes op neer. Ze gingen naast haar zitten en pakten ieder een hand. Lizzie bleef recht voor zich uit staren. Ze maakte mompelende geluiden tot ze zich naar hen toewendde, van de een naar de ander keek, en toen op deerniswekkende toon zei: 'Nee! O nee! Niet Andrew! O mam! Niet Andrew!'

Ze keek op naar Geoff, die voor hen stond, en ze zei, alsof ze hem iets nieuws vertelde: 'We zouden binnenkort gaan trouwen, over een paar dagen al.'

Hierop kwam Meg van het bankje overeind, terwijl de tranen over haar gezicht stroomden, en zei: 'Ik... ik ga even een verse pot thee zetten. Dat ga ik doen. Deze moet wel steenkoud zijn. Ik ga verse zetten.' Ze zette de ketel in het midden van het vuur, pakte de theepot van de zijplaat en goot de nog warme thee in de gootsteen, waarna ze de theepot bijna liet vallen toen Lizzie zei: 'En ik denk dat ik een baby ga krijgen.'

Meg draaide zich niet om, maar hield haar mollige lichaam over de gootsteen gebogen, en ze hoorde Bertha een gesmoorde kreet slaken en zeggen: 'O nee! Meisje! Dat niet!' Toen klonk Lizzies stem, heel hoog, als van een kind dat protesteerde: 'Waarom niet? Waarom niet? Maar hij wist het nog niet. Ik had het hem moeten vertellen. Ik was het van plan, maar ik wilde het als trouwcadeau bewaren.'

'Kom, ga even in de kamer liggen.' Geoff legde zijn hand op haar elleboog om haar overeind te helpen.

'Nee.' Ze schudde hem van zich af en ging staan. 'Het gaat best. Ik ga even naar boven.' Ze zweeg en staarde naar de tafel, daarna draaide ze zich om naar Bertha, die haar hoofd diep gebogen hield, en zei: 'Ik hoef geen thee.'

Ze had de verste deur bereikt toen Geoff haastig zei: 'Ga met haar mee, Meg. Stop haar in bed. Ze heeft een shock. Je... je kunt maar beter de dokter even bellen.'

Toen Meg de keuken uit was, ging hij naast zijn moeder

zitten, pakte haar hand en zei rustig: 'Zulke dingen gebeuren nu eenmaal. Ze gebeuren de hele tijd. Doe nou niet lelijk.'

Ze keek naar hem op. 'Het had haar niet hoeven te overkomen,' zei ze. 'Ze was nooit zo lichtzinnig.'

'Ze is ook niet lichtzinnig geweest, mam. Ze hield van hem, misschien wel een beetje te veel. En gedane zaken nemen geen keer. Je gaat het haar toch zeker niet moeilijk maken, hè?'

'Nee. Maar wat...' Ze beet op haar lip. 'Wat moet ze doen? Ik vind het zo treurig, ze zal dat kind in haar eentje moeten grootbrengen.'

'Ze zal toch zeker niet alleen zijn, mam? Ze heeft ons toch nog.'

'Ja natuurlijk. Maar... maar dat is anders dan een man hebben.'

'Ze zal heus wel een man krijgen. Er zijn er nog zat over.'

'Ik weet het niet. Er wordt nog steeds moeilijk gedaan over... nou ja, over kinderen die zo worden geboren. Ik had gedacht dat zij toch wel zou hebben gewacht. Ik heb haar zo zorgvuldig opgevoed, en ik héb haar echt opgevoed. Ze had het niet horen te doen, zeker zij niet, na alles wat ik voor haar heb gedaan.'

'Hoor eens, mam. Ze is een jonge vrouw, en we zitten midden in een oorlog. De oude ideeën zijn dood, en ze zijn een snelle dood gestorven ook. Ze zijn zo ongeveer van de ene dag op de andere overboord gezet. Je zult hier echt anders tegenaan moeten kijken.'

Toen ze haar hand tegen haar borst legde, zei hij: 'Stil nou maar. Je moet je niet zo opwinden – je weet wat de dokter heeft gezegd – en denk eraan dat ze je nodig zal hebben.'

'Ja, ja natuurlijk. Het is alleen...' – ze schudde haar hoofd – 'Je hebt gelijk. Je hebt gelijk. Maar zoals je zegt, ik denk dat je maar beter de dokter kunt bellen, want ze doet heel vreemd. Ze heeft niet gehuild, en dat is heel vreemd.'

Toen hij door de keuken naar de hal liep, bedacht hij dat sommige dingen niet gemakkelijk veranderden bij mensen als zijn lieve moeder. Ze had haar hele leven in een cocon geleefd en vreemd genoeg fatsoen boven hartelijkheid geplaatst. Het had hem niet moeten verbazen, maar toch keek hij ervan op.

En Lizzie had niet gehuild. Dat was een veeg teken. Hij nam de telefoon op.

3

De dokter had wat pillen voor Lizzie achtergelaten, en ze sliep het grootste deel van de volgende dag en nacht. Op de tweede dag weigerde ze nog meer te slikken, en die morgen stond ze om tien uur op, kleedde zich aan en ging naar beneden.

Bertha zei: 'O meisje, dat moet je niet doen.' Maar Meg zei: 'Laat haar toch, dat is het beste. Kun je iets eten, Lizzie?' Lizzie antwoordde beleefd: 'Nee, dank je, Meg. Alleen een kopje thee graag.' Ze dronk twee koppen thee, stond toen van tafel op en liep zonder iets te zeggen de keuken uit.

Ze zat in de zitkamer uit het raam te staren, naar de border waar de bladeren van de narcissen netjes waren samengebonden, en daarachter grote, oranje slaapmutsjes, die een geknakt kopje hadden door het gewicht van hun bloemblaadjes. Het perk aan de overkant liet het zachte blauw van wilde geraniums zien. Het was het enige deel van de tuin dat voor bloemen was overgebleven, want de rest was voor het verbouwen van groenten. Maar ze zag niets van de tuin. Het was haar vreemd te moede. Haar gedachten waren helemaal niet bij het heden, ze gingen steeds weer terug naar de tijd dat ze die typecursus volgde en ze op de fiets heen en weer ging. Ze kon een jongeman te paard zien. Hij stopte vaak om tegen haar te glimlachen. En zo was er die keer dat ze over een overstap was geklommen en dat haar kous aan een spijker was blijven hangen en helemaal geladderd was, en zij zich had omgedraaid om de schade in ogenschouw te nemen, toen de ruiter over de heuvel was gekomen. Hij was van zijn paard gesprongen en had gezegd: 'Kan ik je helpen?'

En ze had naar de overstap gewezen en gezegd: 'Die verhipte spijker!' Hij was in de lach geschoten, en zij had gezegd: 'Ik heb al mijn bramen erdoor laten vallen.' En toen had hij haar geholpen nieuwe te plukken. Vanaf die dag had ze hem haar hart geschonken. En nu was er niets van over. Ze kon niets voelen, omdat hij gestorven was. Hij was dood. En zij ook, en ze zou nooit meer tot leven komen. Nooit meer!

Ze hoorde stemmen buiten voor de deur, en Meg die zei: 'Geoff is naar Durham, om medicijnen te halen voor zijn vader. Hij komt zo weer terug. Zij is binnen.'

Toen de deur openging, draaide ze zich niet om, maar keek naar Meg die naar haar toe kwam en zich over haar heen boog, als over een zieke, en zei: 'Er is bezoek voor je, liefje.'

Ze wilde geen bezoek. Ze wilde niemand zien, niemand. Ze wilde alleen zijn, alleen in deze leegte waar zij alleen was, zonder Andrew, zonder iets in haar binnenste, helemaal niets.

'Hallo Lizzie.' Ze keek op in het gehavende gezicht dat op haar neerkeek en ze zei zacht: 'Richard!'

Meg zei tegen hem: 'Wilt u misschien een kop thee?' En hij zei: 'Ja Meg, graag.' Daarna ging hij naast Lizzie zitten en hield haar hand vast terwijl hij naar haar gezicht keek, waarbij het lid van het goede oog snel knipperde over het intense verdriet dat daarin lag.

'Lizzie... Wat kan ik zeggen? Ik... ik heb het gisteravond pas gehoord.'

Er kwam enige beweging in haar hoofd toen ze dacht: hij moet regelrecht hierheen zijn gekomen. Het is een lange reis. Maar ze zei niets, ze staarde hem alleen maar aan.

'Hij was de aardigste kerel die ik ooit heb gekend. We hadden plannen samen. Misschien heeft hij je erover verteld: als alles voorbij was, zouden we samen iets opzetten. O, Lizzie toch.'

Er gebeurde iets met haar, diep in haar keel. Ze wist een paar woorden naar buiten te persen: 'Ik ga een baby krijgen, Richard.'

Zijn oogleden knipperden snel, maar niet tegelijk. Toen zei hij zacht: 'Daar ben ik blij om, Lizzie. Op die manier is hij nog steeds bij je. Je hebt Andrew niet verloren als je zijn kind nog hebt.'

'Richard...' Haar stem klonk hoog, en ze herhaalde: 'O Richard!' Ze riep nu, als over een grote afstand: 'Wat moet ik doen, Richard? Ik... ik kan niet leven zonder Andrew.'

Ze ging staan, met open mond, want de prop in haar keel dreigde haar te verstikken. Ze hapte naar lucht. Toen ze zijn armen om zich heen voelde, klampte ze zich aan hem vast. Ze lagen weer in het water, werden meegesleurd. Ze slikte het water in. Het smaakte vreselijk. Ze gilde iets, maar ze kon niet horen wat ze zei, door het lawaai van het water.

Hij drukte haar nog steviger tegen zich aan en riep: 'Stil maar. Goed zo, liefje. Huil maar eens goed uit. Je zult je dan een stuk beter voelen.'

'O Richard!'

'Ik ben er, liefje. Ik ben er. Stil maar.' Hij liep wankelend met haar naar de bank, en toen hij haar erop wilde laten gaan zitten, bleef ze zich aan hem vastklampen, en hij viel naast haar neer en hield haar weer als een kind in zijn armen. Maar toen haar huilen ophield, keek hij angstig naar de deur. En toen die openging, zag hij een lange militair die even bleef staan en toen haastig naar voren liep.

De man zei niets tegen hem, maar legde een hand op Lizzies schouder en schreeuwde: 'Kom op! Hou daar eens gauw mee op. Je maakt jezelf nog ziek.' Daarna zei hij tegen Richard: 'Geef haar maar aan mij.'

Maar toen Richard probeerde op te staan van de bank, klampte ze zich aan hem vast en riep: 'Nee, nee!'

Meg en Bertha verschenen nu allebei op het toneel, en Bertha legde haar handen op Lizzies schouders en zei: 'Kom nu maar mee. Zo is het wel genoeg. Houd nu op. Je maakt jezelf helemaal overstuur.'

Bertha's gezicht was vlak bij dat van Richard, maar ze hield haar ogen van hem afgewend tot hij zei: 'U kunt beter de dokter even bellen.' Daarna keek hij in het grimmige gezicht van Geoff en hij voegde eraan toe: 'Sla je arm om haar rug. Dan brengen we haar op die manier naar boven.'

Geoff aarzelde even voor hij datgene gehoorzaamde wat hem een bevel had geleken; toen bukte hij zich, bijna ruw, greep haar onder de oksels en trok haar bij Richard vandaan. Maar toen ze eenmaal stond, duwde Lizzie Geoff met zoveel kracht weg dat hij bijna zijn evenwicht verloor, en ze bleef hijgend van de een naar de ander kijken en zei tenslotte: 'Laat... me... met... rust. Ik... voel... me... goed... dus... laat... me... alsjeblieft... met rust.'

Ze stonden haar allemaal aan te staren toen ze langs Meg en Bertha naar een rechte stoel liep en ging zitten. En daar hijgde ze, met open mond: 'Ik... wil... geen dokter... Laat... me... gewoon... met rust.'

'Ik zal een kop thee voor je halen, lieverd.' Meg haastte zich de kamer uit. En Bertha liep moeizaam naar Lizzie en vroeg: 'Wil je niet even gaan liggen, liefje?'

'Nee... Nee, mam.' Ze schudde haar hoofd. 'Het... het gaat nu wel weer. Ik wil gewoon wat rust om me heen.' Ze keerde zich naar Richard en zei rustig: 'Het spijt me, Richard.'

'Ach, lieverd.' Hij liep naar haar toe en pakte haar hand, terwijl Bertha naar haar zoon keek die naar de bezoeker staarde, en ze zei: 'Heb jij de medicijnen van je vader gehaald?'

Geoff knipperde even met zijn ogen. Toen richtte hij zijn aandacht op zijn moeder en zei: 'Ja.'

'Nou, kom dan mee om hem er gauw iets van te geven.' Ze keek Lizzie aan en zei: 'Ik ben zo weer terug, liefje.'

Het duurde even voor Geoff haar volgde, en er was maar één gedachte in zijn hoofd toen hij door de hal liep: Mijn God! Ik heb wel geluk gehad!

In de kamer zei Lizzie weer: 'Het spijt me, Richard. Het moest misschien een keer gebeuren, maar...'

'Toe Lizzie, alsjeblieft. Ik beschouw het als een groot compliment... nee, als veel meer, dat jij zo op mij reageerde, uitgerekend op mij.'

Ze keek op naar zijn gezicht. Misschien kwam het doordat ze nog steeds tranen in haar ogen had, maar de roze, strakgespannen huid leek nog opvallender, nog meer ingevallen, alsof het goede stuk huid was overwoekerd. Ze stak haar handen naar hem uit en hield de zijne vast toen ze zei: 'Ik geloof dat ik je al van de baby heb verteld.'

'Ja. Ik ben heel blij voor je.'

'Echt waar?'

'Ja, echt waar, en...' – de huid van zijn gezicht ging omhoog en zijn dunne lippen gingen uit elkaar om een verrassend goed stel tanden te laten zien toen hij verderging: 'Ik dien bij deze het verzoek in om peetvader te mogen zijn, of het nou een jongen of een meisje wordt.'

Ze legde zijn handen binnen haar handen op elkaar toen ze met gebroken stem zei: 'Je bent een goed mens, Richard. Dat heeft Andrew ook altijd gezegd. Andrew was erg op je gesteld.'

Hij gaf geen antwoord, en ze wendde haar blik van hem af. Het was vreemd dat ze zomaar over Andrew sprak. Ze had het gevoel gehad dat ze zijn naam alleen maar in zichzelf zou kunnen noemen. In de afgelopen twee dagen waren haar gedachten ergens anders geweest, maar niet hier. Ze vermoedde dat het net zo moest zijn als je krankzinnig werd, als je gedachten ergens anders waren. Maar ze was nu weer terug bij de werkelijkheid, en de werkelijkheid was verdriet. Ze had het nu het liefst uitgegild om het verlies van haar geliefde. Ze had het liefst luidkeels gejammerd, Andrew aangeroepen, maar dat moest ze niet doen, ze mocht nooit meer zo huilen. Het was angstaanjagend geweest. Ze had even gedacht dat ze verdronk, net als die keer met Richard, in de rivier. Ze keek naar hem op en vroeg rustig: 'Hoe is het met jou?'

Hij antwoordde: 'Moeizaam. Dat kan ik tegen jou wel zeggen. Vreemd is dat, hè? Dat ik tegen jou niet hoef te zeggen “Het gaat prima. Ik weet me erbij neer te leggen.” Dat soort belachelijke verklaringen. Er is echt iemand geweest die zei: “Je moet je erbij neerleggen. Je moet het accepteren.” Weet je, dat moet ik wel, voor mijn ouders. Of liever gezegd, ik voer een show op, omdat zij zo ongerust, zo bezorgd over me zijn. Want weet je…’ Hij nam zijn handen uit die van haar, schoof een stoel naar haar toe en ging toen zitten, met zijn ellebogen op zijn knieën, terwijl hij naar zijn ineengeslagen handen staarde. ‘Ze zijn niet zo jong als je wellicht van ouders van iemand van mijn leeftijd zou verwachten. Mijn moeder was tweeënveertig toen ik werd geboren, en mijn vader was vijfenveertig. Het was zijn derde huwelijk. Zijn vorige twee vrouwen waren gestorven zonder voor nakomelingen te zorgen, zoals dat dan heet, en hij had ook niets meer verwacht toen hij met een vrouw van tweeënveertig trouwde. Maar kijk, die lieve mama schonk hem mij, en ik veranderde hun leven. Ze hebben me vol liefde grootgebracht, en nu zijn ze heel ongelukkig om mij. Zou jij… zou je… een keertje op bezoek willen komen… binnenkort? Ik… nou ja… ik heb hun verteld dat jij zou komen. Je weet dat ik dat al eerder aan je heb gevraagd. Het punt is…’ Hij boog zijn hoofd nog dieper, tot ze alleen maar zijn kruin kon zien. Zijn haar was dik, en er zat slag in. Het had een diepbruine kleur. Ze bedacht dat hij een knappe man moest zijn geweest… Ze richtte haar aandacht weer op wat hij zei: ‘Ze kunnen het nog begrijpen wanneer ik hier of daar een vriend heb, maar niet wanneer het een vriendin is. Dus Lizzie, als jij een keer bij ons op bezoek wilt komen, zul je me daar niet alleen een grote gunst mee bewijzen maar me ook iets veel diepers dan dat bieden, iets waar ik tot nu toe geen woorden voor heb gevonden.’

Heel even vergat ze het verdriet dat als een abces onder haar ribben zat, en ze zei: ‘Ja natuurlijk, met alle genoegen. En… en ik moet je zeggen dat ik me op dit moment meer met jou verwant voel dan met wie ook’ – ze spreidde haar handen – ‘hier. Ik denk dat dit komt doordat jij Andrew hebt gekend, en zoals ik al zei was hij erg op je gesteld. Want ook al deed Geoff heel beleefd tegen hem, toch kon hij geen moment vergeten dat hij de zoon van meneer Bradford-Brown was, en mam en pap konden ook maar niet aan het verschil in onze posities wennen. Meg leek de enige te zijn die ons nam voor wat we waren: twee verliefde mensen die wilden trouwen.' Ze boog haar hoofd en mompelde: 'Een week, tien dagen, en dan was het gebeurd. Maar... maar op de een of andere manier is dat nu niet meer van belang. We hadden geen hechtere band kunnen hebben. Weet je, Richard,' – ze keek weer naar hem op – 'ik zou op dit moment heel veel spijt hebben gehad als... nou ja, als we niet samen waren geweest. We waren al getrouwd. In onze ogen waren we al getrouwd.'

'Ja, dat is natuurlijk ook zo, liefje. En... en alles zal goed met je komen. Maak je maar geen zorgen. Je zult ook steun ondervinden van je familie. Hij... Geoff, lijkt me een heel geschikte kerel.'

'Ja, dat is hij ook.' Haar gedachten maakten weer een zijsprong, en ze vroeg zich af of hij nu dacht: dat is de man, of een van de mannen, die het met mijn vrouw heeft gedaan. Ze had Bertha tegen de dokter horen zeggen dat het Richards vrouw was geweest die het bericht had gebracht. Waarom zij? Dat was een vraag die ze later zou moeten stellen.

De deur ging open en Geoff kwam binnen. Hij liep regelrecht naar haar toe en legde een hand op haar schouder. De hand was stevig en beschermend. 'Hoe voel je je?' vroeg hij.

'Beter,' knikte ze. 'Veel beter.'

'Mooi zo.'

Hij keek Richard even recht aan en zei toen: 'Het spijt me dat je dit moest meemaken.'

Richard gaf geen antwoord, maar liep naar Lizzie toe en boog zich over haar heen. Hij zei: 'Ik zal je nog schrijven, en ik zal de dingen regelen. Misschien kun je een paar dagen komen. Dat zou een goede afwisseling voor je zijn. Het is daar heel mooi, weet je, om deze tijd van het jaar.'

'Dank je, Richard. Ja, ik kom graag.'

'Gauw?'

'Ja, heel gauw.'

'Ik zal een telefoonnummer aan je moeder geven.'

'Doe dat. Tot ziens, Richard. En dank je wel.'

'Tot ziens, liefje.'

Het viel haar op dat hij haar in dit afgelopen uur een aantal keren 'liefje' had genoemd. Hij was zo'n aardige man, en het was zo vreselijk zielig dat hij zo gehavend was. Maar dat zijn ouders al zo oud waren, en dat ze zich zorgen maakten dat hij geen vriendin had, dat niemand hem aan wilde kijken...

Toen de deur achter hem dicht was, zei Geoff: 'Wat had dat allemaal te betekenen? Ga je daar logeren?'

'Hij heeft me uitgenodigd. Hij... hij was een vriend van Andrew, weet je. Ze zouden na de oorlog samen een bedrijf opzetten.'

'O ja?'

'Ja.'

'Wat voor bedrijf?'

'Een boerenbedrijf. Hij heeft een landgoed in Schotland.'

'Leuk voor hem. Het is in elk geval mooi dat hij iets te doen heeft.'

Ze herinnerde zich dat Richard nauwelijks één woord tegen Geoff had gesproken, hem kennelijk genegeerd leek te hebben. Ze hadden elkaar duidelijk niet gemogen. Nou, dat was ook geen wonder, nietwaar? Richards vrouw had de vrede danig verstoord. Hij had door haar zijn andere vriend moeten verliezen. Waarom was zij degene geweest die het nieuws over Andrew had moeten brengen? Maar wat deed het ertoe? Waarom brak zij zich het hoofd nog over iets? Het verdriet vulde haar borst weer. Hoe lang zou dit nog duren? Voor altijd en altijd, dacht ze. Ze zeiden dat de tijd alle wonden heelt. Maar zulke gezegden waren... stom, werden alleen gebruikt door mensen die nooit enig verdriet hadden gekend.

4

Voor Lizzie waren de maanden die volgden heel vreemd. Ieder lid van het huishouden scheen erop gebrand te zijn zijn of haar bijdrage te leveren om Lizzies gedachten af te leiden van haar verdriet. Meg kwebbelde aan één stuk door en vertelde gekke verhalen over alle gebeurtenissen langs de Tyne. 'Heb je ooit van Jessie Bugs en Wiggie gehoord? Die waren in Gateshead echt beroemd,' zei ze. 'En dan had je de blinde klokkenluider van Felling. Hij was net een stadsomroeper. Maar je hebt vast wel gehoord van Tommy op de brug. Hij was niet goed snik. Het was een wonder dat ze hem niet hebben opgesloten, want hij stond daar op de brug, vijftig jaar lang, iedere dag. Mijn moeder zei dat ze vroeger had gekeken hoe hij daar altijd met zijn armen stond te zwaaien. Maar had ze hun ooit verteld over die keer dat het huis van Rafferty in brand stond? Had ze dat ooit verteld? Nou, ze moest er zelf nog steeds om lachen. Ze had gezien hoe Peggy Rafferty de kinderen uit het huis had gehaald – ze had er negen – en toen een van hen zei: "Waar is pa?" had ze gezegd: "Boven, in zijn bed. En ik hoop dat hij goed gaar bakt. Maar dat zal best lukken met alle whisky die hij op heeft." En toen sloeg ze dubbel van de lach, voordat ze besloot met: "Weet je, ik wist niet echt dat Pat daar boven was. Maar de mannen doken er voor alle zekerheid nog een keer in, en ze haalden hem naar beneden. Het bed stond in lichterlaaie, maar hij lag nog steeds te slapen."'

En zo kletste ze maar verder, en soms liepen de tranen over haar gezicht, zo hartelijk moest ze erom lachen.

Bertha had haar toevlucht genomen tot verhalen uit haar

jeugd, toen het huis nog een bedrijvige kleine boerderij was geweest. Maar vreemd genoeg was het John die het gesprek leek te monopoliseren. Hij richtte zich nadrukkelijk tot Geoff, die nauwelijks een mond opendeed, om allerlei gebeurtenissen uit het begin van de oorlog op te halen. En dit trok dan Lizzies aandacht, want hij had nooit eerder enig teken gegeven van diepgaande belangstelling voor de oorlog.

Hij begon bijna altijd met: 'Je had erbij moeten zijn, jongen, in juli 1940, toen het ongeveer halverwege de maand begon. De bommenwerpers kwamen over, en dikwijls jachtvliegtuigen erbij – en dat werd de Slag om Engeland. Dowding was echt geweldig. Hij moest het niet alleen tegen de Duitse luchtmacht opnemen, maar ook tegen die verhipte regering. "Bescherm de konvooien," zeiden ze dan, "kijk eens naar alle schepen die ze tot zinken brengen." Maar nee, hij liet onze jongens doorgaan, en ze haalden zo'n driehonderd van hun vliegtuigen omlaag. En wat denk je dat zij toen deden, die Duitsers? Ze wilden de bases in Kent platgooien, waar de gevechtsvliegtuigen stonden gestationeerd, en ze zijn er verdomme nog bijna in geslaagd ook. We zijn daar meer dan honderdtachtig vliegtuigen kwijtgeraakt. En waar richtten ze hun aandacht toen op? Precies, op Londen natuurlijk. Maar jongen, je begrijpt 't al, wij hebben toen Berlijn gebombardeerd, en nog wat andere steden erbij. Het was een soort vergelding, maar allemachtig, wát een vergelding! En we dachten toen allemaal dat we er waren geweest, dat ze elk moment hier zouden landen.'

Hij ging maar door, terwijl Geoff aan de andere kant van de tafel hem aan zat te staren en probeerde het tumult in zijn hoofd te bedwingen, het tumult dat altijd door het gepraat van zijn vader werd opgeroepen en dat maakte dat hij een droge keel kreeg en niet kon slikken. Het leek alsof zijn benen en voeten van lood waren en hij nauwelijks in staat was één stap te verzetten. Maar dan kwamen ze op wonderbaarlijke wijze opeens weer tot leven en ging hij ervandoor, voordat hij zich plat op zijn gezicht liet vallen om vloekend door alle herinneringen te worden overmand. Hij zag alles op gruwelijke wijze weer voor zich. Hij zag hoe die kerel een bajonet in de jonge Fairbanks wilde steken, en hij vuurde en vuurde en vuurde. Hij moest de korporaal overeind hijsen, want hij bleef even zo verstijfd liggen dat het leek of hij ook dood was. Toen begon hij te brabbelen: 'Bedankt, sergeant. Bedankt. Bedankt, sergeant.' Hij had om zich heen gekeken, op zoek naar andere Duitsers, maar die waren nergens te bekennen. Waar was die kerel verdomme vandaan gekomen...? En zijn vader bleef maar doorgaan.

'Wat zei je, jongen?'

Hij keek zijn vader aan. 'Niets. Niets, behalve dat Lizzie er moe uitziet. Ze moet echt naar bed.'

Lizzie was inderdaad moe. Ze was tegenwoordig voortdurend moe. Ze was vooral moe van dat gepraat over de oorlog. Ze vond dat John erg ongevoelig was geworden. Waarom bleef hij toch steeds over die oorlog doorgaan? En Geoff was heel vriendelijk. Ze wist niet hoe ze deze weken zonder hem door had moeten komen. Hij bracht haar 's ochtends naar de bus, en haalde haar 's avonds altijd weer op.

En toen haar lichaam zwaarder begon te worden, werd ze daar in zekere zin ook moe van. Het eerste besef dat ze een baby verwachtte, had haar van vreugde vervuld. Maar nu voelde ze alleen maar een dof verdriet.

Ze zou binnenkort kerstvakantie krijgen, en ze had zich voorgenomen in te gaan op Richards aanbod om een paar dagen bij hem thuis te komen logeren. Hij was onlangs twee keer op bezoek geweest om te zien hoe het met haar ging, en ze hadden over Andrew zitten praten. Hij was de enige met wie ze over Andrew kon praten, niemand anders noemde zijn naam.

Gisteravond had ze plotseling besloten naar Schotland te gaan. Ze vond dat ze echt even weg moest uit de claustrofobische atmosfeer in huis. Ze waren allemaal zo vreselijk bezorgd om haar, er was niemand die een beetje gewoon deed.

Toen ze Geoff vertelde wat ze van plan was, zag ze onmiddellijk dat hem dit niet aanstond. 'Waarom wil je daar naartoe?' was zijn reactie.

'Het is even een verandering van omgeving,' had ze geantwoord, 'en hij heeft me al diverse keren uitgenodigd.'

Hij had hierop gemompeld: 'Vind... vind je 't niet vreselijk om in zijn buurt te zijn, zoals hij eruitziet?'

Ze had verontwaardigd geantwoord: 'Nee, ik vind het niet erg om bij hem in de buurt te zijn. Hij kan het niet helpen dat hij er zo uitziet. Ik had gedacht dat jij dat toch wel had begrepen. Hij is nog steeds dezelfde man die hij eerst was, en ik kan goed met hem praten.'

'En je kunt niet goed met mij praten, bedoel je dat?'

'Nee, nee, natuurlijk niet,' had ze snel geantwoord. 'Maar jij bent anders.'

'Ja, allemachtig, reken maar!'

Ze was verbaasd en onthutst toen hij zich omdraaide en haastig wegliep, waarbij zijn kreupelheid erg opviel. Ze liep enigszins verontwaardigd naar de telefoon om Richard te bellen, en toen ze de blijdschap in zijn stem hoorde, vroeg ze of het zou schikken als ze maandag kwam. 'Jazeker,' zei hij gretig, en hij vertelde hoe ze moest reizen. Hij zou haar in Edinburgh van het station halen. Als de aansluitingen klopten, zou ze 's avonds om zes uur aankomen.

Bertha was eveneens verbaasd over haar plannen. En het was de eerste keer dat ze Andrew noemde, toen ze zei: 'Je bent toch niet vergeten dat meneer Boneford met Andrews zuster getrouwd was, hè? We weten niet eens of die scheiding inmiddels is toegewezen.'

Bertha's toon had Lizzie verbaasd en gekwetst. 'Wat maakt dat nou voor verschil? Ik ben toch zeker niet van plan hem ten huwelijk te vragen? Ik ga alleen maar bij zijn ouders logeren.'

'Nou, nou!' was John zijn vrouw te hulp geschoten. 'Je hoeft echt niet zo'n toon aan te slaan, Lizzie. Bertha bedoelde alleen maar...'

'Ik weet heel goed wat ze bedoelde' – Lizzies stem klonk

zacht – 'en het spijt me. Maar ik wil echt even weg. En laten we wel zijn, het is het enige huis waar ik uitgenodigd ben. Jullie zouden toch zeker niet willen dat ik bij mijn stiefmoeder in Gateshead op bezoek ging, wel?'

Ze waren geschokt – dit was helemaal niet de Lizzie die zij kenden – maar ze wisten begrip op te brengen. Haar aanstaande man was omgekomen, en ze was in verwachting van zijn kind. Ja, ze moesten daar begrip voor hebben.

Meg leek de enige te zijn die vond dat een uitstapje Lizzie goed zou doen. Toen ze eenmaal alleen waren, zei ze: 'Dat is een goed idee, meisje. Je moet er echt even uit. Je hebt wat verandering van omgeving nodig. En dan is er nog iets: je zult twee vliegen in één klap slaan door die arme kerel een beetje vrouwelijk gezelschap te geven.'

Zo werd het maandag, en Geoff bracht haar niet alleen naar de bus, maar ging met haar mee naar het station en kocht een kaartje voor haar en hielp haar in haar coupé. Vlak voordat de trein vertrok, zei hij: 'Zul je ons niet vergeten?'

'Ach Geoff.' Ze schudde haar hoofd. 'Probeer het te begrijpen, wil je?' Hierop knikte hij naar haar, glimlachte en zei: 'Jawel, ik zal proberen het te begrijpen, maar ik kijk reikhalzend uit naar je terugkomst. Bel je ons vanavond nog even? Om ons te laten weten dat je veilig bent aangekomen?'

'Dat zal ik doen. En zeg tegen mam dat het me spijt als ik haar overstuur heb gemaakt. Dat was niet mijn bedoeling.'

Toen ze achterover leunde in de hoek van de coupé en de trein het station uitreed, zag ze hem naar de uitgang lopen, zich omdraaien en haar na staan kijken. En toen ze hem niet langer kon zien, slaakte ze een diepe zucht...

De reis leek eindeloos te duren. Ze staarde niet uit het raam naar het voorbijglijdende landschap, want haar gedachten waren naar binnen gericht.

Het was nu begin september, en ze was bijna vijf maanden zwanger. De welving was duidelijk zichtbaar, en haar gedachten leken invloed te hebben op haar lichaam, want ze voelde zich nooit goed. Minnie Logan, die op het kantoor onder het hare werkte, had gezegd dat zij zich altijd blij en gezond had gevoeld als ze in verwachting was, en ze had vier kinderen gehad. Je moet een beetje vrolijker worden, had ze tegen haar gezegd. Het is niet goed voor de baby als je piekert.

Het was vreemd, maar er werd algemeen gevonden dat je verdriet mocht hebben, en dit kon tonen, als je je man had verloren, maar als het iemand was die nog geen ring om je vinger had geschoven en hij had je zwanger achtergelaten, nou dan was dat anders. Dan scheen je niet zulke gevoelens te mogen hebben, of dezelfde hoeveelheid medeleven of begrip te mogen verwachten. Of zoals een van de meisjes van kantoor zei toen ze dacht dat Lizzie buiten gehoorsafstand was: 'Wie z'n billen brandt, moet op de blaren zitten. Dat weet toch zeker iedereen?'

Mensen konden wreed zijn, heel wreed. De wereld was krankzinnig. Ze wenste dat ze eruit kon wegvluchten. Ze voelde zich af en toe wanhopig en eenzaam, vooral wanneer ze thuis was en iedereen een hoop toestanden over haar maakte. Ze kon nu begrijpen hoe Richard zich moest hebben gevoeld toen hij had geprobeerd er een eind aan te maken...

Hij stond op het perron te wachten. Hij holde met de trein mee toen hij haar bij het raam zag staan, en de trein stond nauwelijks stil of hij had het portier al opengedaan en stak zijn hand uit om haar koffer aan te pakken, waarna hij haar omlaag hielp naar het perron.

'Wat ben ik blij je te zien, Lizzie,' was zijn begroeting.

'En ik jou, Richard. Ik... ik hoop dat ik niet ongelegen kom.' Het was een onnozele opmerking, maar ze moest toch iets zeggen, en hij ging ertegenin: 'Doe niet zo gek! Ongelegen? Ik heb de hele dag de uren lopen tellen.' Daarna zei hij snel: 'En mijn vader en moeder ook. Ze kijken vol verlangen naar je uit. We moeten eerst met de bus, en daarna haalt

Matty ons op.' Hij draaide zijn hoofd opzij en keek haar aan. 'Matty is... Tja...' Hij lachte. 'Ik vraag me soms wel eens af wat Matty eigenlijk is. Hij is... hij is bijna een lid van de familie. Hij leek al een oude man te zijn toen ik werd geboren, maar hij is al op zijn tiende in het huis gekomen. Zijn vader zorgde voor het vee. Maar hij is zelf een manusje-van-alles, en vreselijk handig. Je zult Matty heel aardig vinden.'

Ze bekeek Richard. Hij was gekleed in een kniebroek met leren laarzen, een groen tweedjasje en een tweedhoed met een slappe rand. Deze rand was aan één kant omlaag getrokken, om zo wat beschutting te bieden. Hij zag er knap uit, in elk geval waar het zijn lichaam betrof. En hij leek heel anders dan toen ze hem voor het laatst had gezien. Er zat meer leven in hem. Je kon echt zeggen dat hij levendig was, en hij praatte ontspannen. Of nee, dat was niet waar: hij sprong voortdurend van de hak op de tak, alsof hij opgewonden of verlegen was.

In de bus zat hij aan één stuk door te praten. Na een schijnbaar eindeloze rit zei hij: 'Dat was het. En daar hebben we Matty.' Hij hielp haar uitstappen. 'Hij gaat nooit met het wagentje naar de stad,' legde hij uit, 'want Pedro houdt niet van auto's, en hij is de enige die voor het wagentje past... het paard, bedoel ik.' Hij schoot in de lach en zij lachte met hem mee en zei: 'Ja, het paard.'

De man die bij het hoofd van het paard stond, glimlachte naar haar. Het was een strakke glimlach, met een behoedzame blik, en toen Richard Lizzie aan hem voorstelde, knikte hij en zei alleen maar: 'Mevrouw.' Waarop Lizzie zei: 'Hoe maakt u het?'

Even later zaten ze allemaal in het wagentje en ratelden ze over de smalle weg. Ze keek om zich heen en zei: 'Wat een mooie omgeving is het hier. Het doet me aan sommige gedeelten van Durham denken.'

'O,' Richard keek opzij, en zijn goede oog leek naar haar te twinkelen toen hij zei: 'Met alle respect, mevrouw, maar u zult iets dergelijks echt niet in Durham aantreffen, en het mooiste moet nog komen.' Nou, dit was een heel andere Richard. Ze glimlachte breed naar hem. Hij was natuurlijk op eigen terrein, op vertrouwd terrein. Hij boog zich naar Matty toe en zei: 'Heb ik gelijk, Matty?' De oude man knikte zonder zijn hoofd om te draaien, en hij zei met een zwaar, warm Schots accent: 'Zegt u dat wel, meneer Richard.'

Ze keek naar het magere gezicht van de koetsier. Hij was wat je een echte stugge Schot kon noemen.

'Hoe lang doen we erover om... jullie huis te bereiken?'

'Iets meer dan een halfuur. Dat wil zeggen, als Pedro dit tempo weet vol te houden.'

Tegen de tijd dat het halfuur voorbij was, moest ze erkennen dat het landschap heel anders was dan wat ze in Durham gewend was. Ze had altijd gedacht dat Schotland voornamelijk uit verweerde bergen, kloven, en eindeloze hellingen met gruis bestond, hoewel ze de twee keer dat ze naar Edinburgh was geweest, via de Cheviots was gereisd. Dit was echter heel anders, met een zacht en glooiend landschap. Ze kwamen door dorpjes met schitterende tuinen, door bossen met zacht klaterende beekjes. Maar toen veranderde het landschap plotseling: ze gingen een wilder land binnen, waarvan de heuvels in de verte de lucht leken aan te raken.

'We zijn er bijna,' zei Richard. 'Ben je niet moe?'

'Nee, helemaal niet.'

'Het is een lange reis geweest.' Hij zweeg even, en zei toen: 'Moet ik verontschuldigend zeggen dat we midden in de wildernis wonen? Nee, want dat zou een leugen zijn. Bovendien zou ik dat niet durven terwijl Matty me kan horen.' Hij gaf de oudere man een tik tussen de schouders, en kreeg een grom als antwoord.

Toen ze een boslaantje indraaiden, ging het paard over van draf in stap, en Richard zei: 'Zelfs als ik stomdronken was, zou ik nog weten dat ik bijna thuis was. Het is me een portret, die Pedro.' Hij wees naar de wiegende schaft van het paard. 'Het is vreemd, maar vanaf het eerste moment dat hij voor het wagentje werd gespannen, weigerde hij te draven zodra hij ons land had bereikt. Dit' – hij maakte een weids gebaar – 'is het begin van ons landgoed. Is het niet vreemd dat een paard zich zo gedraagt?'

'Ja, dat is vreemd. Ik vraag me af hoe dat komt.'

'Ik weet het niet. Niemand weet het. Het was net alsof hij begreep dat dit zijn thuis was, en daarmee basta. Dat hij het van hier af rustig aan kon doen.'

Toen het paard bijna twee kilometer in stap was gegaan, keek ze Richard verbaasd aan en zei: 'Is... is dit allemaal jullie terrein?'

'Ja, maar het is grotendeels grasland. We hebben hier en daar, voorzover dat mogelijk was, iets in cultuur gebracht. Het probleem zit 'm in de werkkrachten, die kun je tegenwoordig niet krijgen. Er komen twee keer per week drie *land-girls* om te helpen, maar we hebben alleen Jock voor het vee, en een jongen voor het buitenwerk van de boerderij. Maar we zullen je morgen wel rondleiden.'

Het paard maakte nu een bocht, tussen twee ijzeren hekken door, draaide een oprijlaan in en liep verder, langs een stenen poortwoning die rechts wat achteraf stond.

De oprijlaan was grotendeels met gras overwoekerd, behalve waar twee groeven zware wagensporen vormden, waartussen het paard rustig verder liep.

Er leek geen eind te komen aan de oprijlaan, tot Lizzie, bij het einde van een tunnel van laaghangende takken, een lang, laag, met klimop begroeid huis zag, met ervoor een terras. In de ramen die diep in de roomkleurige natuursteen waren gezet, schitterde de vroeg avondzon.

Toen het wagentje voor de voordeur stopte, verschenen er twee gestalten op het terras om hen te verwelkomen. Hij had gezegd dat zijn ouders al oud waren, en ze kon zich eerst niet voorstellen dat ze dit waren – dat wil zeggen, tot ze naar haar toe kwamen. De man liep weliswaar kaarsrecht, maar hij was, zoals Richard had gezegd, een oude man. Zijn haar was grijs maar nog dik, en hij had wangzakken die in een onderkin overgingen, maar zijn ogen waren vrolijk en helder en blauw, en zijn handdruk was stevig toen hij haar begroette met de woorden: 'Wat fijn dat je er eindelijk bent. Heb je een goede reis gehad?'

'Ja. Ja, dank u.'

'Dit is mijn moeder,' zei Richard. 'Moeder, dit is Lizzie.' Hij keek Lizzie aan en zei: 'Ik heb hun alles over je verteld.'

Lizzie en de vrouw keken elkaar aan toen hun handen elkaar raakten, en Lizzie dacht even dat ze een stuk jonger moest zijn dan haar man. Maar toen zag ze de metaalachtige schittering in het bruine haar, de grijze strepen bij de oren, en daarna de rimpels onder de ogen. Hoewel de mond en haar wangen jong waren, verried de hals toch duidelijk haar leeftijd. Maar het gezicht was heel hartelijk en vriendelijk en innemend.

'Hallo Lizzie.'

'Dag, mevrouw Boneford.'

'Nee hoor, niet mevrouw Boneford!' De lange man liep het huis weer in en zei: 'Zij heet Edith en ik James. Zullen we dat meteen maar afspreken, Lizzie?' Hij keek om en grijnsde over zijn schouder naar haar, en ze lachte en zei: 'Goed, James!' Zo liepen ze allen lachend de hal in.

Lizzie bleef staan en keek vol verbazing om zich heen. Ze had wel eens over zo'n hal gelezen, en ze had ze op foto's van adellijke huizen gezien. Maar dit was geen adellijk huis. Aan de buitenkant leek het gewoon een gezellig huis, misschien wat aan de grote kant, maar gezellig. Deze ruimte echter leek heel somber door de kleur van de stenen muren, dezelfde kleur als de buitenkant. Aan het ene einde was een diepe schouw met een ijzeren vuurkorf, geflankeerd door twee enorme haardijzers. Er brandde geen vuur in de schouw, maar de korf was hoog opgestapeld met halfverbrande blokken hout, en er lag een berg as onder. De vloer bestond uit vierkante tegels en werd gedeeltelijk door twee tapijten bedekt, een rood en een blauw, die allebei tot een neutrale harmonie waren verschoten.

Aan de overzijde voerde een donkere eikenhouten trap

naar een overloop en vandaar verder omhoog naar de volgende verdieping, waar ze een glimp van een galerij opving.

Er kwam een aantal deuren in de hal uit, en rechts van de haard was een diepe stenen doorgang. Het plafond bevatte balken van hetzelfde type hout als de trap, en langs de rand ervan was een houten kroonlijst waaraan hier en daar door middel van kettingen olieverfschilderijen waren opgehangen.

'Wil je eerst een kopje thee of ga je liever eerst naar je kamer om uit te pakken?'

Lizzie hield haar hoofd scheef en glimlachte even toen ze zei: 'Een kopje thee lijkt me heerlijk.'

'Mooi zo, mij ook.' Edith keek haar man aan en zei: 'Wil je even tegen Phyllis zeggen dat we klaar zijn, James?'

Lizzie zag hoe de oude heer zich keurig omdraaide en als een brave jongeman antwoordde: 'Dat zal ik doen.' Om vervolgens abrupt te blijven staan toen er een stem vanaf de andere kant van de hal klonk: 'Ik ben hier, mevrouw.' Hierop viel de heer des huizes uit: 'Ja, natuurlijk ben jij hier. Altijd even nieuwsgierig. Maar 's morgens vroeg ben je nooit zo snel, hè?'

Met open mond keek Lizzie van Richards vader naar wat een dienstbode van middelbare leeftijd leek. Ze droeg een blauwe katoenen jurk en ze had een middagschort om haar royale middel geknoopt.

Lizzies mond ging nog verder open toen de vrouw met een zwaar Schots accent antwoordde: 'Ik moet wel op een fatsoenlijke tijd in m'n bed liggen, als ik weer vroeg achter u aan moet lopen... Wilt u de thee nu, mevrouw?' Ze richtte zich tot haar mevrouw, en Edith Boneford glimlachte en zei: 'Ja, graag, Phyllis.'

Richard, die Lizzies jas en hoed had aangenomen, liep nu met haar door de gewelfde doorgang en hij boog zijn hoofd even naar haar toe terwijl hij grinnikend zei: 'Je zult nog vaak dat soort gesprekken horen. Zo doen ze al jaren.'

'Echt waar?' fluisterde ze bedremmeld.

'Nou, dit is nog niets. Wacht maar eens tot ze echt op dreef raken.' Terwijl hij een deur voor haar opendeed, zei hij: 'Je zult het hier wel een vreemd huishouden vinden.'

Ze gaf geen antwoord. Het was misschien in zekere zin vreemd, maar het was ook hartelijk, heel hartelijk. Zelfs het huis leek haar te omarmen. En ze slaakte bijna een kreet van verbazing toen ze binnenkwam in de salon, die in alle opzichten het tegendeel vormde van de hal. Aanvankelijk kon ze slechts in zich opnemen dat de muren grijsachtig roze waren, en het tapijt blauw, en dat de bekleding roze was. Er stond één grote met chintz overtrokken sofa en twee die met fluweel waren bekleed. Er stonden allerlei tafels en porseleinkasten. Ze had nog nooit in haar leven zo'n mooi huis gezien, ze had zelfs niet geweten dat een huis zo mooi kon zijnen toch zo duidelijk blijk kon geven van intens gebruik, want toen ze op de sofa ging zitten, zag ze dat het fluweel op de armleuningen tot op de draad versleten was.

Vanwaar ze zat keek ze naar een andere open haard, maar hier brandde wel een vuur in.

Toen Richard en zijn moeder waren gaan zitten, en zijn vader bij de haard met zijn rug naar het vuur ging staan, keek Lizzie enigszins verbaasd op toen zijn vrouw tegen hem zei: 'Allemachtig James! Ga eens zitten. Je neemt alle warmte weg. Ik ben bevroren.' Ze keek Lizzie aan en voegde eraan toe: 'Ik heb het altijd koud, en weet je, dat doet hij nou altijd.'

Wat kon ze zeggen? Ze keek van de een naar de ander, en toen weer naar Richard, en hij glimlachte breed naar haar. Zijn gehavende mond zag er ontspannen uit, zijn ene bruine oog was groot, hij leek... gelukkig? Ze dacht diep over dit woord na... Nou, hij leek in elk geval anders.

'Wat doet dat mens toch allemaal? Mary had alles klaar moeten hebben. Ik zal eens even gaan kijken.'

'Laat maar, vader. Ik ga wel.'

Toen Richard de kamer uit was, viel er een stilte, tot Edith Boneford zacht zei: 'Hoe voel jij je, liefje?' Maar voor Lizzie antwoord kon geven, boog James zich van de andere kant van de sofa naar voren en informeerde, eveneens op gedempte toon: 'Ja, hoe voel je je?'

Ze keek van de een naar de ander en antwoordde zacht: 'Heel goed. Ja, heel goed.'

'Wanneer ben je uitgeteld?'

Ze was een beetje verbaasd zo'n vraag van Richards vader te krijgen, en ze dacht dat dit misschien een reprimande van zijn vrouw zou opleveren. Maar nee, Edith keek haar aan, wachtend op een antwoord, en ze zei: 'Ongeveer half januari.'

'O, dat is een koude maand.' Edith schudde even haar hoofd. 'Heb je thuis iemand om voor je te zorgen?'

'Ja, mijn moeder, en Meg, een vriendin die bij ons logeert.'

'Ik dacht dat je moeder invalide was.'

'Nou ja, niet dat soort invalide. Ze is slecht ter been, maar ze weet zich te redden. Er... eh... wordt goed voor me gezorgd. En Geoff is thuis. Hij is... eh...' – ze stak haar handen hulpeloos uit – 'ik weet niet of Richard het heeft verteld, maar mevrouw en meneer Fulton zijn niet mijn ouders. Ik ben op mijn veertiende voor hen komen werken. Ze hebben me toen min of meer geadopteerd. Hun zoon Geoff zat in het leger, en hij is pas kortgeleden teruggekomen. Hij was gewond, maar hij is nu de hele tijd thuis, en hij is erg handig.'

'Ja, ik heb over hem gehoord.'

De gespannen toon die ze in de stem van mevrouw Boneford bespeurde, bracht Lizzie even van slag. Maar ze keek verbaasd op bij de volgende woorden van meneer Boneford. 'We... we wilden alleen maar zeggen dat als jij een kraamkliniek zoekt, je hier van harte welkom zult zijn. Weet je, we waren erg op Andrew gesteld. Hij was heel anders dan zijn vader. Ik kon die man niet uitstaan.' Hij kwam overeind en liep naar de haard om daar opnieuw zijn positie in te nemen, met zijn rug ernaartoe. Maar deze keer berispte zijn vrouw hem niet, ze ging gewoon verder waar hij was gebleven en zei: 'Ja, we waren erg op Andrew gesteld. Zoals James zei, hij leek niet op zijn vader, of op Alicia. Ik was verbijsterd dat

Alicia haar eigen zoon de deur wees. Ze had in opstand moeten komen tegen die man van haar. Maar aan de andere kant was Alicia altijd al als de dood geweest voor een schandaal. Maar eigenlijk had ze daar zelf al voor gezorgd door met Bradford-Brown te trouwen.'

Lizzie voelde zich uitermate opgelaten. Als je hen zo hoorde, leek het net of ze niet wisten dat zij, Lizzie, de reden was dat Andrews familie hem de deur had gewezen. En als ze het wel wisten – en ze moesten het natuurlijk weten – dan waren ze op zijn minst heel tactloos. En toch zou er ook een andere reden kunnen zijn. Ze kon het niet doorgronden.

Toen de deur openging en Richard de theewagen naar binnen reed, gevolgd door Phyllis met een groot zilveren dienblad dat hoog was volgeladen, scheen het gesprek van mevrouw en meneer Boneford een volledig andere wending te nemen.

'Heb jij iets van rubberlaarzen bij je?' Dit was mevrouw Boneford. 'Nou, die heb je natuurlijk niet meegebracht, maar het heeft de laatste tijd nogal hard geregend en het is hier en daar erg drassig.' Waarop haar man de draad opnam en naar haar schoenen met open neuzen wees. 'Als je daarmee uit wandelen gaat, zullen we je tot aan je knieën in de beek moeten zetten om alle bagger eraf te krijgen.' Hij ging kalmer verder: 'Denk je dat je fit genoeg bent om een tocht door de heuvels te maken?'

'Nee, dat is ze niet, vader.' Richard duwde de serveerwagen naar zijn moeder en voegde eraan toe: 'Als ze een wandeling over het terrein en naar de boerderij maakt, is dat wel genoeg. Je gaat haar niet op een van je zogenaamd korte wandeltochten meenemen.'

'Ik was helemaal niet van plan haar mee te nemen op een van mijn... korte wandeltochten. Maar ik weet zeker dat ze mee zou gaan als ik haar dat vroeg, en als ze er fit genoeg voor zou zijn. Of niet soms?' Zonder op een antwoord te wachten liep hij bij de haard vandaan om in een ruime stoel met hoge rug en oren te gaan zitten.

Phyllis had het zwaarbeladen dienblad inmiddels op een lage tafel bij de sofa gezet, en ze wilde de heer des huizes een bordje met scones presenteren, toen haar werd toegevoegd: 'We hebben een gast. Heb je geen ogen in je hoofd?'

Het gefluisterde, maar toch duidelijk hoorbare antwoord was: 'Ja, ik heb ogen in m'n hoofd, maar u wilt altijd als eerste uw buik volstoppen.' Lizzie boog haar hoofd en beet op haar lip om niet in de lach te schieten. Toen stond Phyllis voor haar om haar het bord met warme, beboterde scones te presenteren. Er lag een vrolijk trekje rond haar mond en een twinkeling in haar ogen, en ze zei: 'Hij stelt zich alleen maar een beetje aan, hoor.' Dit werd begroet met veel gelach van mevrouw Boneford en Richard, en Lizzie dacht: het is net een toneelstuk. Maar in een toneelstuk hadden ze een dienstbode nooit zo brutaal tegen de heer des huizes kunnen laten doen, en zeker niet in aanwezigheid van de vrouw en de zoon des huizes. Het was echt een heel merkwaardige situatie.

Even later, toen Phyllis de kamer uit wilde gaan, schreeuwde haar baas haar na: 'En vergeet niet dat ik je morgenochtend meteen nodig heb.'

'U hebt me helemaal niet nodig,' was haar laconieke antwoord.

'Wel waar. Je gaat daar niet een beetje zitten zuchten en steunen en verder geen vinger uitsteken.' Waarop de dienstbode – als ze al een dienstbode was, dacht Lizzie – zich vlug omkeerde en antwoordde: 'Wat een zeldzaam gezemel!' Waarna ze de kamer uitging en de deur zachtjes achter zich dichtdeed.

'Jij denkt vast dat je in een gekkenhuis bent beland,' zei Richard. 'Die twee hebben geen enkel respect voor elkaar. Je kunt vast niet geloven dat ze vreselijk op elkaar gesteld zijn, hè? Als de één z'n pink heeft bezeerd, weet de ander al niet waar-ie 't zoeken moet.'

'Dat is waar.' Mevrouw Boneford gaf haar een kop thee. Toen Lizzie de kop van haar aanpakte, beefde haar hand, want ze moest zich bedwingen om niet te lachen, niet zomaar lachen, maar bijna hysterisch. Ze had een heel vreemd gevoel over zich. Het was net alsof ze, als Alice, in een andere wereld terecht was gekomen en daar had ontdekt wat ze niet eerder had ingezien: dat ze wekenlang heel gespannen was geweest, maar dat die spanning was verdwenen vanaf het moment dat ze dit huis was binnengegaan. Ze voelde zich bijzonder op haar gemak bij deze mensen, hoe vreemd ze ook mochten zijn in hun nonconformistische houding tegenover wat zij beschouwde als de regels die gewoonlijk in een dergelijk huis zouden gelden...

De gesprekken aan tafel waren af en toe dusdanig dat ze zich bijna in het eten verslikte, terwijl Edith Boneford allerlei incidenten vertelde uit haar eerste dagen in dit huis, toen ze hier bijna dertig jaar geleden als bruid naartoe was gekomen.

En toen Mary Catton, de kokkin, die nog ouder was dan Phyllis, binnenkwam om de maaltijd te helpen serveren, werd zij ook in de vrolijkheid betrokken.

Het was drie uur later toen de reden van dit alles Lizzie duidelijk werd gemaakt. Ze zat in haar ochtendjas naast een hoog eenpersoonsbed in een comfortabele maar uitermate oude slaapkamer. Het tapijt was versleten, vooral naast het bed; het meubilair was zwaar mahonie. Er was geen modern comfort aanwezig; de lampetkan en de waskom stonden op een wastafel met een marmeren bovenblad, omdat de badkamer aan het eind van de gang bleek te zijn. Mevrouw Boneford had haar verteld dat ze haar onderbracht in een kamer die de kleedkamer werd genoemd, omdat hij naast hun kamer was en tegenover die van Richard, zodat iedereen in de buurt was als ze 's nachts iets of iemand nodig mocht hebben. Ze dachten zeker dat de geboorte elk moment kon plaatsvinden.

Er werd op de deur geklopt. Toen ze 'binnen' riep, kwam Edith Boneford de kamer in.

Ze was gekleed in een lange fluwelen ochtendjas met een

brede kraag. Haar uiterlijk was volledig veranderd. Ze zag er nu oud en broos uit.

Toen Lizzie overeind kwam, zei mevrouw Boneford: 'Blijf toch zitten, kind.' Het was leuk om kind te worden genoemd. Toen wees ze naar het bed en zei: 'Mag ik gaan zitten?' Waarop Lizzie bedacht hoe vreemd het was dat deze vrouw vroeg of ze in haar eigen huis op een bed mocht gaan zitten.

Toen ze eenmaal zat, begon ze niet meteen te praten, maar keek Lizzie enkele seconden aan, en daarna zei ze: 'Je zult je wel hebben verbaasd over de vertoning waarvan je sinds je komst getuige bent geweest. Tja, ik vind dat ik daar een verklaring voor moet geven. Weet je, het is een soort toneelstuk dat we opvoeren. We doen er allemaal aan mee. We hebben allemaal een rol, vooral James en Phyllis, zoals je ongetwijfeld is opgevallen. We doen het voor Richard. We doen alsof alles net zo normaal is als voor de oorlog.' Ze glimlachte even en voegde eraan toe: 'Toen hadden James en Phyllis al veel plezier in dit soort woordenwisselingen. Weet je, ze zijn allemaal al heel lang bij ons, Mary, Phyllis en Matty. Er zijn nog anderen geweest, maar die zijn inmiddels gestorven. En de jongeren... tja, die zijn nu allemaal in dienst. Matty's twee zonen zitten op zee, en Mary's enige zoon is in de eerste maanden van de oorlog gesneuveld.'

Ze bukte zich en maakte de onderste knoop van de ochtendjas open, streek het knoopsgat met haar vinger plat, en schoof dit weer over de knoop voor ze verderging: 'Je hebt geen idee hoe het was toen hij net thuis was. Hij verstopte zich als een gewond dier. Maar zijn gezicht is nu een stuk beter dan toen we hem de eerste keer in het ziekenhuis zagen. Maar ik zeg iedere keer tegen mezelf, en dat heb ik ook tegen hem gezegd: er zijn zoveel mannen die er slechter aan toe zijn dan hij, want hij heeft tenminste nog een gedeelte van zijn gezicht zoals het was. Wat hem tenslotte kapot heeft gemaakt was dat Janis het niet kon verdragen om hem aan te kijken, of om zelfs maar bij hem in de buurt te zijn. Hij was er toen echt helemaal kapot van. Dat was ook de tijd dat ik voor het eerst van jou heb gehoord. We zaten thee te drinken in de salon, net als vandaag, en toen keek hij me aan en zei: "Ik heb vorige week een meisje ontmoet dat me recht in het gezicht keek, moeder. Geen verpleegster, niemand uit het ziekenhuis, maar een heel gewoon meisje van buiten." En hij zei erbij – ze boog zich naar voren en raakte Lizzies hand aan – "Maar ze was geen gewoon meisje, ze was heel mooi, en ze keek me recht in het gezicht, en ik kon aan haar ogen zien dat ze zich er niet toe hoefde te dwingen. En ze wendde haar hoofd ook niet af, en we hebben gepraat." Dat... dat was de eerste keer dat hij jou heeft ontmoet. En later vertelde hij me dat Andrew en jij van elkaar hielden, en wat de reactie van zijn ouders erop was. Daarna...' – ze slikte even, en haar lippen trilden toen ze verderging – 'rond de tijd dat hij dat van Janis en zijn beste vriend ontdekte – en het was beslist niet Janis' eerste avontuurtje, maar het was wel de druppel die de emmer deed overlopen – verscheen jij, letterlijk, op het toneel om zijn leven te redden. Ja, dat heeft hij ons verteld,' – ze knikte – 'hij was echt vastbesloten er een eind aan te maken. En hij heeft me later verteld dat dit voor jullie beiden het einde had kunnen betekenen.'

Ze richtte zich op, legde haar handen over elkaar in haar schoot, en haar gezicht straalde toen ze zei: 'Dat... dat incident is het keerpunt in zijn leven geweest. Hij... hij heeft nu weer de wil om te leven. Ik weet zeker dat jij hem die wil hebt gegeven.'

Hierop schudde Lizzie haar hoofd. 'Nee, echt niet. Hij... hij is een dappere man. Hij had zich er op eigen kracht ook wel doorheen geslagen.'

'Ik betwijfel het, liefje. Ik betwijfel het. Er bestaat zoiets als trots, dat ligt bij een man heel anders dan bij een vrouw. Hoe lelijk een man ook mag zijn, hij heeft altijd nog een soort ijdelheid. Een vrouw legt zich erbij neer, al kan ze er af en toe over wanhopen, maar een man niet. Zelfs lelijke mannen kunnen aantrekkelijk zijn, maar er bestaat verschil tussen een lelijk gezicht en een gezicht dat een grotesk masker is. Nee liefje, jouw vriendschap heeft hem de moed gegeven waaraan het hem eerst ontbrak. Weet je, hij was een heel knappe kerel, niet dat hij er openlijk ijdel over deed, maar hij was zich desalniettemin bewust van de indruk die hij maakte. Ook als hij niet in volle uitmonstering en met kilt getooid was.' Ze schudde haar hoofd even. 'En daarom, liefje, hoop ik dat jij begrijpt waarom wij ons zo gedragen, waarom we zo praten. Hij is zich bewust van deze vertoning, en hij doet eraan mee, want hij wil niet dat we ons ongerust over hem maken. Maar we maken ons natuurlijk wel veel zorgen over hem. Trouwens,' – ze stond op van het bed – 'hij gaat over veertien dagen weer terug, en dan gaan ze iets aan het ooglid doen. Als ze dat wat kunnen optrekken, zal het een wereld van verschil maken. Ik denk dat dat het ergste aan zijn gezicht is.' Ze wapperde met haar hand naar zichzelf, en zei: 'Ik heb te veel gepraat, en jij bent moe.' Daarna zei ze op andere toon: 'Ik... ik vond dat ik je dit moest vertellen, zodat je niet zou denken dat je hier met een stelletje idioten te maken had.'

Lizzie was eveneens opgestaan en stak haar beide handen naar de oudere vrouw uit. Ze zei: 'Ik... ik vind jullie allemaal geweldig. En ik vind hem ook geweldig.'

'Echt waar?'

'Ja, ik heb echt heel veel bewondering voor hem. Hij moet een aantal keren door de hel zijn gegaan.'

'Je hebt erg veel begrip, liefje. Ik begrijp goed waarom Andrew bereid was op materieel gebied alles op te geven voor jou. Welterusten, liefje.' Ze boog zich naar voren en kuste Lizzie op de wang. Daarna liep ze vlug de kamer uit.

Lizzie stapte langzaam in bed, maar niet om direct in slaap te vallen. Ze deed het bedlampje uit en lag in het donker te staren, terwijl ze vreemd genoeg niet alleen aan Richard dacht en aan wat haar vriendschap voor hem had gedaan, maar ook aan Geoff. Ze wenste onwillekeurig dat Geoff Richard aardig zou vinden. Maar toen vroeg ze zich af waarom. Ze vermeed echter een rechtstreeks antwoord, ze zei tegen zichzelf dat het voor iedereen beter was als ze alledrie vrienden konden zijn, want ze zou het leuk vinden om hier vaker te komen, omdat ze iedereen hier zo aardig vond. Maar ze wist dat haar bezoeken Geoff zouden ergeren, en ze wilde hem niet ergeren, want hij was de afgelopen maanden heel lief voor haar geweest, bijna als een... een broer... een goede broer.

Ze had zich nooit eerder in haar leven zo rustig en evenwichtig gevoeld. Ze kon niet zeggen gelukkig, want dat bracht ze met Andrew in verband, en haar gevoelens voor Andrew hadden opwinding en blijdschap veroorzaakt, gevolgd door verdriet. Het verdriet was er nog steeds, maar het was enigszins afgestompt, en dat was vooral gebeurd sinds ze hier in huis was gekomen. Ze waren allemaal heel zorgzaam voor haar. Maar ze moest hun nog steeds bewijzen dat ze tot stevige wandelingen in staat was, niet alleen rond de boerderij, maar over het hele landgoed.

Ze had de *land-girls* ontmoet en ze werd aan hen voorgesteld als 'mevrouw Brown'. Dat was heel attent geweest van Richard, maar het klonk zo vreemd... mevrouw Brown. Aan de andere kant had ze dat nu ook zullen zijn, een mevrouw. Maar maakte het veel uit? Nee, ze had het geen probleem gevonden om nog steeds Lizzie Gillespie te heten, als Andrew nog maar in leven was geweest. En binnen in haar wás hij nog steeds in leven. Iedere trap die de baby haar gaf, bevestigde dit.

Ze liepen terug van de boerderij. De avond begon te vallen en ze voelde zich aangenaam moe. Een uur geleden was ze Richard gaan ophalen, na zijn dagelijkse werk met de koeien. Hij droeg nu een grote kan met melk, en zij een mand waarin drie rijen eieren op het stro lagen. Ze hadden enige tijd zwijgend gelopen. Toen zei hij: 'Ben je moe?'

'Nee,' jokte ze opgewekt. 'Ik heb me nog nooit zo goed gevoeld, ik bedoel minder moe. Niet dat ik nog in staat zou zijn om weer samen met je vader de ronde te doen.'

'Hij is een beetje onachtzaam. Hij had je gisteren niet mee moeten nemen.'

'Zo ver was het eigenlijk niet, maar hij stapt stevig door en ik denk dat hij zich een beetje geremd voelde toen hij naast mij moest draven, in plaats van in galop te kunnen gaan.'

Hij lachte. 'Moeder weigert nog met hem uit wandelen te gaan. Het is vreemd,' – hij schudde zijn hoofd – 'maar hij wil zich niet bij zijn leeftijd neerleggen. Je zou niet denken dat hij met zijn volgende verjaardag tachtig wordt, hè? Af en toe ben ik bang dat zijn wilde manier van doen hem nog eens zal opbreken. En toch zegt hij dat hij het zo wil, en ik denk dat het de juiste manier is om heen te gaan: pardoes te moeten ophouden te midden van wat je je hele leven het liefst hebt gedaan. Voor hem was dat lopen en marcheren, voor zijn manschappen uit. Tja!' Hij lachte even. 'Het was altijd heel grappig als hij moeder meenam op zijn korte wandelingen. Dan bleef ze staan en liet zich in het gras zakken en riep naar hem: "Generaal! Uw bataljon is achtergebleven."'

Ze schoten samen in de lach, en ze liepen enige tijd zwijgend verder, tot zij zei: 'Weet je, Richard, ik kan je niet zeggen wanneer ik zo heb genoten als deze afgelopen dagen. Ik heb het gevoel dat ze wel eeuwig zouden mogen voortduren...'

Toen hij even bleef staan, knipperde ze snel met haar ogen en zei haastig: 'Nou ja, wat ik bedoel is, dat ik me zo rustig en evenwichtig voel, want sinds de dood van Andrew ben ik heel... heel gespannen en onrustig geweest. Snap je wat ik bedoel?'

'Ja, ja, ik begrijp het. En ik ben heel blij je te horen zeggen dat je hier tot rust bent gekomen. Ik wou...' Hij zweeg even en keek omlaag, en herhaalde toen: 'Ja, ja, dat begrijp ik. Er komt een tijd dat verdriet moet ophouden of minder moet worden. Als het dat niet deed, zou je krankzinnig worden of proberen er een eind aan te maken.' Hij keerde zijn gezicht naar haar toe. Het was zijn goede kant; zijn voorhoofd en de linkerkant van zijn gezicht werden min of meer aan het zicht onttrokken door de slappe tweedhoed, en in de avondschemering zag ze opnieuw de man wiens portret in olieverf aan de muur van de galerij hing. Hij was in volledig regimentstenue en hij was, zoals zijn moeder had gezegd, een knappe man geweest. 'O Richard.' Ze stak haar hand naar hem uit en hij greep die en hield hem stevig vast terwijl ze over het heuvelpad omlaag liepen naar het huis.

Het was niet haar bedoeling geweest dit impulsieve gebaar zo ver door te voeren, en na een tijdje trok ze haar hand heel voorzichtig weer terug. 'Als ik niet uitkijk, krijgen we nog geklutste eieren.'

Hij zei: 'Je weet dat ik binnenkort weer naar het ziekenhuis moet?'

'Ja, dat heeft je moeder me verteld.'

'Ze gaan een nieuwe poging bij me wagen, hoewel ik niet veel verbetering kan zien.'

'Onzin!' Haar stem klonk scherp. 'Na elke keer is het beter geworden.'

'Vind je?'

Ze bespeurde een min of meer verheugde klank in zijn stem, en ze knikte resoluut. 'Ja, dat vind ik echt.'

'Ze gaan nog iets met mijn oog proberen. Het is een heel precies werkje.' Hij zweeg even. Toen zuchtte hij en zei: 'Weet je, het is geweldig dat ik zo met jou kan praten, Lizzie. Dat kan ik niet met vader of moeder of wie dan ook, en het verbaast me altijd weer dat jij tegen me praat alsof ik een normaal mens ben.'

'Maar dat bén je ook. Doe toch niet zo gek. Je... je bent de aardigste normale man die ik ken.' Ze glimlachte.

'Lizzie...' Hij keek haar niet aan maar liep met neergeslagen ogen verder en zei zacht: 'Je hebt geen idee wat het voor mij betekent dat... dat iemand als jij mij als een mens ziet, zich niet van me afwendt, zich niet gedwongen voelt beleefde gesprekken te voeren over het weer, de oorlog, distributiekaarten, of in sommige gevallen de luxe die we nu moeten ontberen.' Hij keek haar zijdelings aan. 'Dit gebeurt altijd als mijn moeder wat nieuwe vrienden in huis haalt, voor mijn bestwil, zegt ze. Dat is ook weer zo'n vorm van kwelling. Trouwens,' – hij veranderde weer van toon – 'ik neem je morgen mee naar Paddy. Hij heeft de leiding over de een of andere voorpost in de heuvels. Hij is iets hoogs bij de radio-installaties van de RAF, een heel geschikte kerel. Je zult hem beslist aardig vinden.'

Ze liepen naar een poort die naar de binnenplaats voerde, toen hij zei: 'We moesten maar door de keuken naar binnen gaan, want Mary vindt 't altijd leuk om een praatje te maken.'

Voordat ze zelfs maar de eieren en de melk op de keukentafel hadden gezet, begroette Phyllis hen met: 'Zijn jullie daar dan! Ik dacht dat jullie nooit terug zouden komen. Er is twee keer telefoon voor u geweest, mevrouw Brown. Van bij u thuis. Ze willen dat u meteen terugbelt.'

Lizzie wierp een snelle blik op Richard en hij zei: 'Ik hoop dat er niets ernstigs is.' Ze antwoordde: 'Ik... ik heb geen idee wat het kan zijn.' Toen keek ze Phyllis aan en zei: 'Dank je wel, Phyllis.' Haastig liep ze de hal in om naar huis te bellen.

Het duurde even voordat de verbinding tot stand kwam, maar toen zei een stem: 'Ben jij dat, Lizzie?'

'Ja, ik ben het. Wat is er aan de hand? Wat is er, Geoff?'

'Het is moeder. Ze is erg ziek. Ze heeft vanmorgen een hartaanval gehad. Ze... ze wil graag dat je meteen komt.'

'O. O ja, ik kom meteen, maar...' Ze keek even naar waar Richard stond en zei toen: 'Tja, ik...ik kan hier vanavond niet meer weg, maar... maar ik kom morgenochtend meteen naar jullie toe.'

De stem klonk nu scherp: 'Waarom kom je vanavond niet?'

'Nou...' Haar stem werd ook luid. 'Het is nu al zeven uur geweest en we zitten hier mijlenver bij het station vandaan, en... en ik heb geen idee hoe het met de treinen zit. Ik zal morgenochtend met de eerste trein naar jullie toe komen.'

'Dan kom je misschien te laat. Morgenochtend is ze er misschien niet meer.'

Ze knarste met haar tanden en zei toen: 'Wacht even.' Ze legde haar hand over het mondstuk en keek Richard aan. 'Als ik nu wegga, kan ik dan vanavond nog met een trein terug naar Durham?'

Hij dacht even na, schudde toen zijn hoofd en zei: 'Ik betwijfel het.' Hij draaide zich om, keek op de staande klok en zei: 'Het is vijf voor half acht. Je kunt niet vóór half negen op het station zijn. De treinen rijden tegenwoordig erg onregelmatig. Ik weet dat er een is die rond zeven uur 's ochtends vertrekt, misschien kun je die halen.'

Ze dacht even na, en zei toen: 'De eerste trein gaat om zeven uur in de morgen, Geoff, en als ik een goede aansluiting heb, kan ik tegen elf uur in Durham zijn. Ik... ik zou je vanaf het station kunnen bellen om je te laten weten hoe laat je me kunt ophalen.'

Het bleef even stil aan de lijn, voordat de stem zei: 'Nou, als dat alles is wat je kunt doen, dan is dat alles wat je kunt doen. Ik heb je meer dan een uur geleden ook al gebeld.'

'Ja, dat kan wel zijn,' – haar stem was nu net zo scherp als de zijne – 'maar ik was er op dat moment toevallig niet.'

'Nee, je was er op dat moment toevallig niet. Nou, ik kan alleen maar zeggen dat ik hoop dat je nog op tijd bent om mijn moeder te zien.'

Ze hoorde dat de verbinding met een klik werd verbroken, en ze keerde zich hulpeloos naar Richard en naar zijn vader en moeder, die nu in de doorgang stonden, en ze zei, bijna als een kind: 'Ik moet naar huis. Mam is erg ziek.'

'O, lieve help.' Edith Boneford liep naar haar toe. 'Wat akelig. En wat jammer dat je weg moet! Hoe zit het met de treinen?' Mevrouw Boneford keek naar Richard, en hij zei: 'Ik denk dat ze het beste morgenochtend met de trein van zeven uur kan gaan.'

Lizzie vroeg zacht aan Richard: 'Zou ik het kunnen riskeren om te proberen nu nog een aansluiting te krijgen?'

Hij keek eerst naar zijn moeder en toen naar zijn vader, en die zei: 'Er was er altijd een die om tien uur vertrok. Maar dan kom je wel midden in de nacht aan.'

'Ik denk dat ik toch maar moet proberen die te halen.'

'Nou, als je met die trein wilt...' zei Edith Boneford praktisch – 'dan heb je nog wat tijd om te eten, want het is nu bijna half acht. Richard, kun jij de vrachtwagen van de boerderij halen? Die is misschien niet zo comfortabel, maar je bent er dan wel in de helft van de tijd.'

'Ja.' Hij knikte. 'Dat is een goed idee. Ja.'

Lizzy liep langzaam de trap op en ging in haar kamer op haar bed zitten. Ze boog zich naar voren met haar ineengeslagen handen tussen haar knieën. Ze bad dat er niets met Bertha zou gebeuren, maar ze dacht ook: Geoff had niet zo'n toon tegen me hoeven aanslaan. Hij verbeeldt zich te veel. Toen zei ze hardop: 'Ik zal hem terugbellen.' En ze stond op om haar koffer te pakken.

Ze had hem juist naast haar bed op de vloer gezet toen er op de deur werd geklopt. Tot haar verbazing kwam James Boneford langzaam de kamer binnen.

Hij bleef staan, met zijn grijze haar in een slordige massa over zijn voorhoofd, wat heel ongebruikelijk voor hem was, omdat hij zijn haar altijd achterovergekamd had. Ze vermoedde dat hij er met zijn vingers in had zitten woelen. Hij friemelde even aan de boord van zijn overhemd voor hij zei: 'We zullen beneden wel geen tijd meer hebben om elkaar onder vier ogen te spreken, maar... maar Lizzie, ik... ik wilde je zeggen... ik wilde je bedanken voor alles wat je voor mijn zoon hebt gedaan... Ik wilde je daar persoonlijk voor bedanken. Hij is min of meer... nou ja, een nieuw mens geworden sinds hij jou kent. Je hebt zijn leven gered, en daarvoor wil ik je ook bedanken.'

'O, meneer Boneford... James, nee, echt niet. Ik heb niets anders gedaan dan een beetje met hem praten, en ik vind het gezellig om met hem te praten. Het was mij een groot genoegen.'

'Met hem praten, ach! De arme kerel. De meeste mensen brengen het niet op om twee minuten naar hem te kijken, laat staan met hem te praten. Hij is door een hel gegaan. Het is voor ons allemaal een hel geweest, want... want we houden zoveel van hem. Hij heeft het vreselijk moeilijk gehad.' Zijn bovenlip trilde even, zodat zijn dunne snorretje omhoog ging. 'Als die andere, degene die zijn vrouw is geweest, ook maar iets van jouw mededogen had gehad, wat was alles dan anders geweest. Maar... maar als ze anders was geweest... dan' – hij glimlachte scheef – 'hadden we jou nooit ontmoet, en we zijn allemaal heel blij dat we jou hebben leren kennen, Lizzie.'

Ze zei bijna: 'Dank u wel, meneer.' Want zijn manier van doen en zijn toon waren ouderwets stijf en beleefd, maar zeer welgemeend, heel anders dan wanneer hij met Phyllis kibbelde. Ze boog zich impulsief naar voren en kuste hem naast zijn stoppelige snor, en hij sloeg meteen zijn armen om haar heen, hield haar bij de schouders en kuste haar op haar wang. Toen draaide hij zich om en marcheerde de kamer uit, en ze keek hem na terwijl de tranen over haar wangen rolden. En ze dacht: O, kon ik maar hier blijven.

Ze zouden, zoals gewoonlijk, in de kleine eetkamer eten, waar acht, hoogstens tien mensen aan de tafel pasten. De tafel in de grote eetkamer kon, wanneer deze werd uitgetrokken, plaats bieden aan achttien mensen. De stoelen waren met leer bekleed, maar in de kleinere eetkamer waren het Hepplewhite stoelen, waarvan de zittingen op intensief gebruik wezen. Het was ooit de serveerkamer voor de grote eetkamer geweest, was haar verteld, en hieraan grensden de pantry van de butler en nog een reeks werkruimten. De pantry had twee deuren, waarvan er één naar een gang leidde, waarvandaan de ingang naar de voormalige personeelskamer was, die toegang bood tot de keuken. Afgezien van de zolders en de personeelsonderkomens, bevatte het huis in totaal zesentwintig kamers en schijnbaar talloze gangen, waarin Lizzie de afgelopen drie dagen meer dan eens was verdwaald.

Toen ze beneden kwam, ontdekte ze dat er niemand in de zitkamer was, en ze vermoedde dat ze nog niet beneden waren en dat zij een beetje te vroeg was voor het eten. Of misschien zaten ze al in de eetkamer.

Ze was van plan die kant uit te lopen, en ze liep door de doorgang, sloeg linksaf en liep een gang in. Maar ze besefte pas aan het eind van de gang dat ze de verkeerde gang had genomen, want deze voerde naar de keukenafdeling, dat zag ze aan de groene tochtdeur die toegang bood tot wat mevrouw Boneford de doorgeefkamer noemde, omdat je daarvandaan in de kleine eetkamer kon komen.

Toen ze de deur opendeed, werd ze onmiddellijk tot staan gebracht door de stem van mevrouw Boneford, die zei: 'Richard! Richard! Luister eens naar me.'

Daarna hoorde ze Richard op scherpe toon antwoorden: 'Nee moeder, dat kan ik niet doen. Ik doe het echt niet. Ik wil wat er tussen ons bestaat niet bederven.'

'Doe niet zo dwaas, Richard. Doe niet zo dwaas. Ik zeg je dat je haar moet vragen. Zeg haar dat je bereid bent te wachten; dat het niet uitmaakt hoe lang je moet wachten. Je zult er spijt van krijgen als je dat niet doet, want dan zal een ander haar inpikken. Een meisje als zij zal echt niet lang alleen blijven, en zeker nu niet.'

'Móéder! Luister nu toch. Ze vindt me aardig, ze beschouwt me als een vriend. Bovendien, ze durft me aan te kijken. Ik wil dat ze me aan blijft kijken, maar als ik doe wat jij vraagt, zal ze me in de steek laten en zal ik haar nooit meer zien. Bovendien ligt Andrew nog vers in haar geheugen. Hij is nog maar heel kortgeleden gestorven. Dus onder normale omstandigheden zou het heel onfatsoenlijk zijn geweest.'

'Richard, lieverd, je... je kent de vrouwen niet. Je bent begonnen met de verkeerde te kiezen. Ik heb geprobeerd je te waarschuwen, maar je wilde niet luisteren. Dus luister nu alsjeblieft wel. Dat meisje heeft iemand nodig die van haar houdt, en van het kind dat op komst is. Ze kan het goed met ons allemaal vinden, dat weet ik zeker. Je vader vindt haar geweldig, en... en vergeet niet dat Mary haar op slag mocht en Mary is, zoals je weet, een goede barometer. Ze heeft vanaf het eerste begin een hekel aan Janis gehad. Maar bij Lizzie... Weet je wat ze gisteren tegen me zei? "Mevrouw," zei ze, "die had 't moeten zijn." '

'Moeder, hou in godsnaam op en luister naar me. Om te beginnen ben ik nu absoluut niet in een positie om haar ten huwelijk te vragen, en wanneer ik dat wel ben, zal ik 't ook niet doen. Ik zou 't niet kunnen. Zelfs al lappen ze me zo ver op dat ik de kinderen niet langer bang maak, dan zal ik nog in mijn eigen gedachten een monster zijn. Ik ben dankbaar voor wat ik heb: we zijn goede vrienden, we kunnen met elkaar praten. Als ik haar niet zie, weet ik dat ze er toch is en dat ik haar altijd kan opbellen of bezoeken om met haar te praten. Ze zou zelfs hier kunnen komen logeren, net als nu, en dan heb ik een tijdje gezelschap van haar. Maar meer dan dat? Nee! Je weet niet wat je vraagt, moeder. De gedachte dat ik een meisje ten huwelijk zou vragen! Nee! En dan iemand als Lizzie nog wel! Grote hemel, echt niet.'

In de stilte die hierop volgde, sloop Lizzie heel voorzichtig, om de vloerplanken niet te laten kraken, terug in de richting vanwaar ze was gekomen.

In de hal trof ze mevrouw Boneford aan, die uit de andere gang kwam, en toen ze Lizzie zag, liep ze haastig naar haar toe en zei: 'Wat is er, liefje? Ben je ziek? Je... je ziet zo bleek.'

'Ik... eh...' stamelde Lizzie.

'Hoor eens, ik vind het echt geen goed idee dat je vanavond al gaat.'

Nu kon ze wel uit haar woorden komen. 'Ja echt. Ik moet echt gaan.'

'Nou, kom dan maar mee iets eten. Het zal een lange reis worden...'

Het feit dat ze nauwelijks een hap door haar keel kon krijgen en dat ze weinig te zeggen had behalve 'Alstublieft' en 'Dank u wel' werd toegeschreven aan haar ongerustheid over haar moeder. En toen ze, wat later, afscheid nam van

Mary en Phyllis, en werd omhelsd door James en Edith, wist ze nog steeds niet veel te zeggen, behalve om hen te bedanken, wat ze op hartelijke wijze wist te doen, terwijl zij op hun beurt vertelden hoe leuk ze het hadden gevonden om haar in huis te hebben, en dat ze beslist nog eens langer moest komen logeren... en voordat de baby werd geboren, want 's winters zaten ze hier vaak ingesneeuwd. De laatste woorden die Edith tegen haar zei, waren: 'Dat zou geweldig zijn, als we ingesneeuwd raakten en jij de baby hier zou krijgen, hè?' Ze had een glimlach weten op te brengen en zo luchtig mogelijk geantwoord. 'Ik ben niet zo dol op de kou.' En hierop had James uitgeroepen: 'Ik zal zorgen dat er in iedere kamer een groot vuur voor je brandt, liefje...'

Richard en zij hadden weinig tegen elkaar te zeggen toen ze door het donker reden. Tot twee keer raakte het voertuig van de weg, maar iedere keer in de berm en gelukkig niet in een sloot. Hij verontschuldigde zich uitvoerig en zei dat hij meer gewend was aan het rijden met paard en wagen.

Het was alles bij elkaar een wilde rit, en ze was dankbaar toen ze de buitenwijken van de stad hadden bereikt en de versleten landweggetjes achter zich hadden gelaten.

Op het station belde ze naar huis, en Meg nam op en antwoordde: 'O, ben jij het, meisje? Ik ben blij je stem te horen. Echt waar. En je bent dus onderweg. Dat is goed nieuws, daar zal ze heel blij om zijn. Hier heb je Geoff.'

'Dus je stapt op de trein?' zei hij.

'Ja,' antwoordde ze kortaf, 'maar het is wel een stoptrein. Ik weet niet hoe laat ik er ben, waarschijnlijk ergens midden in de nacht. Ik... ik bel je wel vanaf het station.'

'Ik zal de aansluitingen wel nagaan, en dan kom ik je daar halen.'

'Heel goed. Hoe is het met haar?'

'Niet zo best. Helemaal niet best.'

'Ik... ik ben er zo gauw mogelijk.'

'Goed Lizzie, goed.' Zijn stem klonk nu zachter.

Ze legde de hoorn op de haak en keek over het perron naar waar Richard naar haar toe kwam.

'Er gaat er een om half tien, je hebt geluk. Kom maar mee,' – hij tilde haar koffer op – 'hij staat er al.'

Elk schemerig verlicht rijtuig liet zien dat de trein al vol was, en daarom zei hij bij het laatste rijtuig: 'Je kunt maar beter instappen. Maar blijf niet staan, ga in het gangpad op je koffer zitten. Als er nog fatsoenlijke mensen tussen zijn, zal iemand je wel een plaats aanbieden.' Hij deed het portier van het rijtuig open en schoof haar koffer naar binnen. Daarna keken ze elkaar aan in het schemerige groene licht van de lamp boven hun hoofd.

'Het... het is jammer dat je op deze manier weg moet gaan, Lizzie, maar bel je me op om me te vertellen hoe het met haar is?'

'Ja, ja, dat zal ik doen, Richard.'

Ze zag hoe de huid van zijn gezicht als stijf perkament bewoog voor hij zei: 'Het zijn drie geweldige dagen voor me geweest.'

'Voor... voor mij ook, Richard.'

'Kom je nog eens terug?'

'Ja, graag. Ik kom graag nog eens terug. Dat lijkt me erg leuk.' Ze kon dit zeggen omdat ze in gedachten zijn woorden weer hoorde: 'Ik zal haar nooit ten huwelijk vragen.' Dus dat was dat, en dat was maar beter ook.

Met Richard trouwen? Ze had er nooit aan gedacht, maar was zich er aan de andere kant niet van bewust geweest dat hij haar meer dan aardig vond. Ja, maar hij had zelf gezegd dat hij zich echt niet kon voorstellen dat zij met hem wilde trouwen.

Ze stak haar hand uit. 'Ik... ik kan maar beter naar binnen gaan. Tot ziens, Richard, en... en dankjewel voor alles.' Ze kon zich nu naar voren buigen om hem een kus te geven. Het was niet wreed bedoeld. Het was een soort betaling voor zijn goedheid, en een vrijheid die ze zich in zekere zin kon veroorloven omdat ze wist dat hij niets méér van haar zou verwachten.

Hij beantwoordde de kus niet maar bleef volmaakt stilstaan tot hij, toen ze naar binnen was gestapt en het portier dicht wilde doen, dit snel voor haar dichtduwde.

Er werd op een fluit geblazen.

'Tot ziens, Richard. Ik zal je bellen.'

'Tot ziens, Lizzie.' Dat was alles wat hij zei. Hij maakte geen aanstalten om naar het raampje te lopen, en het laatste dat ze van hem zag was het silhouet van een man die onder een schemerig groen licht stond.

De reis was een nachtmerrie. Niemand bood haar een zitplaats aan. Er stonden nog meer mensen in de gang. Als ze zo op haar koffer zat, leek ze een heel gewone jonge vrouw die uitstekend in staat was net als ieder ander het ongemak van de reis te verdragen.

Van Newcastle naar Durham kwam er een beetje ruimte. Ze wist tenslotte een zitplaats te bemachtigen, geflankeerd door snurkende soldaten en in de walm van verschaald bier en sterke drank.

Toen ze eindelijk in Durham arriveerde, brak de dageraad bijna aan, en toen ze wankelend uitstapte, viel ze bijna in de armen van Geoff. De eerste woorden die ze zei waren: 'Wat een reis! Wat een nachtmerrie!'

Hij pakte haar koffer en liep naast haar, en toen ze door de uitgang kwam, gaf ze haar kaartje aan een vermoeide controleur. Toen ze buiten op straat stonden, bleef ze staan en haalde diep adem voordat ze zei: 'Hoe is het met haar?' Hij keek op haar neer en zei: 'Ze is vannacht om half twee gestorven.'

Deel vier

HOE ZIT HET MET EEN HUWELIJK?

1

Er waren twee maanden verstreken sinds de begrafenis van Bertha, en het leek wel of haar dood een verandering teweeg had gebracht in de persoonlijkheid van iedereen in het huis. Het was het meest opvallend bij John: de woorden 'verloren ziel' waren volledig op hem van toepassing, want hij ging iedere morgen naar zijn werk, kwam tussen de middag thuis om te eten, ging 's middags weer weg, kwam om half zes binnen, en ging dan in de kamer zitten en staarde naar de piano, alsof hij Bertha daar zag zitten.

Af en toe praatte hij, voornamelijk tegen Geoff, en dan was het over de oorlog. De dingen begonnen te veranderen. De Amerikanen maakten alle verschil. Dat kwam door al die torpedobootjagers die ze stuurden. Kijk maar hoeveel U-boten ze tot zinken hadden gebracht. Dit jaar alleen al, zeiden ze, waren er vijftig naar de kelder gegaan.

Wanneer hij het over de oorlog had, was het alsof hij zich bezorgd maakte over wat er gaande was, maar ze wisten allemaal dat hij alleen maar de koppen uit de krant herhaalde, die hij iedere morgen oppervlakkig bekeek. Hij was een verloren mens. Bertha was zijn houvast geweest. Hij was in zekere zin teruggekeerd naar zijn jeugd, toen hij op zijn broer had geleund. De enige vastberaden daad die hij in zijn leven had verricht, was met Bertha trouwen. En nu was ze er niet meer, het enige dat hem nog van haar restte waren de beelden van haar die hij opriep als hij naar de piano staarde.

Geoff was ook veranderd, maar op een tegenovergestelde manier dan zijn vader, want hij had nu de leiding over het huis. Het was alsof hij zichzelf tot hoofd van het huishouden had benoemd. De enige keer dat hij wegging was als hij naar het militaire ziekenhuis moest voor een controle. Bij één gelegenheid hadden ze hem twee nachten gehouden, en toen hij terugkwam, was zijn ongerustheid duidelijk. Hij leek zich niet zozeer zorgen te maken over zijn vaders welzijn als wel over dat van Lizzie.

Lizzie had tot een week geleden gewerkt, toen had ze kougevat. Het was akelig weer, er waren buien met natte sneeuw en 's morgens zat de rijp op de ramen. Hoewel ze hardnekkig volhield dat ze alleen maar een zware verkoudheid had, stond Geoff er toch op dat de dokter bij haar kwam kijken, en na een onderzoek adviseerde die haar om onmiddellijk haar werk op te geven en rust te nemen. Haar benen waren opgezet en ze gaf toe dat ze zich al enige tijd niet goed had gevoeld.

Toen de dokter deze bewuste morgen vertrok, sprak hij Geoff toe alsof hij haar man was, en hij zei: 'Zorg goed voor haar. Ze haalt het eind wel als ze veel rust neemt.' En Geoff had geantwoord, als een echtgenoot: 'Ja, daar zal ik voor zorgen. Ik zal erop staan.' En dat had hij tegen haar gezegd toen hij terugkwam in de slaapkamer.

'Weet je wat de dokter zojuist heeft gezegd?'

'Nee. Wat dan wel?'

'Dat je voorzichtig moet doen. Als jij je hele tijd wilt volmaken, zul je rust moeten nemen. Dus doe wat je gezegd wordt.'

'Hoor eens,' zei ze, 'maak nou niet zo'n ophef. Ik heb alleen maar een beetje kougevat. Ik weet zelf het beste hoe ik me voel... van binnen.'

'Dat denk jij misschien, maar ik denk dat de dokter het beter weet. Dus ik zal morgen een briefje naar je kantoor sturen.'

'Dat doe je niet. Ik ben nog steeds in staat om te lopen; ik zal er wel heen gaan om het zelf te zeggen. Toe, Geoff...' Ze stak haar hand op. 'Laat dit aan mij over.'

Hij kwam naar het bed en keek op haar neer, en na een korte stilte zei hij zacht: 'Ik maak me zorgen over je.'

Ze knipperde met haar ogen en wendde zich van hem af en zei: 'Ik... ik ben je echt heel dankbaar, Geoff... Echt waar. Maar het is niet nodig. Er worden iedere dag baby's geboren, en ik heb Meg om me te helpen.'

'Maar zij is oud.'

'Oud!' Ze viel nu scherp uit. 'Ze is dan misschien oud in jaren, maar ze is nog altijd heel vief en ze heeft een goed verstand, een beter verstand dan de meeste mensen.'

'Je bedoelt dat zij de dingen beter aan zou kunnen dan ik?'

'Ja. Ja, misschien wel, want ze is nou eenmaal een vrouw.' Ze glimlachte naar hem en hij glimlachte terug en zei: 'Er zijn ook mannelijke verplegers. Ik heb daar alle ervaring mee, vooral met eentje. Hij had een stem als een mietje, maar een paar handen als een dragonder. Weet je, ik heb een keer tegen hem gezegd: "Het is jammer dat jij je handen en stem niet kunt ruilen." En hij zei: "Wat zeg je me daar nou, knul."' Hij zette een heel verwijfde stem op. '"Jij bent een malle kerel, zeg!" zei hij. "Niet half zo mallotig als jij, makker," antwoordde ik. En weet je, hij maakte dat hij wegkwam, draaiend met zijn achterwerk. Hij veroorzaakte meer pret op die zaal dan wanneer je een hele groep komedianten had ingehuurd.'

'De arme ziel!'

'Ja, zeg dat wel.' Hij knikte.

Door dat gepraat over ziekenhuizen besefte ze dat ze al in geen dagen naar zijn been had geïnformeerd, dus vroeg ze nu: 'Hoe gaat 't met je been?'

'Prima.' Hij gaf een klap op zijn bovenbeen. 'Maar kijk, deze arm is veel beter.' Hij hief zijn linkeronderarm tot borsthoogte. 'Ik kon dit eerst niet, dus de spieren beginnen weer te werken. Ik had niet gedacht dat ik dit ooit nog zou kunnen.'

'Mooi,' glimlachte ze. 'Dus dat komt van al het huishoudelijke werk. Daar krijg je sterke spieren van.'

'Ja, dat zal best kloppen. Ik dacht net vanmiddag, als de

jongens me eens konden zien.' De glimlach gleed van zijn gezicht, en ze vroeg zachtjes: 'Mis je het leger?'

Hij zweeg even, alsof hij nadacht, voor hij antwoordde: 'Ja en nee. Af en toe mis ik de kameraadschap, de bedrijvigheid, de opwinding...' – hij keek over haar heen naar het hoofdeinde van het bed – 'het hen voortdrijven, tegen hen schreeuwen. En dan de volgende keer nauwelijks adem durven halen, naar elkaar gebaren alsof je doof en stom bent. Dat waren de ergste momenten, die stille momenten, wanneer je op je buik naar voren schoof, voor de helft onpasselijk van angst, voor de helft waanzinnig van begeerte om naar voren te hollen en te-schieten-en-te-steken-en-te-moorden-en-te-doden.'

'Geoff! Geoff!' Ze had zich omhoog gehesen en haar stem klonk scherp, en hij knipperde met zijn ogen en richtte zijn aandacht weer op haar terwijl hij zei: 'Daar ga ik weer. Daar ga ik weer.' Hij lachte breeduit en zei: 'Dat was een voorspel voor de hoofdfilm.'

Ze keek hem aan en zei rustig: 'Mannen zijn dus echt heel bang; ik bedoel, om naar het slagveld te gaan?'

Hij draaide zich abrupt om, en terwijl hij naar de deur liep, zei hij hees: 'En wie zegt dattie niet bang is, is een verdomde leugenaar, of hij was al gek en had nooit uit het gekkengesticht mogen worden losgelaten.'

Ze ging liggen en keek naar de dichte deur. In zekere zin, dacht ze, is hij net zo verminkt als Richard, alleen zijn zijn littekens niet zichtbaar. En toch had ze de laatste tijd af en toe de pijn ervan gehoord. Bij één gelegenheid had hij gegild, en was ze ijlings naar de overloop gelopen, om daar te zien hoe Meg al voor zijn deur stond. Dit was onlangs gebeurd, na de dood van zijn moeder.

Toen ze daar lag, hoorde ze beneden het vage gerinkel van de telefoon, en even later, toen Meg haar een kop thee bracht, vroeg ze terloops: 'Wie was er aan de telefoon?' Meg liet zich op de rand van het bed zakken en zei: 'Dat was meneer Richard.'

'O, waarom heb je dat niet tegen me gezegd?'

'Geoff nam op. Hij zei dat jij je niet lekker voelde.'

'Wat een onzin! Lieve help, straks stapt hij nog op de trein om te zien wat me mankeert. Geoff heeft dat expres gedaan.'

'Waarom zou hij dat doen, meisje?' Meg keek haar doordringend aan.

'Omdat… omdat hij Richard niet mag, daarom.'

'Nou, misschien heeft hij daar wel reden toe.'

'Hoe bedoel je?'

'Net wat ik zeg, meisje. Je hebt veel belangstelling voor die kerel getoond, weet je, voor iemand die alleen maar een goede vriend is.'

'Nou, Meg,' – ze boog zich naar haar toe – 'laat me je één ding vertellen: wij zijn vrienden, en dat zullen we hoogstwaarschijnlijk blijven ook. Ik heb erg met hem te doen, en dat is altijd al zo geweest. En voor mensen in zo'n toestand als waarin hij verkeert, kan een beetje vriendelijkheid geen kwaad.'

'Tja, ach.' Meg liet zich van het bed glijden. 'Je weet wat ze zeggen, meisje: medelijden en liefde liggen vlak naast elkaar.'

'Meg, doe niet zo gek!'

Meg draaide zich abrupt om, leunde met haar handen op het bed, bracht haar gezicht vlak bij dat van Lizzie en zei, met kalme maar resolute stem: 'Jij bent niet op je achterhoofd gevallen, meisje, maar… maar laat ik je dit zeggen: volgens mij sluit jij je ogen voor iets. Hij daar beneden' – ze wees naar de vloer – 'is geen familie van je, zelfs geen verre neef, en voor iedereen die ogen in zijn hoofd heeft, is het duidelijk hoe bij hem de vlag erbij hangt.'

'Meg, toe, alsjeblieft!'

'Goed.' Meg ging staan. 'Zeg jij maar "Meg, toe, alsjeblieft!" op dat toontje van je, maar laat me je één ding wel vertellen, meisje. Hij loopt niet alleen maar als een broedse kip om je heen te rennen om zelf warm te blijven. Zelfs voordat zijn moeder overleed, kon ik zien wat er in hem omging, en vooral, dat kan ik je verzekeren, toen jij die paar dagen in Schotland zat. Allemachtig, hij was net een beer met een zere kop. En weet je wat een van de laatste dingen was die Bertha tegen mij heeft gezegd? Ze zei: "Lizzie zal hier altijd een thuis hebben, zolang Geoff er is." Dat heeft ze echt gezegd. Nee, meisje,' – ze hief waarschuwend haar vinger – 'kijk me nou maar niet zo aan. Ik ben een beetje ouder dan jij en ik heb het een en ander van het leven gezien, en ik heb verdriet meegemaakt, en je kunt op verdriet niet leven. Er komt een tijd dat je tegen jezelf zegt: ik moet verder. Wat ga ik met m'n leven doen? Je verwacht een kind. Dat kind moet in een goed huis worden grootgebracht, en je zult geen beter huis vinden dan dit, en ook geen betere vent dan Geoff. Ach, hij heeft zo zijn fouten, maar wie heeft die niet? En af en toe praat hij alsof hij God in de hemel zelf is. Maar hij heeft dit huis, want zijn vader zal echt niet hertrouwen, daar ben ik van overtuigd, en hij zal een fatsoenlijk pensioen hebben, en hij is op zoek naar een niet al te zware baan. Je zou voor het leven onder de pannen zijn, meisje. Denk er maar eens goed over na, en vraag je af wat het alternatief is.' Ze grijnsde even, zodat haar ogen bijna in de rimpels verdwenen. 'Dat is een groot woord voor me, hè? "Alternatief".' En ze besloot: 'En jij vindt hem toch zeker ook aardig?' Maar Lizzie wendde haar hoofd af en keek naar de muur. Meg herhaalde: 'Dat vind je toch?' Lizzie zei zacht: 'Ja, dat geloof ik wel. Maar aardig vinden en houden van zijn twee verschillende zaken.'

'Zal ik jou eens wat zeggen? Ik heb 't bij m'n moeder meegemaakt, die had een hels bestaan bij m'n pa. Hij kon zuipen als een walvis op het droge. Ik heb een keer tegen haar gezegd: "Waarom blijf je nog bij hem? Waarom loop je niet weg? Je houdt niet van 'm. Dat kán niet." En toen zei zij: "Nee, dat niet, maar ik vind 'm aardig, en ik heb gemerkt dat dat belangrijker is dan liefde." Ik was nog een kind in de tijd dat ze dat tegen me zei. Ik geloofde het niet, maar ik heb 't mezelf jaren later bewezen. Als je begint met liefde, maar je vindt die vent niet gezellig, dan ga je 'm maar zelden aardig vinden. Maar als je begint met 'm aardig te vinden, tien tegen één dat je dan ook van 'm gaat houden. Maar in de liefde heb je nou eenmaal allerlei stadia. Nou, nou! Moet je mij horen! Hoe dan ook, meisje, wil je graag dat ik meneer Richard opbel om hem te vertellen dat je niet stervende bent? Want het is inderdaad mogelijk dat hij denkt dat het echt slecht met je gaat, en dat hij dan binnen de kortste keren op de stoep staat.'

Lizzie dacht even na en zei toen: 'Ja. Ja, graag. En zeg maar dat ik hem morgen wel even bel.'

Toen Meg de kamer uitging, liet ze Lizzie achter met een groot vraagteken in haar hoofd. Dit vraagteken stond aan het eind van de zin: 'Zou ik met Geoff kunnen trouwen?' Het bleef lang stil voordat ze zichzelf het antwoord kon geven: 'Ja, misschien, maar... maar voorlopig nog niet. Niet voordat het verdriet om Andrew minder is geworden.'

Het was de dag voor kerstavond toen ze, bij het naar beneden gaan over de trap, op de tweede tree van onderen even wankelde onder het gewicht van haar bolle buik, en ze zou zijn gevallen als Geoff, die toevallig door de hal liep, haar niet vlug had vastgegrepen. Ze bleef even tegen hem aan liggen, met zijn armen om haar heen, maar de welving van haar buik maakte dat hun gezichten op enige afstand van elkaar bleven, en ze bleven stilstaan en keken elkaar aan. Hij zei zacht: 'Na de derde keer moet je trakteren.' Waarop zij vroeg: 'Wat?'

'Na de derde keer moet je trakteren. Dat herinner je je toch zeker nog wel?'

Ze maakte zich langzaam van hem los en zei: 'Wat moet ik me herinneren?'

'Nou,' – hij draaide zich om en wees naar de keukendeur – 'het geval wil dat ik ooit, vele jaren geleden, bijna een meisje omver heb geduwd toen ik die deur opendeed, en ik ving haar toen op en zij zei: "Na de derde keer moet je trakteren."'

Ze schoot in de lach en zei: 'Lieve help! Ik herinner me er niets van. Maar dat jij...' – ze zweeg even – 'dat nog weet!'

Hij liep naast haar naar de zitkamer en zei: 'Er zijn heel veel dingen die ik me nog herinner van die paar dagen dat ik jou heb gekend voordat ik naar het buitenland ging. Het is vreemd, maar ik heb jou in gedachten altijd als dat meisje gezien, tot ik terugkwam en de jonge vrouw zag. Je betekende een hele schok voor me, weet je. En...' Hij boog zich naar voren om de deur voor haar open te doen. 'En vergeet niet dat ik je van de fabriek heb gered.'

'Nee, dat ben ik nooit vergeten, Geoff.' Ze draaide zich half naar hem om terwijl ze de kamer inliep.

'O,' – zijn gezicht stond nu ernstig – 'ik bedoelde dat alleen maar als grapje, ik hoef er echt geen medaille voor. Wie weet, als je dat had gedaan was je uiteindelijk misschien wel met de eigenaar getrouwd.'

'Ja, daar heb je gelijk in.' Ze lachte. 'Er zijn wel vreemdere dingen gebeurd. Misschien had hij op zijn oude dag wel een verzorgster nodig gehad.'

Hij grinnikte en zei: 'Dat klopt, maar ik zie jou nog geen rolstoel duwen.'

Zijn manier van doen werd nu heel serieus, en hij zei op treurige toon: 'Het zal een vreemde kerst worden zonder mam, denk je niet? En ik maak me zorgen over pap. Het schijnt hem niets meer te kunnen schelen wat er in of om het huis gebeurt. Vreemd is dat...' Ze had zich langzaam op de bank laten zakken, en hij ging nu op een stoel tegenover haar zitten. 'Sommige mannen kunnen maar één keer liefhebben. Ze schijnen het niet in zich te hebben om te veranderen. Ik weet eigenlijk niet of dat nou goed of verkeerd is.'

Het lag op het puntje van haar tong om te zeggen: 'O nee?' Want omdat ze over een mogelijke toekomst met hem had nagedacht, had ze uiteraard ook over zijn vroegere verhouding met Richards vrouw nagedacht.

Er waren tijden dat ze ernaar verlangde Richard te zien, en dat was een gevoel dat ze niet helemaal kon begrijpen, behalve dat ze het misschien gemakkelijk vond om met hem te praten, en ja, met hem te lachen. Het leek dan of ze samen hetzelfde gevoel voor humor hadden.

Bertha had het vaak over Geoff gehad, en over het geweldige gevoel voor humor dat hij had. Ze moest toegeven dat hij een geweldige grappenmaker was, maar ze vond zijn grapjes wel vaak erg eenzijdig. Hij was altijd degene die er het meest van genoot, terwijl de slachtoffers van zijn grapjes de humor er zelden van inzagen.

Ze keek hem aan, en vroeg zich af waarom ze hem zo ontleedde. Dat was heel dwaas en onvriendelijk, want ze konden het nu erg goed met elkaar vinden. Hij was heel attent, en ze moest dankbaar zijn dat ze hem had. En ze wás ook heel dankbaar. Echt!

De telefoon rinkelde, en toen Geoff naar de deur wilde lopen, ging die open en Meg zei: 'Het is meneer Richard.'

'Ik neem hem wel,' zei Geoff.

'Nee, nee, alsjeblieft, Geoff, ik neem hem zelf.' Lizzie hees zich van de bank overeind en keek hem niet aan toen ze langs hem liep, hoewel ze zich ervan bewust was dat hij doordringend naar haar keek.

Ze nam de telefoon op en zei: 'Hallo Richard.'

'Hallo Lizzie. Hoe is het met jou?'

'Met mij is alles best. En met jou?'

'Goed. Ik... ik zit in Newcastle. Schikt het als ik even langskom?'

'O ja, gezellig. Waar kom je vandaan? Uit het ziekenhuis?'

'Nee, nee, ik kom van huis. Maar ik had hier zaken te doen, en ik dacht dat het leuk zou zijn als ik even langs kon komen.'

'Het lijkt me bijzonder gezellig om je te zien.'

'Ligt er nog sneeuw bij jullie?'

'Nee, helemaal niet. De wegen zijn schoon.'

'Dan denk ik dat ik met een goed uur bij jullie kan zijn.'

'Heel leuk, Richard. Tot straks.'

Toen ze zich bij de telefoon omdraaide, stond Geoff bij de

deur van de zitkamer te wachten, en hij verroerde zich niet toen ze langs hem heen naar binnen wilde gaan, maar hij bauwde haar na: 'Het lijkt me bijzonder gezellig om je te zien. Heel leuk!' Toen ze zich op de bank had laten zakken, kwam hij vlak bij haar staan, keek op haar neer en zei toen op ernstiger toon: 'Ik hoop dat je beseft dat je hem misschien een verkeerde indruk geeft.'

Ze keek hem aan en zei: 'Ja. Ja, Geoff, ik besef inderdaad dat ik hem misschien een bepaalde indruk geef, en die indruk zou kunnen zijn dat hij in mij een goede vriendin heeft, en wat jij ook mag denken of zeggen, zo blijft het ook: hij blijft mijn vriend.'

'O, nou ja, als jij er zó tegenaan kijkt...'

'Zo zie ik het inderdaad.'

'Nou, dan zullen we daar eens goed over moeten praten, nietwaar?'

Ze keek hem aan. 'Ik begrijp niet wat je bedoelt.'

'Lizzie, je weet heel goed wat ik bedoel. Ik... ik zal wachten tot de baby is geboren, en daarna zullen we de dingen eens duidelijk op een rijtje moeten zetten, vind je niet?'

Hij wachtte op een antwoord, maar dat kwam niet. Toen draaide hij zich abrupt om en marcheerde de kamer uit.

Ze had heel vastbesloten geklonken toen ze zei dat ze haar vriendschap met Richard zou voortzetten. Maar ze kon niet alles hebben. Geoff was het soort man dat haar met niemand zou willen delen. Wat was het vreemd dat ze werd gedwongen te kiezen; maar aan de andere kant moest ze aan haar toekomst denken, en de toekomst van haar kind. Dit was haar thuis, en ze was hier gelukkig geweest en ze zou dit, na verloop van tijd, misschien wel weer worden. Ze moest in elk geval niet langer alleen maar aan zichzelf denken, want nu waren John en Geoff de enigen die ze overhad. Als de oorlog voorbij was, zou Meg teruggaan naar Shields, want daar lag haar hart, zoals haar voortdurende uitstapjes naar de stad, om te zien hoe het daar was, bewezen.

Nou, dat was dan geregeld. Het enige dat haar nu nog

restte was behoedzaam aan Richard vertellen hoe haar plannen eruitzagen, en hij was nu eenmaal iemand die zou begrijpen waarom zij dan iets koeler deed. Of zou hij dat wel echt begrijpen – zijn gevoelens in aanmerking genomen? Arme Richard. Waarom voelde ze nu al zoveel verdriet om hem…?

Het was alles bij elkaar toch bijna twee uur later toen ze de deur voor hem opendeed, en toen ze hem begroette, zag ze onmiddellijk dat zijn gezicht een stuk was opgeknapt. Maar ze zei er niets over.

In de keuken schudde hij Meg hartelijk de hand. Hij had twee platte pakjes bij zich, die hij op de tafel legde, en hij schoof er een naar Meg toe en zei: 'Vrolijk kerstfeest, Meg. Dat krijg je van mijn moeder.'

'Is dat voor mij? Krijg ik een cadeau van je moeder? Is dat niet aardig?' Ze keek Lizzie aan en voegde eraan toe: 'Is dat nou niet vreselijk aardig, terwijl ze me niet eens kent?'

Richard keek naar Lizzie en zei: 'Dat is ook van mijn moeder, en vraag me nou niet waar ze de wol vandaan heeft, want ik zou alleen maar zeggen dat ze vrienden aan het hof heeft… en op de eilanden.'

Lizzie en Meg maakten allebei hun pakje open. Meg was de eerste die een Fair Isle-trui omhooghield, en haar kreten van blijdschap vulden de keuken. 'O! Zo eentje had ik altijd al willen hebben. Echt waar… echt, meneer Richard. En dan te bedenken dat uw moeder 'm voor me heeft gebreid.'

'Nou… nee, ze heeft die niet zelf gebreid, ze heeft 'm iemand anders voor jou laten breien. En ik heb een beetje moeten gokken wat… wat je bovenwijdte was.'

Meg zette haar handen onder haar royale boezem en duwde die omhoog. Ze zei: 'U bent een knappe jongen om dat te kunnen. En 't was lastig inschatten, want als ik ze in m'n kamizooltje heb, zitten ze acht centimeter hoger.'

Ze schaterden het uit, en Lizzie hield een zacht angora vest omhoog en riep luid: 'O Richard, dit is beeldschoon. Wat is het zacht. Ik weet gewoon niet wat ik moet zeggen. Ik moet haar later bellen. Heeft… heeft ze dit zelf gebreid? Ik weet hoe mooi ze kan breien.'

'Ja, dat heeft ze zelf gebreid, en ze heeft het met veel plezier gedaan. Maar hoe gaat het verder met jou?'

Toen ze het vest voorzichtig weer op het vloeipapier legde, antwoordde Meg voor haar: 'Ze zal u in de zitkamer vertellen hoe het gaat, de thee staat daar al meer dan een halfuur klaar. Waardoor bent u zo laat?'

Hij keerde zich naar haar toe en zei: 'Jullie bus wist niet dat ik mee wilde, en ging er zonder mij vandoor. Ik ben helemaal vanaf de kruising bij Fuller komen lopen.'

'Nou, dan zult u wel aan een kop thee toe zijn. Ga maar naar binnen, dan breng ik alles vlug.'

Toen ze de keuken uitliepen, vroeg Richard: 'Is Geoff thuis?'

Ze zweeg even, en zei toen: 'Nee, hij… eh… hij is naar Durham om wat boodschappen te doen. Hij kan elk moment terug zijn.'

In de kamer zaten ze elkaar aan te kijken. Toen begonnen ze tegelijk te praten, en ze schoten in de lach en hij zei: 'Jij eerst.'

Ze keek hem teder aan en zei: 'Je oog, ze hebben erg knap werk bij je verricht, en je lip ook.'

Hij schudde zijn hoofd even en zei: 'Ik vind 't niet echt geweldig, maar het is een kleine verbetering.'

'Klein! Het is fantastisch. Was het erg pijnlijk?'

'Nee, niet echt. Deze keer niet in elk geval. Een transplantatie, dat is pas echt pijnlijk. Het is gek, weet je, maar het doet niet pijn op de plaatsen waar ze het aanbrengen, maar op de plaatsen waar ze het weghalen, daar heb je er de meeste last van.'

Ze keek omlaag en zei: 'Ik heb het nooit eerder gevraagd, Richard, maar had je nog meer verwondingen, buiten die op je gezicht?'

Hij zweeg even, en zei toen: 'Ja, naar mijn middel, aan deze kant omlaag.' Hij wees. 'Het is vreemd dat mijn hals gespaard is gebleven.'

'Je moeder is vast heel blij.' Ze glimlachte breed naar hem, en hij knikte en zei: 'Ze zijn allebei dolgelukkig. Maar,' – en de blijdschap verdween uit zijn stem – 'ze... ze kunnen verder niets meer aan me doen, behalve de onderlip wat opbouwen. De huid zal altijd min of meer hetzelfde blijven, denk ik, misschien een ietsje verweren.'

'O, maar dat valt echt niet op, hoor.' Ze keken elkaar even zwijgend aan, en toen zei hij: 'Je kunt heel goed jokken, Lizzie.'

'Ik jok niet.' Haar stem klonk hoog.

'Goed, je jokt niet, je bent alleen maar heel vriendelijk, als altijd. Maar om even een ander onderwerp aan te snijden: hoe is het met jou?'

'Prima. Prima, behalve,' – ze trok een zuur gezicht naar hem – 'dat ik af en toe een beetje moe ben. Maar de tijd vliegt.'

Hij zei nu: 'Ik moet je dit vragen, omdat moeder zo aandrong, hoewel ik tegen haar heb gezegd dat het een stomme vraag is: ze vroeg of je het niet prettig zou vinden om de baby bij ons in huis te krijgen. En ik heb tegen haar gezegd: "Volgens mij is dat niet wat Lizzie zou willen, maar wat jij zou willen, klopt dat? Het is een zotte vraag." '

'Maar wel een heel vriendelijke vraag. Wil je haar heel hartelijk bedanken? Onder andere omstandigheden was het misschien een goed idee geweest, maar... nou ja, Geoff schijnt alles al te hebben geregeld. Hij... hij is nog erger dan Meg.' Ja, dit was de manier om het te brengen. Het was een goede gelegenheid, dus ging ze verder: 'Hij heeft het allemaal al bedacht. Hij heeft de kleine slaapkamer in een kinderkamer veranderd, en hij heeft de wieg waarin hij zelf nog heeft gelegen van zolder gehaald, en hij heeft alles geverfd en behangen. Maar bij dat behangen heeft Meg geholpen.'

'Heeft hij nog veel last van zijn arm?'

'Nee, die is geweldig opgeknapt, hoewel ik het betwijfel of hij ooit nog helemaal goed zal komen.'

Met zijn volgende woorden nam hij voor haar de noodzaak weg om hem voorzichtig te vertellen wat ze te zeggen had, door dit zelf zonder omhaal naar voren te brengen.

'Ga jij met Geoff trouwen, Lizzie?'

Het onverbloemde van deze vraag maakte dat ze met haar ogen zat te knipperen en even niet wist wat ze moest zeggen. Ze werd gered doordat Meg met veel misbaar de deur met haar achterwerk openduwde en binnenkwam met het theeblad, en zei: 'Zal ik de kerstcake aansnijden, Lizzie?' Maar Richard zei: 'Voor mij niet, Meg. Ik ben niet zo'n zoetekauw. Ik zie dat je mijn geliefde scones hebt, daar ben ik echt dol op.'

Toen Meg het dienblad op de tafel zette, zei ze: 'John is net thuisgekomen. Hij drinkt en eet even wat in de keuken. Hij is halfbevroren, maar hij gaat weer weg. Hij is bang dat die hongerlijders de sneeuwhoenders zullen stropen. Ik zei: "Laat ze toch hun gang gaan. Je hebt toch zelf gezegd dat het jachtseizoen open was tot één december? Tot die tijd mag iedereen toch ook nemen wattie wil?" En hij moest er zowaar om glimlachen. Dat was me iets. Maar het zijn slimme schooiers, die stropers. Waarschijnlijk een paar jongens uit 't kamp' – ze knikte naar Richard – 'en wie kan 't ze kwalijk nemen? En ze houden dan heus niet op, dat is een ding dat zeker is, want net als ik weet de helft gewoon niet wanneer zo'n vogel zegt: "Mis poes! Het is twee december geweest, dan kun je me toch niet pakken." '

'Die Meg toch!' Hij wapperde met zijn hand naar haar en vroeg: 'Hoe is het met de eenden?'

'Nou, die zijn in staking gegaan, meneer Richard. Dat komt door die stomme boeren, ze hebben ze nu achter gaas gezet, maar af en toe weten ze toch te ontsnappen, en af en toe kom ik zomaar een verdwaald ei tegen.' Ze boog zich naar hem toe en zei: 'Ik ga d'r 's avonds wel eens opuit, en dan trek ik het gaas omhoog.'

'Doe dat, Meg. En hoor eens,' – hij liet zijn stem tot gefluister dalen – 'bel me even wanneer je van plan bent in actie te komen, dan zal ik je een handje helpen.'

'Dat zal ik in m'n oren knopen,' fluisterde ze terug. 'Afgesproken. Dat zal ik doen.' Ze liep lachend de kamer uit.

Lizzie schonk de thee in. Daarna bood ze hem het bord met scones aan, en hij had er een hap van genomen en een slok uit zijn kop gedronken, toen hij zei: 'Je hebt de kans niet gehad om mijn vraag te beantwoorden, Lizzie.'

Ze dacht bij zichzelf: O lieve help. Lieve help. Terwijl het heel eenvoudig had moeten zijn om 'Ja' te zeggen. Maar haar aarzeling deed hem zeggen: 'De vraag was: Ga jij met Geoff trouwen?'

Ze antwoordde: 'Ik... ik weet het niet. Ik denk van wel.'

Hij nam nog een hap van de scone, en toen hij die had doorgeslikt, zei hij: 'Ik denk dat dat heel verstandig zou zijn.'

'Ja,' stemde ze in. En ze liet er onmiddellijk op volgen: 'Ik moet ook aan het kind denken. Het... het zou hierdoor een naam krijgen.'

'Lizzie...' Hij had op het punt gestaan een slok te nemen, maar hij zette de kop nu met een klap op het schoteltje neer en zei: 'Dat mag niet de enige reden zijn om te trouwen. Dat... dat is niet meer van belang... ik bedoel wat die naam betreft. Laat dat alsjeblieft niet de reden zijn. Als... als je van hem houdt, dan wel. Ik begrijp dat Andrew nog steeds in je gedachten moet zijn, en je hebt nog alle tijd, maar... Lizzie, alsjeblieft... ik zeg dit als een vriend die... die jou heel hoog houdt, liefje, maar ga niet alleen maar trouwen om het kind een naam te geven. Kijk me aan.'

Ze keek hem aan, en hij zei: 'Beloof je me dat?'

Ze keek verbaasd op bij zijn volgende woorden, want hij zei bijna hetzelfde als Geoff: 'We zullen allebei moeten begrijpen, Lizzie, dat als jij gaat trouwen, sommige dingen anders zullen worden. De meeste mannen, vooral die met een karakter als dat van Geoff, zouden een vriendschap als de onze niet goedkeuren. Dat begrijp je zeker wel? Misschien heb je er zelf ook al over nagedacht. Ik weet wel zeker dat hij... erover heeft nagedacht.'

Ze zuchtte en wendde haar blik af.

'Word alsjeblieft niet boos. Ik probeer voor deze ene keer in m'n leven alleen maar verstandig te zijn. We kunnen onze dromen en fantasieën hebben, maar als het op leven aankomt, dan moeten ze naar de achtergrond worden gedrongen, en dan moeten de kille feiten onder ogen worden gezien. Lizzie... je huilt toch niet?' Hij boog zich naar haar toe. 'Lieve help, niet doen.' Hij stond op en kwam naast haar op de bank zitten, pakte haar hand en zei: 'Ik zou je voor geen goud overstuur willen maken, dat weet je wel, maar... maar het leek me beter... nou ja, als ik dit alles eerlijk en open besprak. Ga alsjeblieft niet huilen.'

Wat ze toen deed, was in een spontane opwelling. Ze legde haar hoofd op zijn schouder en hij sloeg zijn armen om haar heen. Ze stamelde: 'Richard... het spijt me. Het spijt me zo.'

Hij streelde haar zacht over haar haar en zei: 'Wat spijt je zo?'

Uitgerekend op dat moment ging de deur weer open en marcheerde Geoff de kamer in. Lizzie hief haar hoofd snel op van Richards schouder, en toen ze zich uit zijn armen wilde losmaken, bleef hij haar nog heel even vasthouden. Toen liet hij haar langzaam los, kwam overeind, keek in het misprijzende gezicht van de man die voor hem stond en zei kalm: 'Ze was verdrietig. Ze had het over Andrew gehad. Ze... ze moest natuurlijk huilen.'

Lizzie stond met gebogen hoofd eveneens op van de bank en mompelde: 'Eén momentje.' Haastig liep ze de kamer uit, zodat de twee mannen achterbleven en elkaar aanstaarden.

Geoff had de grootste moeite om iets te zeggen, en toen hij dit deed was zijn stem niet veel meer dan een gegrom. 'Ik ga met haar trouwen.'

'Ja, dat heb ik begrepen.'

'Wát zeg je?'

'Nou, net wat jij zei, dat je met haar gaat trouwen.'

'Hoe kom je daarbij?'

'Gewoon... gewoon eigen waarneming.'

De toon van die kerel beviel Geoff niets. Hij voelde zich weer helemaal de korporaal of de sergeant die tegenover een hogere officier stond, en die dachten altijd dat ze het beter wisten. Dat zij altijd gelijk hadden. Hij zag hoe hij zijn hand uitstak om kop en schotel te pakken en zijn thee op te drinken, waarna hij de kop weer kalm op de tafel zette voordat hij zei: 'Nou, ik kan maar beter gaan. De bussen rijden hier erg ongeregeld, weet je. Tot ziens.' Hierop stapte hij de kamer uit, met rechte rug en vaste tred, duidelijk nog steeds de militair.

Geoff knarste met zijn tanden. Hij had die kerel nooit gemogen. Zelfs nog voordat hij hem ooit had ontmoet, had hij hem al niet gemogen. Het horen van zijn naam maakte al dat hij zich verbeet: kapitein Richard Boneford. Hij had het idee dat als die kerel er niet zo monsterlijk had uitgezien, Lizzie misschien nog ideeën in zijn richting had gehad. Hij moest dit alles maar eens gaan regelen. Hij zou het haar na de kerstdagen voorleggen. Zodra het kind was geboren, of misschien nog voordat het kind was geboren, zouden ze gaan trouwen, zodat het zijn naam kon krijgen. Maar waarom tot na Kerstmis gewacht, eigenlijk? Tja, als hij er nu mee kwam, zou het waarschijnlijk een flop worden, want hij kon zien dat ze overstuur was. Nee, hij zou haar op oudejaarsavond vragen. Ja, dan konden ze de volgende dag een nieuw leven beginnen.

Hij zou zich later afvragen waarom hij dit alles zo had gepland, of waarom hij tot nieuwjaarsdag had gewacht...

2

Op de middag van de dag voor Kerstmis ging Geoff naar Durham. Het was overal druk, zelfs in de juwelierswinkel. Er scheen veel geld onder de mensen te zijn en het werd uitgegeven aan zaken waar ze vroeger wel twee keer over zouden hebben nagedacht. Maar op het gebied van cadeaus was er niet veel keus.

De winkelbediende zei: 'Maar welke maat ring wenst u, meneer?' Waarop hij zijn pink uitstak en zei: 'Haar ringvinger is ongeveer zo groot.'

'Vingers kunnen heel misleidend zijn, meneer. Maar de dame kan hem altijd ruilen of strakker of wijder laten maken.'

Dus kwam hij de winkel uit met een ring die hem vijfentwintig pond had gekost, en omdat er de eerste anderhalf uur geen bus zou gaan, besloot hij iets te gaan drinken.

Hij kwam niet vaak in bars of kroegen in de stad, dus had hij geen vaste plek en stapte de eerste de beste kroeg in die hij vond. Het was bijna zes uur en, wie weet, misschien was er een beetje whisky te krijgen. Hij had behoefte aan iets om warm te worden.

Na de grauwe, grijze straten leek het binnen stralend verlicht, en hij bleef even tegen de deur met het verduisteringsgordijn ervoor staan, met knipperende ogen in het felle licht. De andere kant van de ruimte was vol met mensen die aan de tapkast stonden, terwijl anderen aan lange tafels zaten. Voor hem was nog een toog. Ook hier stonden de mensen dicht opeengepakt, maar aan de zijkant was een korte gang die, kon hij zien, naar een bar leidde, en hij wilde er al naartoe stappen toen er een vrouw uit tevoorschijn kwam, vergezeld van twee militairen, beiden korporaal. Het was duidelijk dat ze hen probeerde af te poeieren, want toen de ene haar lachend bij de arm greep, rukte ze zich los. 'Ik had dat helemaal niet bedoeld. Je hebt je verkeerde ideeën in het hoofd gehaald,' riep ze. Die stem deed hem opschrikken. En toen keek ze hem recht aan. Maar pas toen ze binnen twee meter afstand van hem was, herkende ze hem en ze bleef even staan voordat ze haastig naar hem toe liep en luid uitriep: 'Ben je daar eindelijk! Wat ben je laat!'

De twee soldaten bleven staan en keken de officier aan. De ene grijnsde, stapte opzij en zei: 'Onze fout, juffrouw. Onze fout.' Maar de tweede, die leek te willen volhouden, bleef staan tot Geoff zei: 'Heb je nog meer uitleg nodig, korporaal?'

De klank van de stem en de houding van de officier hadden het gewenste effect op de korporaal, en hij mompelde iets, groette plichtmatig, en draaide zich toen om naar zijn kameraad bij de tapkast.

Geoff keek haar aan en vroeg sarcastisch: 'Wat zijn uw plannen verder, mevrouw Boneford?'

Ze hield haar hoofd gebogen en mompelde: 'Ik... ik wil hier weg.' Hierop deed hij de deur open en liet haar het donker in lopen, en na een korte aarzeling volgde hij haar.

Toen ze naast elkaar in het donker stonden, zei hij: 'Ik kreeg de indruk dat ze zich een beetje misleid voelden – in elk geval een van hen.'

'Hij was helemaal niet misleid.' Haar stem klonk verbeten. Ze had zich omgedraaid en liep de straat in, met hem naast zich, en ze ging verder: 'Ze zijn vreselijk vervelend. Al een hele tijd.'

Hij vroeg: 'Werk je hier?' Er klonk verbazing door in zijn stem.

'Wat is daar voor vreemds aan?'

'Nou, alleen maar dat ik me jou niet als serveerster in een bar kan voorstellen.'

'Ik werk niet in de bar. Erachter is een kantine van het leger.'

Ze liepen zwijgend verder, tot hij lachend zei: 'In elk geval hallo. Afgezien van die ene keer hebben we elkaar lang niet gezien.'

Ze gaf niet onmiddellijk antwoord, en toen ze dit deed zei ze vlak: 'Ik heb je een aantal keren in de stad gezien.'

Er volgde weer een stilte, waarna hij vroeg: 'Ga je met de bus of heb je een auto, of staat er misschien een paard op je te wachten?'

'Niets van dat alles, ik woon nu in de stad.'

Hij trok een verbaasd gezicht en zei: 'O ja? Moet je ver?'

'Nee, ik ben er al bijna.' De zwakke bundel van haar zaklantaarn, waarmee ze op het trottoir voor hen had geschenen, ging nu omhoog en hij kon zien dat ze langs een aantal deuren kwamen die in tweeën waren verdeeld en door een stuk muur en een raam van de volgende twee waren gescheiden.

Ze bedoelde vast niet dat ze hier woonde, dacht hij, want dit waren kleine rijtjeshuizen.

Toen ze abrupt bleef staan, moest hij een stap achteruit doen, en hij knipte zijn eigen lantaarn aan en richtte die op haar gezicht toen hij vroeg: 'Woon je hier?'

'Ja, ik woon hier.' Er klonk een ondertoon in haar stem van: 'Daar heb je vast weer commentaar op.'

Maar hij zei niets, en hij wist nog net een 'Alleen?' te bedwingen. In plaats daarvan zei hij: 'Ik wens je goede feestdagen.'

'Ik jou ook,' antwoordde ze. Toen maakte ze haar handtas open, rommelde erin en haalde er een sleutel uit tevoorschijn, en bijgeschenen door zijn zaklantaarn stak ze die in het slot. Ze wierp een blik over haar schouder naar hem en zei: 'Heb... heb je zin om even binnen te komen?'

Haar stem klonk praktisch, er school geen subtiele invitatie in, maar er volgde een lange stilte voor hij antwoordde: 'Nou ja, graag. Ik heb meer dan een uur voordat de bus gaat.

Ja, graag.'

Het was allemaal heel beleefd.

Eenmaal binnen was hij zich ervan bewust dat hij in het donker dicht bij haar stond, en ze zei tegen hem: 'Verroer je niet voor ik het licht aan heb gedaan, anders struikel je over de fiets.'

Het afgeschermde elektrische licht liet een smalle gang zien, die bijna volledig werd geblokkeerd door een fiets die tegen de muur stond, en toen hij haar volgde, zich langs de fiets drong, deed ze nog een lamp aan en zei: 'Kom binnen.' Ze ging hem voor naar iets dat duidelijk een zitkamer annex keuken was, en hij bleef even hulpeloos staan kijken terwijl ze zei: 'Ga zitten. Ik zal even de haard aansteken.'

Hij liep om de tafel heen, waaraan ze kennelijk haar maaltijden nuttigde, want er lag een wit kanten kleed op, en er stond een olie-en-azijnstelletje.

Toen de gashaard opvlamde, richtte ze zich op, zette haar hoed af en trok haar jas uit, en wierp ze op een stoel. Ze keek hem aan en zei: 'Doe je jas maar even uit. Anders heb je het straks koud buiten.'

Langzaam en enigszins moeizaam vanwege zijn arm, deed hij zijn overjas uit en gaf die aan haar, samen met zijn hoed.

Ze stonden elkaar aan te kijken, waarbij ze zich allebei wat opgelaten voelden, en ze zei met een hoge stem: 'Wil je misschien iets drinken?' Het was dezelfde stem waarmee ze vroeger had gelachen, maar op dit moment leek het het enige herkenbare aan haar te zijn, want in het licht van deze kamer, zonder haar breedgerande hoed en opgeslagen kraag, zag hij een oudere versie van het meisje dat hij zich zo lang had herinnerd nadat ze het land hadden verlaten, zelfs een andere versie van de vrouw die hem had opgezocht om hun over haar broer te vertellen. Ze was veel magerder. Dit bracht hem ertoe zich af te vragen hoe oud ze zou zijn, en hij besloot dat ze rond de zesentwintig moest zijn. Hij zei bij zichzelf dat hij wel vrouwen van zesendertig had gezien die jonger leken.

'Wil je iets drinken?' vroeg ze hem weer.

'Het hangt ervan af wat je aan te bieden hebt,' zei hij.

Ze liep naar een houten kast naast de haard. Toen ze die opendeed, zag hij daar drie flessen op de bovenste plank staan, twee met bier en een met wijn.

Ze keek hem aan en zei: 'Ik kan je bier of sherry aanbieden...' – ze maakte een gebaar met haar hoofd naar de andere kant van de kamer, waar nog een deur was – 'of thee.'

Hij wist hoe moeilijk het was om aan flesjes bier te komen, tenzij je ervoor in de rij wilde staan. Wat sherry betrof, dat was nooit zijn drank geweest. En dus zei hij, met iets van zijn houding van vroeger: 'Sinds ik bij het Leger des Heils zit, drink ik niets anders dan thee.'

Ze glimlachte niet maar wierp hem alleen maar een snelle blik toe. Daarna ging ze de kamer uit naar de keuken.

Hij stond om zich heen te kijken. Er stonden een met chintz beklede bank waarvan de binnenvering aan één kant duidelijk versleten was, en de twee fauteuils pasten niet bij elkaar. Er waren drie losse stoelen en een porseleinkast, waarvan hij zag dat er een blok hout onder lag, kennelijk omdat er een stuk van een poot was afgebroken. Hij kon zich niet voorstellen dat zij hier woonde. Hij moest erkennen dat het hier schoon en netjes was, maar hij had zo'n idee dat zelfs het personeel in haar ouderlijk huis hun neus voor deze meubels zou hebben opgehaald. En dan het huis zelf, of de flat, zoals dat tegenwoordig moest heten. Een arbeiderswoning. Hoe moest ze zich wel niet voelen om hier te wonen, terwijl ze zo luxueus was grootgebracht?

Ze riep vanuit de keuken: 'Gebruik je suiker in je thee?' Hij antwoordde: 'Nee, dank je.' Toen ze een paar minuten later de kamer binnenkwam met een klein dienblad met daarop twee kop en schotels, zei ze: 'Sta je daar nog steeds? Je hoeft niet extra te betalen voor een zitplaats.'

Hij wachtte tot ze het dienblad op de tafel had gezet en zelf op een stoel was gaan zitten. Toen volgde hij haar voorbeeld, pakte de kop en schotel die ze hem gaf aan, en zei: 'Bedankt.'

Er viel weer een stilte; ze keken elkaar aan en hij schudde zijn hoofd en beet op zijn onderlip. Toen keek hij haar met een zure glimlach aan en zei: 'Er is veel gebeurd. Vreemd, hè?' Ze beantwoordde zijn blik, pakte een lepel van het schoteltje, roerde even in haar thee en zei: 'Ik vind niets vreemd meer. Ik denk dat niemand in deze oorlog nog dingen vreemd vindt. Wie zou bijvoorbeeld hebben gedacht dat Janis Bradford-Brown of mevrouw Boneford niet twee brutale korporaals kon afpoeieren? Maar' – ze glimlachte even – 'ik moet toegeven dat ik zenuwachtig begon te worden. Weet je, het was deze week al de derde keer. Ik denk dat ik één alleen nog de baas had kunnen zijn, maar geen twee tegelijk.' De glimlach verdween weer van haar gezicht, alsof hij er nooit was geweest, en hij zag hoe ze zich verbeet toen ze verderging: 'Iedereen is tegenwoordig zo ruimhartig van opvatting, behalve waar het een gescheiden vrouw betreft kennelijk. Ach,' – ze gebaarde met haar hand – 'ik wil niet zeuren, of in elk geval niet over Richard. Ik bedoel, dat hij niet bereid was als heer de schuld op zich te nemen. Maar het is gewoon irritant zoals sommige lieden zich ideeën over gescheiden vrouwen in het hoofd halen. Je kunt getrouwd zijn en van alles uitspoken, maar als je het diplomatiek aanpakt, zullen de deuren nog steeds wijdopen voor je gaan. Maar als je onvoorzichtig bent en je wordt gesnapt, dan moge God je bijstaan.'

Hij zei niets, maar bleef haar aankijken en dacht: dat heeft haar zo oud gemaakt, die verbittering, die zit heel diep bij haar.

'Maar zo is het wel genoeg over mij, hoe is het met jou? Gaat alles goed? Je had toch problemen met een been en een arm, is het niet?'

'Nou, zoals je ziet gaat het prima met mij, beide ledematen doen het goed, dank je wel. Ik heb altijd geluk gehad.'

'Ja.' Haar stem werd zacht. 'Dat geloof ik direct. Je... je was vastbesloten promotie te maken, hè? Lieve help, ik heb het echt mis gehad; al die tijd geleden. Ik kon jou nooit als officier zien.'

Er lag iets grimmigs in zijn stem toen hij antwoordde: 'Dat was dan jouw gebrek aan inzicht.' Terwijl hij dit zei, kwam er een ander woord in zijn gedachten: 'onontwikkeld'.

'Ik hoor... dat je gaat trouwen.'

'Wat!' Hij kneep zijn ogen halfdicht. 'Waar heb je dat gehoord?'

'O, zoiets komt gewoon verder. Misschien heb ik het wel van jullie evacuée. Ik... ik weet het niet. Ik heb het gewoon gehoord. Ik denk van Florrie Rice, die nog steeds in de keuken van het huis werkt.'

'Nou, dan heb je het helaas verkeerd gehoord. Ik bedoel...' Hij zweeg.

'Wat bedoel je? Je gaat trouwen of je gaat niet trouwen. Dat weet je zelf toch zeker wel?'

'Ik heb nooit zoiets gezegd, en Lizzie ook niet.'

'Maar... maar je gáát toch zeker met haar trouwen?' De woorden kwamen er heel langzaam uit, en hij gaf een hele minuut geen antwoord. Tenslotte zei hij: 'Dat was wel het plan. Ze verwacht een kind, weet je.'

'Ja, dat weet ik.'

'En jij zult daar de tante van zijn, en je ouders de grootouders. Denken ze daar wel eens aan?'

'Ach.' Ze knikte even en roerde toen weer in het restje thee in haar kop en zei: 'Ik heb weinig zin om je dat te vertellen.'

'Ik kan niet zeggen dat ze zich veel aan Andrew gelegen hebben laten liggen, ze hebben hem er tenslotte uitgegooid, nietwaar?'

'Ja, dat wel. Maar slechts tot op zekere hoogte. Ze dachten dat hij daardoor wel bij zijn positieven zou komen, maar toen hij werd gedood... dat heeft hen helemaal kapot gemaakt. Ze hadden voor die tijd al hun problemen met mij gehad, maar Andrews dood heeft hun de genadeslag gegeven. Dat was het enige waarom ik me geroepen voelde in de weekends naar huis te gaan.'

'Had jij ook met hen gebroken?'

'Ja. Andrews dood bracht hun medeleven van veel mensen, ook al wisten ze van de breuk. Maar mijn gedragingen... o, lieve help!' Ze glimlachte, en haar gezicht werd droevig toen ze verderging: 'Ik hoef je niet te vertellen, Geoff, dat ik niet geschikt ben als martelares. Als Richard iets anders was overkomen, dan... dan had ik het kunnen verdragen. Als hij beide armen of benen had verloren, of de rest van zijn leven plat op zijn rug had moeten liggen, dan... dan had ik het kunnen verdragen, ja.' Ze knikte even. 'Maar zoals het nu is gelopen, met zijn gezicht' – ze haalde diep adem – 'ik heb het geprobeerd, ik heb het eerlijk geprobeerd, maar ik kon mezelf er zelfs niet toe brengen hem aan te kijken. Het was vreselijk voor hem, want ik besefte dat hij inwendig nog steeds dezelfde was, maar... tja, ik denk dat 't bij mij allemaal niet zo diep gaat. Hoe dan ook, ze hebben me de deur gewezen. Maar nu schijnen ze weer blij te zijn me in hun midden terug te hebben. Ze willen zelfs dat ik voorgoed thuiskom. Maar nee, als je eenmaal de vrijheid hebt geproefd, is de aanblik van de omheining al meer dan genoeg. In de weekends ga ik echter wel naar hen toe.'

Ze keek op haar polshorloge en zei: 'En dat brengt me in herinnering dat vader me om acht uur komt ophalen. Ik breng de feestdagen bij hen door, hoewel ik weet dat er weinig feestelijks aan zal zijn. Ik werk nog liever in de kantine, hoewel ik het daar af en toe ook niet uit kan houden.'

'Ik dacht dat je in dienst wilde?'

'Wilde ik ook. Maar mijn ogen schijnen niet goed genoeg te zijn.' Ze drukte haar vingers tegen haar slapen. 'Ik zou eigenlijk de hele tijd een bril moeten dragen, maar daar heb ik zo'n hekel aan. Ik draag 'm alleen bij het lezen... Wil je nog een kop thee?'

'Ja, graag.' Hij wilde haar zijn kop aangeven toen het rinkelen van de voordeurbel hen beiden deed verstarren. Ze keek opnieuw op haar horloge en mompelde zenuwachtig: 'Dat... dat zal vader zijn.'

Hij ging staan en zei: 'Maar het is nog niet eens half acht.

Kan het geen vriend zijn?'

'Nee. Ik... ik heb weinig vrienden, en de vrienden die ik heb, zou ik niet hier ontvangen.'

'O.' Hij trok zijn wenkbrauwen op, en ze begon zenuwachtig te brabbelen: 'Je... je begrijpt best wat ik bedoel.' En toen: 'Geoff, hoor eens,' – het was de tweede keer dat ze zijn naam uitsprak – 'zou je er bezwaar tegen hebben om via de achterdeur te gaan?'

'Waarom?'

'Nou ja!' Ze maakte een ongeduldig gebaar. 'Dat hoef je toch zeker niet te vragen. Maar als je een uitleg wilt: jouw naam... en die van... jullie huis, alles maakt hem woedend. Als hij je vader niet zo hard nodig had gehad, had hij hem er allang uitgezet. Maar hij heeft bijna niemand meer over. Toe, alsjeblieft!'

De bel bleef hardnekkig rinkelen, en ze stak haar hand naar hem uit, trok hem de keuken in en zei: 'De deur van de tuin komt uit in het steegje.'

'Nou, ik hoop dat ik dan nog wel mijn spullen aan mag trekken.'

Ze holde weg, pakte zijn jas en hoed en stopte hem die in de handen terwijl ze hem naar de achterdeur duwde en zei: 'Een andere keer, Geoff. Een andere keer. Alsjeblieft.'

Hij stond buiten in het donker zijn jas aan te trekken toen hij hun stemmen hoorde, en hij hoorde haar zeggen: 'Ik was even naar de wc, ik had echt niet vlugger kunnen komen.'

Hij richtte zijn zaklantaarn op zijn voeten en baande zich een weg naar de deur. Die was afgesloten met een grendel, en heel voorzichtig, alsof hij op oefening was, schoof hij hem opzij voor hij het steegje in stapte.

Pas toen hij weer in de straat stond en naar het centrum van de stad liep, merkte hij dat het grinnikende geluid dat hij maakte in hysterisch gelach overging. Er waren in het ziekenhuis kerels geweest die midden in de nacht net zo waren begonnen: gewoon met zachtjes grinniken, en dat was dan overgegaan in gegil. Vooral bij die zonder benen, die hadden altijd gegild dat ze naar buiten zouden lopen.

Nou, hij moest er maar gauw mee ophouden, nu hij weer veilig buiten was, want hij had de aantrekkingskracht gevoeld die hem had kunnen doen omkeren en weer naar binnen doen gaan. Nee! Hij wilde niet meer terug naar die tijd dat iedere minuut van zijn leven van haar vervuld was geweest. Nee, dat mocht niet weer gebeuren, niet met hem. Bovendien was ze een heel ander iemand dan dat meisje van toen, ze was nu een vrouw, en ze was er uiterlijk niet mooier op geworden. En wat erger was: ze had andere kerels gehad. Het meisje dat hij zich herinnerde was van hem geweest, en van hem alleen. Ze was maagd geweest toen hij haar voor het eerst had genomen; net als hij, trouwens. Ze waren allebei jong en ontroerend onschuldig geweest.

Hij bleef op de brug staan en keek omlaag naar het loodgrijze water dat hier en daar een ster weerkaatste, en hij vroeg zich af waarom er nooit iets van was gekomen, want ze waren niet verstandig geweest. Verstandig? Hemel, nee! Ze hadden niets van voorbehoedsmiddelen geweten. En betekende dit dan dat een van beiden niet in staat was kinderen te krijgen?

Die gedachte voerde hem naar Lizzie, en zijn hand ging naar zijn zak en naar het doosje van de juwelier. Wat moest hij daar nu mee beginnen? Wat? De vraag galmde luid door zijn hoofd. Nou ja, er was toch zeker niets veranderd?

Wat stom om zoiets te zeggen... er was niets veranderd. Ze leek jaren ouder, alsof ze veel had meegemaakt. Dat leek hem wel waarschijnlijk... en met meer dan één. Maar ze bezat nog steeds dezelfde lichamelijke aantrekkingskracht als toen ze een meisje en een jonge vrouw was geweest.

Hij liep verder, baande zich een weg door de mensenmenigte en het gezigzag van zaklantaarns op het trottoir. Pas enige tijd later, toen hij in de bus zat, vroeg hij zich af wat hij nu moest doen. En het antwoord dat hij zichzelf gaf, was dat hij gewoon even moest afwachten. Hij had zich immers nog in geen enkel opzicht aan Lizzie gebonden, nietwaar?

Of wel? Als hij het niet met zoveel woorden had gezegd,

dan had hij het toch minstens in zijn daden laten blijken. Nou ja, niet echt. Hij had zich gedragen als een broer, en nu ze op haar laatste benen liep, had ze iemand nodig die vriendelijk tegen haar deed, net als een broer. Hij was tot niets verplicht. En het was allemaal nog toekomstmuziek. Hij zou gewoon even afwachten om te zien uit welke hoek de wind waaide. Ja, dat leek hem het beste, gewoon even afwachten. Want dit waren momenten waarop je niet zomaar op je gevoelens kon vertrouwen.

Allemachtig! Wat bezielde hem toch? Was hij nou gek om zelfs maar te denken dat hij de laatste zes jaar kon uitwissen om gewoon verder te gaan waar ze waren gebleven? En wat hij zichzelf ook mocht wijsmaken, hij had Lizzie nog steeds, en hij mocht haar graag, hij vond haar meer dan aardig. En op die kleine misser na, was ze schoon en rein. Ja, zij was rein, terwijl...

3

Het was begin januari. De feestdagen waren rustig verlopen en alleen Meg scheen enige verandering bij Geoff te bespeuren. Ze merkte tegen Lizzie op: 'Hebben jullie ruzie gehad of zo?'

'Ruzie? Geoff en ik? Nee. Hoe dat zo?'

'Omdat hij opeens zo stil is. Nou ja, niet echt stil, maar hij is niet zo snel met zijn commentaar, net of hij er niet zo bij is met zijn gedachten. Hij maakt geen geintjes meer.'

'Maar Meg, had jij dan gedacht dat hij nog grapjes zou maken? Bedenk eens hoe pap deze dagen is geweest.'

'Nou, ik had juist gedacht dat als John sip was, Geoff zich extra in zou spannen om het toch gezellig te houden, zoals hij dat tot nu toe altijd heeft gedaan. Maar hoe is het met jou, meisje?'

'Tja, zoals ik me nu voel, zou de baby elk moment mogen komen. Nee, nee,' – ze glimlachte en klopte Meg op de arm – 'het is alleen maar dat ik het gevoel heb dat ik elk moment uit elkaar kan barsten.'

'Hoeveel pillen heb je nog over?' Meg liep naar het bijzettafeltje en maakte een doosje open. 'Nog maar vier,' zei ze. 'Nou, ik zal Geoff wel vragen of hij vanmiddag met het recept naar de apotheek wil gaan. Het mag drie keer herhaald worden, en dit is pas de tweede keer.'

'Ik hoop dat ik niet alles nodig zal hebben.'

'Dat hoop ik ook.'

'Als je besluit hem of haar eruit te laten, zoek dan een beetje een aardige dag uit, wil je? Want met die wind en deze buien begint 't me allemaal een beetje te gortig te worden. Ik was vanmorgen binnen de kortste keren doorweekt!'

'Dat komt ervan als je eropuit gaat in zulk beestenweer,' zei Lizzie lachend.

'Nou, het was in elk geval goed weer voor de eenden, want ze spartelden daar met zijn allen in het rond alsof ze nog nooit water hadden gezien. En heb ik je al verteld dat ik zes eieren heb geraapt?'

'Als mevrouw Hobson dat eens wist.'

'Ik zie, ik zie wat zij niet ziet,' lachte Meg. 'Ze zou wóést zijn als ze 't wist.'

Lizzie leunde weer achterover in de grote stoel naast de haard, en ze begon na te denken over wat Meg had gezegd over de verandering in Geoff. Ze was niet oprecht geweest in haar antwoord, hij was inderdaad veranderd, maar ze had geen idee wat dat verschil precies was, behalve dat hij wat stiller deed, niet zo vrolijk en geestig was, maar hij was nog wel steeds heel vriendelijk en bezorgd... of was hij nog wel zo vriendelijk en bezorgd?

Tot nu toe was zijn begroeting 's ochtends altijd heel jolig geweest, in de trant van: 'En, hoe maakt de kostganger het?' of: 'Hoe staat het met het compagnonschap?' Maar de laatste morgens, eigenlijk de hele afgelopen week, had hij wat rustiger gevraagd: 'Hoe voel je je, Lizzie? Heb je vannacht goed geslapen?' De gebruikelijke vragen die een vriendelijke broer aan een zwangere zuster zou stellen, maar er klonk niets hartelijks of oprecht bezorgds in door, zoals je zou verwachten van... Dit bracht haar in een andere richting, de richting van Richard. Hij had de afgelopen week twee keer gebeld. Dat moest het zijn. Want toen zij met hem had gesproken, had Geoff er niets van gezegd, hoewel hij beide keren door de hal was gekomen terwijl ze aan de telefoon was.

Richards reden voor dat opbellen, zei hij, was dat zijn moeder zich ongerust had gemaakt over hoe alles met haar was. Het had haar altijd een warm gevoel gegeven, zo bezorgd als zijn familie en hij voor haar waren. Er waren nog echt goede mensen op deze wereld. Ze had in zekere zin erg geboft. Eerst had Geoff haar hier in huis gehaald, en Bertha en John waren heel vriendelijk voor haar geweest in al die jaren. Maar sinds het overlijden van Bertha was Johns houding tegenover haar duidelijk veranderd, en dit stemde haar droevig. En dan had je Meg. Meg was als een ster aan een grauwe hemel. Ze kon zeggen dat ze werd omringd door goedheid, dus waarom voelde ze zich niet blij en vredig over de komende gebeurtenissen? Maar moest ze die vraag nog stellen? Er was geen Andrew om die blijdschap met haar te delen, en haar kind zou nooit de vader zien.

Geoff kwam de kamer binnen. Hij bleef op enige afstand van haar staan en knoopte zijn jas dicht. Hij zei: 'Is er verder nog iets dat ik voor je moet meebrengen, afgezien van die pillen?'

'Jawel, een paar pond bacon, alsjeblieft, en graag een beetje vet.'

Hij glimlachte. 'Dat zal ik zeggen.' Hij voegde eraan toe: 'Ik heb nog wat bonnen voor snoep. Wat wil je daarvoor hebben?'

'Er zal wel geen chocola meer zijn. Maar ik zou dolgraag wat chocola willen hebben.'

'Ik zal op jacht gaan.'

'Je wordt vast erg nat.' Ze keek naar het raam.

'O, het zijn maar buien. Maar ik heb de bus gemist, dus ik zal naar de hoek moeten lopen. Ik heb trouwens wel zin in een beetje frisse lucht, of het nou regent of sneeuwt. Is alles verder goed met je?'

'Ja hoor. Prima.'

'Mooi zo. Tot straks dan.'

'Tot straks.'

Er was echt iets veranderd. Ze keek naar de dichte deur. Zou zijn vader bezwaar hebben tegen hun verbintenis? Misschien. Maar wat het ook mocht zijn, het scheen hem zorgen te baren. Als hij in deze houding volhardde, zou ze het gewoon met hem moeten bespreken. Ze vond dat je zulke dingen openlijk naar voren moest brengen.

Toen Geoff de heuvel opliep, had hij moeite met lopen, want de wind blies hem met volle kracht tegemoet en zijn heup deed wat pijn. Eenmaal boven leunde hij tegen de lage borstwering van de brug en probeerde op adem te komen, terwijl hij bedacht dat als de bus op tijd was, hij haar waarschijnlijk na haar middagdienst kon ophalen.

Sinds de avond dat hij haastig haar achterdeur was uitgevlucht, had hij haar vier keer ontmoet, maar het was altijd over de tapkast geweest, en zo hadden ze boven talloze koppen thee gepraat, heel alledaagse, gewone gesprekken. Ze hadden het zelfs over het verloop van de oorlog gehad: er begon schot in te komen; het tweede front zou binnenkort een feit zijn. Dan was er dat meningsverschil tussen de Amerikaanse legerleiding en 'Bomber' Harris, over de rol die de RAF-bommenwerpers dienden te spelen. De RAF bombardeerde nog steeds Berlijn, en ze deden dit al vanaf november vorig jaar, maar – zeiden sommigen – met weinig ander effect dan dat op het moreel van de burgerbevolking, want de Duitsers leken over een verbijsterende hoeveelheid munitie te beschikken om mee terug te schieten.

Soms voegden andere mannen en vrouwen zich bij het gesprek, waarbij ieder van hen zijn eigen salontheorie over de te volgen oorlogsstrategie liet horen, zelfs tot aan opmerkingen als: wie denken de Amerikanen trouwens wel dat ze zijn? Wanneer dit voorbij is, zullen ze vast weer doen alsof zij het allemaal alleen hebben opgeknapt. Stelletje verwaande kerels.

'Nou, we hadden er zonder die verwaande kerels anders wel knap beroerd voor gestaan,' zei een andere groep.

En zo was het iedere keer gegaan, die vier keer dat hij quasi-nonchalant de kantine was binnengegaan om een kop thee te drinken. Maar hij wist en zij wist dat dit niet veel langer zo door kon gaan. Zijn doel van vandaag was haar naar huis te brengen en daar met haar te praten.

En wat dan? Hoe moest het dan met Lizzie? O god, Lizzie. Waarom had hij het bij haar zo ver laten komen? Hij had nooit echt om Lizzie gegeven, niet op die manier althans. Er was een bepaald verlangen bij hem geweest, en zij was er geweest om daarin te voorzien, en hij had de pappie gespeeld, en nu zou hij het een en ander uit te leggen hebben. Maar eerst moest hij met Janis spreken. Vreemd, maar zelfs het uitspreken van haar naam bezorgde hem een huivering.

Hij was bezig omlaag te lopen toen hij werd overvallen door een plotselinge bui. Het ene moment was er niets, het volgende werd zijn gezicht gebombardeerd door ijsdeeltjes. Hij draaide zijn hoofd opzij en liep kreupel verder. En op dat moment zag hij een vrouw die een fiets voortduwde over de oever van de rivier, naar de beschutting van het bos, waar dit de steile oever bedekte en een poort naar de schuur vormde...

Hij slingerde zijn goede been over de haag en hield zich met zijn zwakke linkerhand aan de takken vast terwijl hij met zijn rechterhand zijn linkerbeen eroverheen tilde. Al die tijd riep hij: 'Wacht even! Wacht even!' Maar de gestalte beneden liep met gebogen hoofd verder naar de beschutting van het bos.

Hij glibberde zijdelings de helling af terwijl hij haar naam riep, en hij liep nu ook, nog steeds roepend, de beschutting van het bos in. Hier bleef hij staan in de betrekkelijke stilte, want de regen sijpelde alleen maar hier en daar tussen de takken door.

'Janis! Janis!' Hij kon door de schemering slechts de vage contouren zien van de gestalte die stond te wachten, en hij liep er haastig naartoe. Toen hij bij haar was, zei hij hijgend: 'Wat doe jij hier in 's hemelsnaam met een fiets?'

Ze veegde de regen uit haar gezicht en antwoordde: 'Ik ben met de fiets omdat ik nu eenmaal geen paard meer heb.'

'Maar waarom? Ik bedoel om deze tijd...?'

'Wanneer ik je vertel dat ik je vader zoek, zul je me waarschijnlijk niet geloven.'

'Mijn vader? Is hij niet op de binnenplaats?'

'Nee, anders was ik hier niet geweest. Brewster is met zijn

vetlok in het prikkeldraad blijven hangen, en vader is door het dolle heen. Ik heb de dierenarts gebeld, maar die was weggeroepen, en Rice heeft zijn vrije middag, en je vader was nergens te vinden.'

'Hij is ongeveer een uur geleden van huis gegaan, dus ik denk dat hij aan de andere kant van het terrein is. Er werd wat gevogelte vermist, dacht ik?'

'O,' – ze gebaarde met haar hoofd – 'hou op over gevogelte. Vader heeft het over niets anders dan over die Honeysett.'

'Uit wat ik van mijn vader heb gehoord, heb ik de indruk dat het Ted niet is geweest. Dit is echt beroepswerk. Ted pakt 't voorzichtiger aan, die is niet zo inhalig. Maar ze moeten gisteren een flinke zak vol hebben gehad, want ze hebben er twee bij de westelijke poort laten vallen.'

Ze liepen samen verder, het ene moment dicht bij elkaar, het volgende van elkaar gescheiden door boomwortels die over het pad lagen. En toen waren ze weer het bos uit en stonden voor de vervallen schuur die zoveel jaren geleden de plaats van hun rendez-vous was geweest.

Hij draaide zich om, keek haar aan en zei op gedempte toon: 'Je bent heel erg nat. Waarom heb je geen regenjas aan?'

Haar stem klonk zacht toen ze zei: 'Daar had ik geen tijd voor.'

'Nou, we kunnen maar beter even schuilen tot dit ophoudt.'

Ze liepen langzaam naar de schuur toe. De deur stond halfopen en bungelde aan één scharnier, en het gras en onkruid van buiten hadden zich over de bodem verspreid. Hij zette zijn rechterschouder tegen de deur om hem wijdopen te duwen, zodat zij er met haar fiets door kon.

Binnen leek het nog kouder dan buiten, en er hing een klamme geur van rottende planten. Het dak was aan één kant ingestort en de klimop groeide rond de onderdelen van wagentjes die nog steeds aan de stenen muur hingen.

Toen ze huiverde, keek hij haar in de schemering aan. 'Heb je het koud?'

'Nee, nee. Het... het is alleen...' Ze keek om zich heen. 'Dit bouwsel heeft de jaren niet erg goed doorstaan, hè?'

'Nee, dat niet.'

'Net als ik.' Ze staarde hem aan, en hij keek haar aan en vroeg: 'Wat bedoel je daarmee?'

'Net wat ik zeg. Het... het is nog maar een paar jaar geleden, zes om precies te zijn, dat ik me jong voelde, met een lichaam dat opwinding en avontuur beloofde. Ik .. ik had dat laatste bij jou geproefd. Toen kwam Richard, en daarna kwam de oorlog, en toen...' Ze deed haar mond wijdopen, alsof ze naar lucht moest happen, en ze sloeg haar armen om zichzelf heen alsof ze beschutting zocht.

Hij bedwong zijn verlangen om zijn armen om haar heen te slaan, en hij zei: 'Nou, het zag er allemaal zo mooi voor je uit. Wat is er misgegaan, afgezien van... het ongeluk van je man?'

Ze keek hem aan en er lag een cynische glimlach op haar gezicht toen ze zei: 'Vind je dat geen gekke vraag, mij kennende? Je hebt vanaf het begin begrepen dat ik niet het soort was dat braaf in een hoekje bleef zitten. Ik wilde alles geproefd hebben. Maar omdat ik ook een echte dochter van mijn moeder ben, wilde ik niet het stigma dat bij een scheiding hoort, ik wilde kunnen schuilen onder de respectabele dekmantel van mevrouw Richard Boneford en dochter van, niet zozeer Ernest Bradford-Brown, maar wel van mevrouw Alicia Silton-Weir-Conway, wier oom admiraal is en die een bisschop en zeven generaals heeft op wie ze een beroep kan doen, en op wie ze ook inderdaad een beroep heeft gedaan om mijn huwelijk met Richard bij te wonen. En ik moest de zaken natuurlijk nog erger maken door het aan te leggen met Richards beste vriend. Hij was zelfs getuige geweest bij ons huwelijk. Er werd niet naar gekeken dat zijn vrouw en hij al in geen vier jaar meer samenwoonden, behalve wanneer ze naar jachtpartijen, bals of trouwerijen gingen. Als ik ooit nog lessen in het hoereren nodig had gehad, dan was zij wel degene geweest die…'

'Hou je mond!' siste hij met opeengeklemde kaken. 'Wat probeer je hiermee te bereiken? Wil je een beroep doen op mijn medelijden en begrip? Waar zie je me voor aan? Als je je hart wilt uitstorten, dan is er een rooms-katholieke kerk in de stad, daar horen ze de biecht.'

Hij keek naar haar gezicht, met de knipperende ogen, de trillende lippen, het magere lichaam dat zich onder haar jas leek te spannen. Toen draaide ze zich met een ruk om en wilde het stuur van haar fiets grijpen, maar voor ze dat vasthad, sloeg hij zijn armen om haar heen, waarbij de linker slechts om haar middel bleef rusten maar de rechter haar als in een bankschroef tegen zich aandrukte. Toen zijn mond zich op de hare stortte, was het met een woestheid die haar bijna uit haar evenwicht bracht. Heel even beantwoordde ze zijn omarming; toen werd haar lichaam slap, haalde ze haar mond weg en liet haar hoofd op zijn schouder vallen.

Een brede, zwarte balk in de muur ondersteunde de resterende dakspanten, en alsof hij zelf steun zocht, trok hij haar de paar stappen ernaartoe mee en toen leunden ze er allebei tegenaan. Naast hen viel de regen door een gat in het dak. Buiten suisde de wind door de bomen en door het gras, tot een achtergrondgemurmel.

'Het moest ervan komen, hè?' zei hij met een dikke stem.

'Je denkt er niet meer net zo over?'

'Nee, dat niet. Ik denk er nu anders over, maar… maar wel in dezelfde richting.'

'Geoff, je bent een dwaas… echt. Ik… ik kan mezelf niet veranderen.'

'Wat bedoel je daarmee? Wil je 't nog steeds met anderen houden?'

Ze wilde zich van hem losmaken, maar hij hield haar in zijn armen gevangen, en haar stem klonk verontwaardigd toen ze zei: 'Ik… ik houd het niet met mannen. Ik bedoel…'

'Je bedoelt dat er op dit moment niemand aan jouw horizon is, maar dat dat in de toekomst wel weer zo zou kunnen zijn? Probeer je dat te zeggen?'

'Nee, nee. Maar er is één ding dat ik wel weet: jíj bent niet veranderd. Jij bent nog steeds...' ze probeerde opnieuw zich te bevrijden en zei toen: 'om razend van te worden.'

'Zeg nou maar wat je op je hart hebt; vooruit met de geit.'

'Hoor eens, Geoff. Ik had net zoveel mannen kunnen hebben als dagen in het jaar, en in één nacht net zoveel als de dagen van de week, met al die korporaals. Maar er is niemand geweest. Niemand sinds die... sinds die scheiding.' Haar toon veranderde, en werd weer even hooghartig als vroeger toen ze zei: 'Misschien komt het doordat ik kieskeurig ben. Als ik niets van mijn eigen stand kan vinden, wil ik me niet verlagen.'

Hij duwde haar zo woest bij zich vandaan dat ze bijna achterover viel. Toen zei hij met luide stem: 'Dat is precies het punt waar we al die jaren geleden waren gebleven. Weet je nog? Op exact deze zelfde plek zei jij dat ik lomp en onbehouwen was, en nu ga je me vertellen dat je je zou kunnen inlaten met mensen die jij je gunsten waardig acht, maar dat ze natuurlijk wel het officierstype moeten zijn, het echte type, niet iemand als ik, die van niks is opgeklommen. Allemachtig...!'

'Wil je onmiddellijk ophouden! Nu is het mijn beurt om ophouden te zeggen, want jij bent op jouw manier een nog grotere snob dan ik ooit ben geweest. Neem nou laatst, met die twee lastige en opdringerige korporaals. Goed, misschien waren het op hun manier heel geschikte lieden, maar ze schenen te denken dat de oorlog maakt dat ze alles mogen, vooral wanneer bekend wordt dat je een gescheiden vrouw bent en dat je je hebt laten scheiden van een kerel die verminkt is. Zelfs het ergste schorem schijnt dan te denken dat je vogelvrij bent. Wat de vrouwen betreft, of in elk geval sommige, die zijn al even erg als de mannen, maar op een andere manier. Dus ja, ik meende het wat ik heb gezegd. Ik neem er niets van terug. Ik ben niet zomaar een vrouw voor de nacht, niet voor jou en niet voor een ander.'

Ze wilde opnieuw naar de fiets lopen, en hij greep haar opnieuw vast; hij glimlachte toen hij zei: 'We zijn wel een stel bij elkaar, hè? Dat zijn we al vanaf het eerste begin geweest, toen we elkaar het ene moment naar de keel vlogen en het andere elkaar zo ongeveer opvraten.' Toen hij haar weer in zijn handen voelde huiveren, zei hij: 'Dat is toch zo? Ik moet je iets zeggen. Het is gek dat we elkaar nu, hier, op deze plek ontmoeten, want ik was op weg om je op te wachten en met je naar huis te lopen, om jou daar te vertellen wat me bezighield. Het had heel anders moeten zijn dan dit, heel beleefd en kalm. Ik was van plan geweest je uit te leggen dat ik inderdaad heb overwogen met Lizzie te trouwen, maar dat ik nu weet dat ik dat niet zou kunnen. Ik heb dat beseft vanaf het moment dat ik jou op de dag voor Kerstmis tegen het lijf was gelopen. We... we zouden er samen iets van kunnen maken, jij en ik. We zijn allebei hetzelfde, weet je, diep in ons hart.'

'O Geoff! Nee, nee, vat het alsjeblieft niet zo op. Maar nu we toch bezig zijn met de waarheid te spreken, dan kan ik je vertellen dat mijn gedachten ook naar zeven... of nee, acht jaar teruggingen. Ik voelde ook jouw aantrekkingskracht weer, maar... maar eigenlijk... is er niets veranderd... niets. Laten we praktisch blijven. Jij hebt geen baan en je leeft van je pensioen. Ja, je hebt een huis, maar het is ook het huis van je vader, en... en van dat meisje.' Het leek wel of ze zich er niet toe kon brengen Lizzies naam uit te spreken, maar ze ging verder: 'En dan is er een kind op komst. Jij hebt je verantwoordelijkheden. Wat mij betreft, tja, ik ben voor het grootste deel nog steeds afhankelijk van vaders goedgeefsheid, en daarvan kan ik mijn huis huren en in mijn levensbehoeften voorzien. Daarnaast heb ik het kleine beetje dat ik verdien. Dus zo zit het. En Geoff, laten we het daar voorlopig maar bij laten. Wel alleen dit: ik ben blij dat jij weer in mijn leven bent gekomen...'

Hij wilde juist zijn lippen weer op de hare leggen toen hij verstrakte bij het geluid van een claxon. De weg was maar tien meter verderop, maar de schuur werd door struikgewas aan het oog onttrokken.

Ze draaide haar hoofd om en bleef luisteren, en toen er vier keer langdurig op de claxon werd gedrukt, maakte ze zich uit zijn armen los en zei: 'Dat is vader. Dat is hct signaal dat hij altijd gebruikt als ik ergens op het terrein ben en hij me nodig heeft... dat was het vroeger tenminste. Maar hij is het wel, hij is zeker op weg naar de stad. Ik moet echt gaan.' Toen ze het stuur van haar fiets vastpakte, greep hij haar bij de arm en zei: 'Ben je dan zó bang voor hem?'

Ze keerde hem haar gezicht, dat vlak bij het zijne was, toe en zei zacht: 'Nee, ik ben eigenlijk niet in de gewone betekenis bang voor hem, maar ik ben bang dat hij mij hier met jou zal vinden. Afgezien van het gevoel dat hij zijn verdriet over Andrew op iemand zou willen botvieren, heeft hij toch al niets met jou op. Ik zie je nog wel.'

Toen ze naar de deur liep, trok hij aan haar arm en zei: 'Wanneer?'

'Ik heb morgen dienst tot twee uur.' Ze stak haar hand smekend naar hem uit en zei: 'Kom alsjeblieft niet naar buiten, voor het geval hij over de rand zou kijken. Alsjeblieft!'

'Godallemachtig!'

'Alsjeblieft, Geoff!'

'Goed, vooruit dan maar.'

Hij zag hoe ze haar fiets naar de weg duwde die hij zelf zou hebben genomen als hij naar huis terug had willen gaan.

De regen viel nog steeds gestaag neer, en toen hij haar in het gordijn zag verdwijnen, hoorde hij een stem roepen: 'Ik heb hem. Waar bleef je zo lang?'

Haar stem klonk als vanuit het eind van een tunnel toen ze terugriep: 'Ik heb het hele terrein afgezocht. Hoe is het met Brewster?'

'Hoe denk je dat het is? Ik moet naar Newcastle en dan weer terug om Fulton een handje te helpen tot de veearts komt. Blijf jij bij je moeder tot ik vanavond terugkom.'

Haar stem klonk als een vage echo: 'Ik moet nog weg en...'

Hij hoorde haar vader nog net schreeuwen: 'Jij blijft hier!' En toen het geluid van een auto die werd gestart.

Buiten het gekletter van de regen heerste er stilte, en hij liep de schuur weer in en leunde tegen de balk. Hij deed zijn ogen stijf dicht en beet op zijn lip. Waarom had hij in godsnaam gedaan wat ze zei? Waarom was hij niet naar buiten gelopen om die stinkende schreeuwlelijk te vertellen wat hij van hem vond, en hem te vragen wie hij wel dacht dat hij was?

Was dit een nieuw begin? Was dit hoe het verder zou gaan? Zou hij haar weer stiekem moeten ontmoeten? Doodsbang dat haar ouwe heer er lucht van zou krijgen? Hij dacht niet dat hij dat zou kunnen opbrengen. Maar stel dat het dát of helemaal niets was? Want wat ze ook mocht zeggen, het was heel duidelijk dat ze in alle opzichten bang was voor haar vader.

Hij duwde zich overeind. Maar toen hij zag dat er mos op zijn hand zat waar hij tegen de deurpost had geleund, trok hij snel zijn jas uit en grijnsde zuur toen hij de groene vlek op de mouw en op de rug zag. Hij liep naar buiten en hield de jas schuin omhoog zodat de regen erin kon trekken. Daarna pakte hij zijn zakdoek en begon te boenen, maar dit had weinig effect, want de vlek leek zelfs nog duidelijker zichtbaar te worden op de vaalbruine regenjas. Hij trok hem weer aan, draaide zich om en liep terug over het pad dat Janis enkele minuten geleden had genomen, terwijl hij bedacht dat hij naar huis moest gaan om zijn winterjas aan te trekken, want het stuitte de onberispelijke militair in hem tegen de borst om anders dan keurig verzorgd in het openbaar te verschijnen. Hij zou thuis zeggen dat hij was uitgegleden, en dat had gemakkelijk kunnen gebeuren op een dag als vandaag.

4

Lizzies kind werd tijdens een sneeuwstorm geboren, om half drie in de middag, na een bevalling die achtenveertig uur had geduurd. Haar vermoeide lichaam produceerde een meisje met een rimpelig gezicht en een pluk zwart haar, met een gewicht van zeseneenhalf pond. De dokter gaf het kind aan de vroedvrouw en de vroedvrouw gaf het aan Meg. En Meg, die transpireerde alsof ze het kind zelf had gebaard, maakte het schoon, wikkelde het in een zacht, wit dekentje en bracht het naar het bed zodat Lizzie het kon zien. 'Alsjeblieft, meisje. Bekijk haar maar eens goed. Zoiets moois heb je nog nooit gezien.'

Lizzie keek naar haar dochter. Ze wilde haar armen uitstrekken om haar vast te houden; ze wilde glimlachen; ze wilde spreken; maar ze was er te moe voor.

De dokter zei: 'Laat haar nou maar even met rust.' Toen boog hij zich over haar heen, veegde het natte haar van haar voorhoofd en zei: 'Dat was een zware klus. Je wilde haar zeker bij je houden! Maar nu word je gewassen en daarna kun je gaan slapen.'

Zijn stem klonk kalmerend. Haar lichaam was in rust, maar haar geest werkte nog steeds. Als vanuit een verre kamer riep een stem: 'Je hebt een dochter, Andrew. Andrew, je hebt een dochter.'

Toen de dokter bij het bed vandaan liep, zei Meg: 'En wat dacht u van de voeding?' Hij antwoordde: 'Ze zal zelf niet kunnen voeden. Ik neem aan dat u wel een flesje klaar hebt? De zuster zal u wel vertellen hoe u dat moet aanpakken.'

'Ze hoeven mij op het gebied van flesjes en baby's niets te vertellen.'

Hierop wisselden de dokter en de vroedvrouw een veelbetekenende glimlach. Daarna liep hij de kamer uit en ging naar beneden, waar hij door Geoff werd opgewacht, en hij zei zonder verdere inleiding: 'Het is een meisje.'

'Een meisje?'

'Ja, net wat ik zeg, een meisje. Een mooi meisje. Het is jammer dat er geen vader is om haar te verwelkomen. Maar ze is hier in goede handen. Je arme moeder zou een grote steun voor haar zijn geweest. Maar zolang die ouwe lieverd boven er is, zal zij als een goede vervanging dienen. En hoe gaat het tegenwoordig met jou?' De dokter trok intussen zijn jas aan en Geoff antwoordde: 'O, vrij goed.'

'Je been lijkt me meer beweeglijk dan je arm.'

'Ja, dat klopt.'

'Je hebt meer geluk gehad dan vele anderen. En nu heb je een gezin om voor te zorgen, ook al is het dan uit de tweede hand. Goed, ik moet nu weer gaan. Ik hoop dat ik erdoor kom. De weg is vrij tot aan de kruising bij Fuller, maar daarna is het een hele klus.'

Op weg naar de deur bleef hij nog even staan en zei: 'Trouwens, ik maak me een beetje zorgen over je vader. Hij is erg in zichzelf gekeerd. De tijd verricht bij hem bepaald geen wonderen. Misschien heeft het kind enig effect op hem, een nieuw leven wil dat wel eens doen. Als het me lukt, kom ik morgen nog even langs...'

Even later klopte Geoff op de slaapkamerdeur en werd begroet door een glimlachende Meg die zei: 'Kom maar gauw binnen.'

Hij liep naar het bed. De verpleegster trok de lakens over Lizzies schouders en verklaarde: 'Ze is erg moe.'

Hierop deed Lizzie langzaam haar ogen open, glimlachte zwak, deed ze toen weer dicht, en zonder iets te zeggen draaide hij zich om en keek naar Meg, die het kind naar hem uitstak en zei: 'Kijk nou toch eens! Is ze niet lief? Toe, houd haar maar even vast.'

Hij pakte het kind van haar aan en keek ernaar. De ogen

waren halfopen, de lippen samengetrokken, maar de aanblik en de aanraking van het kind brachten bij hem geen enkele emotie teweeg buiten het versterken van de zorgen die hem toch al bezighielden. Toen hij het kind aan Meg teruggaf, wilde ze weten: 'En?'

'Ze is lief.'

Ze kneep haar ogen halfdicht terwijl ze het bundeltje tegen zich aan drukte, en ze herhaalde: 'Ze is lief? Jawel, dát zou ik óók denken!' Ze draaide zich om en legde de baby in de wieg die naast de haard stond. Toen zei ze: 'Ik moet die fles halen.' Ze liep de kamer uit en hij volgde haar. Maar op de overloop bleef ze staan en vroeg hem ronduit: 'Wat mankeert je tegenwoordig? Ga je ziek worden of zo?'

'Hoe bedoel je?'

'Net wat ik zeg. Zit je iets dwars?' Het was een duidelijke vraag.

'Wat zou me dwars kunnen zitten?'

'Dat moet jij mij vertellen, ik vraag je iets.' Hierop stapte ze bij hem vandaan en liet hem haar even nakijken voordat hij naar zijn eigen kamer liep terwijl hij mompelde: 'Nieuwsgierige ouwe taart!' Hij had het ooit goed met Meg kunnen vinden... Hij had het ooit met veel mensen goed kunnen vinden. Of hij had zich naar hen weten te schikken. Maar nu was er maar één persoon aan zijn horizon, en zij verduisterde de rest. Hij wist niet wat hij met de hele situatie aan moest.

Pas de volgende morgen ging hij weer bij Lizzie kijken. Ze was klaarwakker, en het kind lag naast haar. Ze glimlachte naar hem, maar het was nog steeds een vermoeide glimlach, en hij vroeg: 'Hoe voel je je?'

Ze antwoordde: 'Net alsof ik in m'n eentje een grote veldslag heb geleverd.'

'Nou, ik geloof direct dat het een soort veldslag was.'

'Neem dat maar van mij aan.' Ze draaide zich opzij en trok de omslagdoek van het hoofdje van het kind en zei: 'Is ze niet mooi?'

'Ja, ja,' – hij knikte – 'ze is echt heel mooi.'

Ze keek naar hem op met een ernstig gezicht en een onderzoekende blik in haar ogen. 'Wat is er aan de hand, Geoff?' vroeg ze.

'Aan de hand?' Zijn stem klonk luid. 'Hoe kom je er zo bij dat er iets aan de hand moet zijn?'

Ze keerde zich weer naar het kind en mompelde: 'De dingen zijn niet meer hetzelfde. Het... het is net alsof je iets dwarszit.'

Hij wendde zich af van het bed en zei: 'Nou, misschien zitten me wel een paar dingen dwars. Maar daar zullen we later over praten.'

'Dus er is echt iets?' Ze keek naar zijn afgewende gezicht, en hij zei: 'Zoals ik al zei, er zijn een paar dingen waar ik met jou over wil praten. Maar zorg eerst dat je wat aansterkt en weer op de been bent.'

Terwijl hij sprak ging de deur open en kwam zijn vader de kamer binnen. Maar hij bleef even staan voor hij naar het bed liep. Ze zei zacht: 'Hallo, pap.' Maar hij antwoordde slechts: 'Hallo.' Daarna bleef hij op het kind neerkijken.

Toen hij geen commentaar gaf, keek ze naar hem op en zei: 'Ik... ik heb de hele morgen aan mam liggen denken en... en ik mis haar. Ze zou haar vast heel lief hebben gevonden, hè?'

'Nee, vast niet.'

De klank van zijn stem deed zelfs Geoff opschrikken, en hij pakte zijn vader bij de arm en zei: 'Pa!'

'Ik wil zeggen wat me op m'n hart ligt, jongen. Je moeder was kapot van dit hele gedoe.' Hij keek neer op Lizzies verschrikte gezicht. 'Ze is er nooit overheen gekomen, over wat jij hebt gedaan. Je bent een grote teleurstelling voor haar geweest, meisje. En voor mij ook. Het heeft een slecht effect gehad op haar gezondheid. En dat na alles wat ze voor jou had gedaan. Ze heeft je grootgebracht alsof je haar eigen kind was. Ze heeft je opgevoed en onderricht gegeven.'

'Pa! Pa! Zo is het wel genoeg! Kom mee!' Geoff greep zijn

vader bij de arm en John keek hem aan en zei: 'Nou, het moest eens worden gezegd. Het heeft me al lang beziggehouden, en het moest eens worden gezegd, want ze hield heel veel van haar.' Hij wierp een blik op Lizzies verbijsterde gezicht, en zei: 'Het heeft geen zin om te huilen, je tranen komen te laat. Je was geen onnozel wicht, je wist wat je deed. Je had kunnen wachten. De appel valt kennelijk niet ver van de boom.'

'Pa, hou op!' Geoff trok hem de kamer uit, terwijl hij hem terechtwees: 'Zo is het wel genoeg! Je gaat te ver!'

De deur stond nog open toen Meg binnenkwam; ze liep naar het bed en zei: 'Meisje toch! Laat je niet zo van streek maken. Wat heeft dit allemaal te betekenen? Heeft die ouwe vervelend gedaan? Als je 't mij vraagt, wordt hij een beetje seniel, en dat is al sinds het overlijden van Bertha. Heeft hij je verwijten gemaakt over je kind? Allemachtig!' Ze ging op de rand van het bed zitten en zei: 'Hou nu op! Stil nou maar.' Ze sloeg haar armen om Lizzie heen en drukte haar stevig tegen zich aan. 'Chagrijnige ouwe brombeer,' ging Meg verder. 'Hij met al zijn schijnheilige praatjes. Stil nou maar. Trek het je niet aan. Je moet nu aan je kind denken. Kom, droog je tranen.' Ze pakte een punt van haar schort en veegde daarmee over Lizzies gezicht en zei: 'Dit huis is niet meer wat het geweest is, en dat komt niet alleen door de dood van Bertha. Er hangt iets in de lucht, en ik weet niet wat het is. Ik denk trouwens niet dat ik hier nog veel langer zal blijven om...'

'Wat?' – Lizzies stem klonk gebroken – 'Hoe bedoel je, niet veel langer?'

'Stil nou maar, wind je niet verder op. Nou ja, je weet zelf, meisje, dat ik een evacuée ben... ik heb daar een huis om naar terug te gaan. Ik heb 't je vorige week niet verteld omdat je op alledag liep, maar weet je, toen ik daar was ben ik naar het kantoor gegaan dat de huizen toewijst. D'r zit daar een heel aardige vrouw, heel anders dan de rest. Nou, zij zei dat er nu wel wat keus is, maar als je wacht tot dit alles voorbij is, dan zul je met de beste wil van de wereld niets meer kunnen vinden. Ze heeft me uit twee laten kiezen, en ik heb besloten het huis in de buurt van het ziekenhuis te nemen. Het is een benedenhuis, met drie kamers en een bijkeuken. Het water en de wc zijn natuurlijk buiten.' Ze lachte even. 'Dat zal me een feest zijn als die ook binnen zijn. Dat was hier zo fijn, de wc in huis. Nu zal ik weer een bevroren kont krijgen. O, wat kan een mens toch platvloers doen!' Ze lachte en ging toen verder: 'En dat meisje zei ook dat ze me wel met meubels kon helpen en zo... Kijk nou niet zo sip, Lizzie, meisje. Hoor eens,' – ze gaf haar een zachte stomp op de schouder – 'je zou bij mij kunnen komen logeren. Eens even met vakantie gaan. Ik zou dan met je naar het strand kunnen gaan. Als ze tenminste alle troep weer hebben weggehaald. En je zult de mensen best leuk vinden. Over het algemeen tenminste. Je hebt natuurlijk overal rare snijbonen, zowel hier als daar, maar je hebt er altijd wel een paar goeie buren bij. Hoor eens, nou moet je niet weer gaan huilen. Ik ben nog niet weg, en bovendien, zoals die kerel op de terugweg in de bus zei: "We zijn allemaal in Gods hand". Maar...' haar gezicht werd ernstig en ze knikte naar Lizzie, 'er zijn veel mensen die dat zeggen, hè, dat we in Gods hand zijn. Nou, de conducteur zei tegen die kerel iets dat maar al te waar was. Weet je wat hij zei? Hij zei: "Als dat zo is, dan heeft Hij ons aardig in de problemen gebracht!" En ik moet zeggen, dat maakte dat iedereen een poosje z'n mond hield, want zo is het wel als je 't goed bekijkt. Want waarom laat Hij al die slachtpartijen maar doorgaan? Weet je, dat is nou één ding dat ik nooit heb begrepen toen, aan 't begin van de oorlog, dat iedereen naar de kerk ging om te bidden als er een luchtaanval was geweest. Waarom deden ze dat? Om Hem te bedanken voor de doden en de stervenden? En voor de blinden en de verminkten? Ik ging een keer compleet door het lint, weet je, en ik liep 't op straat uit te gillen. Dat was toen ik uit de schuilkelder omhoog was gekomen en de een of andere stomme ouwe taart tegen me zei: "Je moet vertrouwen hebben." Vertrouwen... waarin? Jeminee, wat loop ik toch te zwetsen.

Maar het is in elk geval opgehouden met sneeuwen.' Ze gleed met een vinger over Lizzies wang en zei zacht: 'Blijf rustig, meisje, en zorg dat je weer op krachten komt.' Ze zweeg, en Lizzie vroeg ronduit: 'Waarom? Omdat ik die kracht nodig zal hebben?'

'Jawel, ja, dat zou je kunnen zeggen.'

'Wat is er allemaal gaande, Meg?'

'Ik weet 't niet, meisje. Ik weet 't niet. Als ik m'n mond nu opendeed, zou ik 't misschien heel verkeerd aanpakken. Maar volgens mij zit d'r hier iets niet goed in huis, en daar moet een reden voor zijn. Hoe dan ook, ik ga nu je vrienden opbellen om meneer Richard te vertellen dat je een dochter hebt gekregen en dat je d'r wilt inschrijven voor zo'n sjieke kostschool – of sturen ze daar alleen jongens naartoe?'

'O Meg!'

'Hou nou maar op!'

Meg kwam overeind van de rand van het bed, ze gaf Lizzie een flinke tik op de hand en zei: 'Stop niet al je energie in tranen, meisje. Bedenk gewoon dat je een prachtige dochter hebt gekregen; je hebt goede vrienden in meneer Richard en zijn familie, en je hebt mij. Niet dat dat nou iets is om over op te scheppen, maar je weet wat ze zeggen: vuil water blust ook een brand.'

Toen Meg vanuit de deuropening waarschuwend haar vinger hief, bedacht Lizzie dat Meg bij het noemen van haar vrienden zowel Geoff als zijn vader had weggelaten. Ja, zijn vader viel nog te begrijpen, maar waarom Geoff?

5

Ted Honeysett keek eerst naar links en toen naar rechts de weg af voor hij zich over de berm liet gijden, het kreupelhout in. Een konijn had niet meer geluid gemaakt dan zijn voeten op de onderbegroeiing.

Het liep tegen het eind van maart en de dagen begonnen langer te worden, hoewel het een bewolkte dag was geweest, met veel wind en buien die de nadering van april aankondigden. De fazantenjacht was op één februari gesloten, maar de zalmvangst was toen begonnen, en die van forel een paar dagen geleden. Hij was goed op de hoogte van deze data, hoewel ze voor hem niets betekenden. Toch was hij de laatste tijd op zijn hoede, omdat hij niets te maken wilde hebben met de grote jongens die zonder enig onderscheid vis en gevogelte weghaalden en die de landeigenaren verder stroomopwaarts tot wanhoop dreven.

Zijn doel van vanavond was echter niet zelfs maar een klein beetje stroperij te plegen, maar om te spioneren. Vijf minuten geleden had hij de voormalige mevrouw Boneford, of voormalige juffrouw Bradford-Brown, langs de oever van de rivier zien gaan, niet op de fiets deze keer, maar te voet. En hij glimlachte toen hij bedacht dat hij haar kon vertellen dat ze die wandeling voor niets maakte, omdat het bord weer in het gras lag.

Allemensen, dat bord had de afgelopen weken in heel wat verschillende standen gestaan! Reken maar! En dan al die briefjes in de holle iep. Nou, het bord lag in het gras en het briefje zat in de oude iep en ze zou haar reis vanavond voor niets maken. En dat was maar goed ook, want hij had zo'n idee dat er vroeg of laat een grote klap zou volgen, als van een tijdbom die afging. Wat dat stel niet wist, was dat de oude man hen op het spoor was.

Op een avond had hij verbaasd opgekeken bij het onmiskenbare geluid van iemand die voorzichtig door het bos achter de met struikgewas begroeide oever liep. Hij was op slag roerloos blijven staan. Hij had niet geweten dat er iemand in het bos was, maar op hetzelfde moment dat die del en Geoff tevoorschijn kwamen, zag hij onder zich de gestalte van haar vader die achter een beukenboom stond. Hij had met ingehouden adem staan wachten, volledig in de overtuiging dat de oude heer naar voren zou stappen om Geoff er eens goed van langs te geven, in elk geval met zijn mond, want hij was geen partij met zijn vuisten; zelfs al had Geoff Fulton maar één goede arm, dan zou hij die, omdat hij in het leger had gezeten, toch weten te gebruiken.

Glimlachend sloop hij gebukt voorzichtig over de oever verder naar waar hij uitzicht op de schuur had, en ook op het eind van het bos.

Hij trok zijn regenjas om zijn knieën en hurkte op de grond om de gebeurtenissen af te wachten, wanneer de ouwe heer, in de hoop hen samen in de schuur te betrappen, daar alleen maar zijn dochter zou aantreffen.

Hij rekte zijn hoofd even uit, en zijn hele lichaam verstijfde en hij moest een kreet van verbazing bedwingen toen hij daar, op het heuveltje bij het eind van het bos, slechts verborgen door een lage struik, een ineengedoken gestalte zag. En de kreet die hij had willen slaken werd veroorzaakt door het feit dat hij het uiteinde van de kolf van een jachtgeweer ontwaarde, dat op een lage tak steunde.

Hij richtte zich op en riep inwendig verschrikt uit: 'Grote god, hij wil 'm overhoop schieten!'

Hij zou nooit weten wat hij daarna had willen doen, want opeens was ze daar: het meisje, of de vrouw die ze nu was. Ze kwam uit het bos tevoorschijn en ze had hetzelfde gezien als hij, want ze holde heel hard naar de gestalte toe en riep: 'Blijf waar je bent, Geoff!' Hierop kwam de gestalte achter het heuveltje overeind, en Ted zag tot zijn opperste verbazing dat ze slaags waren geraakt.

Hij stond nu zelf rechtop. Toen hij de knal van het geweer hoorde, legde hij even een arm over zijn ogen en kromp ineen. Maar het volgende moment sprong hij omlaag; en daar stond ze, met haar handen om haar gezicht geslagen, met open mond naar de liggende gestalte te kijken, bij wie het bloed uit de hals stroomde.

'Mijn god, juffrouw! Wat hebt u gedaan?'

Hij stond vlak naast haar en ze toonde geen verbazing toen ze hem zag, maar ze zei: 'Het... het geweer ging zomaar af. Ik probeerde het van hem af te pakken. Het... het ging zomaar af. Hij... hij wilde Geoff doodschieten.' En ze keek naar de schuur, kennelijk verbaasd dat Geoff niet zichtbaar was, en hij zei: 'Hij is er niet. Hij heeft een boodschap achtergelaten.'

'Wat?'

'Nou, je weet wel... in de boom, en... en' – hij wees naar het bord dat in het gras lag.

'O! O!' Ze wreef verbijsterd over haar voorhoofd en keek hem aan alsof ze hem nu pas zag, en ze zei: 'Het... het ging zomaar af, meneer Honeysett. Het ging zomaar af.'

Hij keek verdwaasd om zich heen. De schemering begon te vallen. Hij richtte zijn blik weer op haar, toen keek ze naar haar vader en mompelde: 'Wat moet ik doen? Moet ik moeder halen?'

'Nee! Hoor eens, ik zal Geoff wel gaan halen. Hij moet inmiddels thuis zijn. Het... het is tijd voor de bus. Hoor eens, ik kom zo weer terug, juffrouw... mevrouw.' Hij pakte haar bij de arm en liep met haar naar de schuur, duwde haar naar binnen, stak een waarschuwende vinger op, als tegen een klein kind, en zei: 'Blijf waar u bent. Ga niet weg, blijf gewoon hier. Ik zal Geoff halen. Hij weet vast wel wat er moet gebeuren. Hoort u me?'

'Ja, ja, Honeysett, ik hoor je.' Ze deed haar ogen dicht,

knikte naar hem, en leunde toen tegen de wand van de schuur. Hij draaide zich om en ging ervandoor; hij holde een eind over de rivieroever en toen naar de weg. Hij bleef hollen tot hij moest blijven staan om op adem te komen, en op dat moment kwam de bus de hoek om en stopte op enkele meters bij hem vandaan. Maar tot zijn ontzetting waren de enige passagiers die uitstapten mevrouw Ryebank en haar dochter, wat betekende dat ze de andere bus, die bij de kruising bij Fuller stopte, hadden gemist en nu dik twee kilometer naar huis moesten lopen. Ze zouden langs het huis van Fuller gaan, en dat betekende dat hij niet verder kon hollen zonder allerlei commentaar te krijgen.

Toen hij tenslotte het huis bereikte, ging hij niet via het hek aan de voorkant maar achterom, door het hek vanaf het weiland.

Het was inmiddels bijna donker en hij keek om zich heen in de hoop iets van Geoff te zien voor hij op de keukendeur klopte, waar hij dacht dat zijn verschijning voor het nodige commentaar zou zorgen. Er werd opengedaan door de oude vrouw, die evacuée, en hij zei tegen haar: 'Is Geoff thuis?' Ze tuurde het donker in. 'Wie is daar?'

'Ik ben Ted Honeysett. Is hij thuis?'

Op dat moment zag hij de gestalte van Geoff. Hij duwde de oude vrouw opzij, kwam naar de stoep en zei: 'Zocht je mij, Ted?'

'Jawel, Geoff. Heb je... heb je een moment?' Hij probeerde zijn stem zo gewoon mogelijk te laten klinken.

'Ja, dat denk ik wel.' Hij stapte naar buiten en trok de deur achter zich dicht. Toen zei Ted, met een andere stem: 'Kom even mee.'

'Wat is er aan de hand? Wat heb je?'

'Er is iets ergs gebeurd. Iets ergs. Ze heeft... ze heeft d'r vader doodgeschoten.'

Even bleef het stil tussen hen. Toen zei Geoff: 'Wát zeg je me daar? Wat bedoel je?' Maar Ted snauwde: 'Je hoort toch wat ik zeg? Ik ben niet gek geworden. Ik zei dat er iets ergs was gebeurd. Ze heeft d'r vader doodgeschoten.'

'Grote god! Meen je dat?'

'Jawel, dat meen ik. Waarom dacht je anders dat ik hier was? Ik heb me kapot gehold. Kreeg de schrik van m'n leven. Ze... ze heeft 'm betrapt toen hij met zijn jachtgeweer jou zat op te wachten.'

'Zat hij míj op te wachten?'

'Ja, wie anders? Hij dacht dat jullie daar een afspraak hadden. En dat dacht zij ook, ze dacht dat jij in de schuur zat. Ze had 't briefje niet gekregen. Nou ja, dat leg ik onderweg wel allemaal uit. Pak je jas en ga mee. Neem een zaklantaarn mee en schiet een beetje op, want ik heb haar in de schuur achtergelaten.'

'Je hebt haar... Wil je zeggen dat zij...?'

'Jawel, ik bedoel haar. Met wie jij je afspraakjes hebt. Hoor es, ik weet wat ik weet. Trek je jas nou aan, man, want het kon wel eens lang gaan duren.'

Toen Geoff even later bij de achterdeur verscheen om zijn jas aan te trekken, zei Meg: 'Moet je je eten niet verder opeten?'

'Ik... ik ben zo terug. Zet 't maar in de oven, ik eet 't wel op als ik thuiskom.'

Hij was het hek uit en liep haastig de weg af, waarbij Ted bijna in een sukkeldraf moest gaan om hem bij te houden, terwijl hij hem al hijgend probeerde uit te leggen wat hij had gezien. 'Zoals ik al zei, had ik haar kunnen vertellen dat jij er niet was. Ze had het briefje in de boom niet gezien. Man, loop niet zo te grommen. Wees blij dat ik nog wel eens in het donker rondsluip. Maar we moeten wel iets aan hem doen. Ik bedoel, het moet een ongeluk lijken, en... en dat lijkt 't nu niet, voorzover ik 't kan bekijken. Jij... jij weet alles van vuurwapens, daar heb ik geen verstand van, nooit gehad ook. Je zult dat geweer zó moeten neerleggen dat 't lijkt of het vanzelf is afgegaan, of dat hij is gestruikeld of zo.'

Ze stonden bijna op het hoogste punt van de oever toen Geoff op gedempte toon zei: 'Waarom doe je dit, Ted? Waarom ben je zo bezorgd? Je hebt hem – of haar – nooit gemogen, jou kennende.'

'Nee, dat klopt. En dat is waarschijnlijk de reden dat ik 't doe.' Ze waren de helling af, op de oever van de rivier, en ze liepen heel voorzichtig. Ted ging verder: 'M'n hersens werken net zo snel als m'n handen en... en ik zag dat ze d'r gewoon vandoor kon gaan, jawel, ze kon 'm gewoon smeren en hem daar laten liggen, want ze was helemaal in paniek, en dan zou niemand er iets van weten of het in zijn hoofd halen haar te beschuldigen. Maar op wie heeft de ouwe Bradford-Brown het nou al jarenlang gemunt? Precies, op mij. En vorige week had ik 't nog met hem aan de stok, en dat is me bijgebleven. Ik kwam bij Hobson vandaan, met m'n handkar vol hout – takken en zo – en toen was hij daar, met die vrachtwagen van 'm. En jouw pa was d'r bij, en Peter Rice. En hij laat je vader stoppen en wil weten waar ik dat hout vandaan heb. Toen ik zei dat ik 't had gekocht en er eerlijk voor had betaald, zei hij dat dit de eerste keer in m'n leven zou zijn dat ik ergens voor had betaald. En daarop zei ik dat ik niet de enige was, maar dat ik 't altijd klein had gehouden. Ik dacht dat-ie een beroerte zou krijgen. Hij schreeuwde tegen me: "Ik krijg jou nog wel een keer. Wacht maar eens af." En stomme idioot die ik ben, zei ik: "Als ik jou niet eerst krijg." Dus je begrijpt wat ik bedoel met als ze hem vinden. Wie zullen ze dan het eerste zoeken? Dat flitste allemaal door m'n hoofd. Binnen de kortste keren heb ik de politie op m'n dak. En ik ben niet gek. Ik weet dat hoofdagent Winters en agent McCabe voor zolang ik me kan herinneren een oogje voor me dicht hebben geknepen – en daar zijn ze echt niet slechter van geworden. Maar in geval van moord, nou dan zouden ze dat allemaal vergeten! Jawel. Dan had je Rice en jouw pa om te getuigen wat ik had gezegd. Dus ik denk dat 't een kwestie van zelfbehoud was, zoals ze wel zeggen, dat ik van die oever sprong en me ertegenaan ging bemoeien, want anders was ze er geheid als een voetzoeker vandoor gegaan.'

Ze waren nu bij de schuur aangekomen, en Ted mompelde zacht: 'Dáár was 't.' Hij richtte het flauwe schijnsel van zijn zaklantaarn op de grond, waar hij de contouren van een lichaam bescheen. En toen zei hij: 'Ik zal hier even wachten.'

Toen Geoff de schuur binnenging, richtte hij zijn zaklantaarn op de brede balk, en daar was ze – ze stond ertegenaan geleund alsof ze eraan vast was gespijkerd. Pas toen hij dicht bij haar was, verroerde ze zich en ze stamelde alleen maar: 'Geoff?'

'Stil maar. Alles komt goed. Maak je maar niet ongerust. Alles komt goed.'

'Ik... ik heb hem doodgeschoten. Ik bedoel... ik heb 't niet gedaan, ik heb hem alleen maar tegen willen houden. Hij wilde jou doodschieten. Ik dacht dat je... hier binnen was.' Ze begon nu druk te ratelen, en hij drukte haar tegen zich aan en zei: 'Stil nou maar. Wees nou maar kalm.' Hij greep haar handen. 'Je bent ijskoud,' zei hij. 'Kom, sla mijn jas om je heen.'

'Nee, nee. Wat... wat moet ik doen?'

Ondanks haar protest trok hij zijn jas uit, sloeg die om haar heen en zei toen: 'Blijf hier. Blijf gewoon hier, ik ben zo weer terug.' Hij liep weer naar buiten, ging naar Ted en zei zacht: 'Wil je me nog even wijzen waar het is?'

Ted wees het hem, hoewel hij zelf op grote afstand van het verwrongen lichaam bleef.

Bij het schijnsel van de zaklantaarn keek Geoff neer op de bebloede kin en hals. Heel even vroeg hij zich af of hij misschien nog in leven was. Maar nee, hij had te veel doden gezien en herkende er ook nu een. Hij scheen met de zaklantaarn in het rond en zag toen het geweer dat op zo'n twee meter afstand lag. Even was hij weer terug op het slagveld: als iemand struikelde, en zijn geweer ging af, dan zou het niet op twee meter afstand zijn. Het beeld in zijn gedachten toonde hem de positie waarin het geweer en de man zouden liggen. Hij keek Ted aan en zei: 'Je hebt het geweer niet aangeraakt?'

'Ik? Grote god, nee. Maar zij wel. Haar vingerafdrukken zullen er aan alle kanten op zitten.'

Ja, daar had hij ook al aan gedacht. 'Blijf hier,' zei hij.
'Wat?'
'Blijf even hier. Ik ben zo terug.' En hierop liep hij snel de helling verder af, de schuur weer in, en hij zei zacht: 'Er zitten handschoenen in mijn jaszak. Ik heb die nodig.' Hij haalde niet alleen de handschoenen uit de jas die ze tegen zich aan drukte, maar ook een grote zakdoek uit een binnenzak. Hij liep snel weer bij haar vandaan. Hij zei tegen Ted: 'Ik heb jouw hulp zo weer nodig.' Toen deed hij de handschoenen aan, raapte het geweer op, en begon dit met de zakdoek schoon te wrijven. Hij veegde de loop grondig af, alsof hij hem wilde oppoetsen. Daarna liep hij terug naar de dode man, en na hem voorzichtig op de rug te hebben gedraaid en de handen van de man kruislings over de borst te hebben gelegd, legde hij het geweer ertussen en drukte de vingers hier en daar op de loop. Toen hij dit had gedaan, legde hij het geweer weg en pakte zijn lantaarn, liet de lichtbundel over het heuveltje glijden en zei toen tegen Ted: 'Je zult me hiermee moeten helpen; ik... ik heb geen kracht meer in mijn linkerarm. Ik wil hem op de oever hebben liggen, daar bij die wortels. Als hij is gestruikeld, moet het daar zijn. Bal nu je vuisten en trek ze in, in de mouwen van je jas.'
'Wat?'
'Doe nou maar wat ik zeg. Bal je vuisten en...'
'O ja, jawel, ik snap 't.'
'Wacht even.' Geoff liet de lichtbundel over de grond glijden en ging op een bepaald punt op zijn hurken zitten en tuurde naar het sprieterige gras dat uit de leemachtige oever sproot. Toen mompelde hij: 'Het meeste moet in zijn kraag en jas zijn gedrongen. Maar laten we hem nu maar omhoog hijsen. Ik neem de benen wel. Het is hoogstens een paar meter.'
Zodra Ted het lichaam aanraakte, riep hij uit: 'Grote god!' En Geoff snauwde: 'Hou je kop! Tillen!'
Een paar minuten later legde Geoff de benen neer en draaide het lichaam toen voorzichtig op zijn zij. Hierna raap-

te hij het geweer op, richtte de zaklantaarn op het hoofd van de dode man en probeerde uit te rekenen waar het geweer na het vuren moest zijn gevallen. Zo dichtbij als hij vermoedde, legde hij het op de grond; toen liet hij zijn zaklantaarn uitvoerig rondgaan op de plaats waar ze het lichaam vandaan hadden gehaald, en waar hij maar dacht dat hij een vlek bespeurde, trok hij een polletje gras los, brak het in kleine stukjes en smeet het weg, zodat het verkruimelde.

'Heb je dit al eens eerder gedaan?' was Teds commentaar.

'Nee, totaal niet. Maar het is nog niet klaar. Als hij bij daglicht wordt gevonden, kunnen ze uit de omgewoelde grond misschien opmaken dat er een gevecht heeft plaatsgevonden. Dus ik denk dat het maar beter is als mijn pa en ik hem vinden, zodat ik dan een beetje rond kan ploegen.'

'Godallemachtig! Ik had niet gedacht dat ik zoiets nog es mee zou maken.'

Ze stonden op het pad voor de schuur, en Geoff zei zacht: 'Als ik jou was, zou ik naar De Haas gaan om daar iets te drinken, als ze wat hebben. Ik kom zelf later ook nog even langs. En... en Ted, wat je ook gedaan mag hebben om je eigen huid te redden, ik wil je heel hartelijk bedanken voor alles wat je hebt gedaan om die van haar te redden... en die van mij, want jij schijnt zo ongeveer alles van ons af te weten. Je weet hoe de dingen tussen ons ervoor staan, en dat wat haar raakt, mij ook raakt. Dus bedank ik je namens ons allebei.'

'Ach, het zit wel goed, het zit wel goed. Je bent de zoon van je vader, en ik denk dat ik het in zekere zin voor hem doe, want hij is al die jaren heel fatsoenlijk voor me geweest, vooral toen ik een hok vol kleine kinderen had. Ik wil mijn schulden altijd graag voldoen, op welke manier dan ook, ook al is het met het bezit van een ander.' Hij bedwong zijn lach en zei: 'Maar het is nu geen avond om grapjes te maken. God, ik zal niet rustig kunnen slapen voordat ze hem hebben gevonden en ik hoor wat ze te zeggen hebben, want ik durf m'n kop eronder te verwedden dat als ze denken dat 't geen ongeluk is, ze 't mij in de schoenen zullen schuiven. Dat weet ik wel zeker.'

'Welnee. En het zal echt een ongeluk zijn. Maar blijf in elk geval zo lang mogelijk in De Haas, en loop daarna samen met een ander naar huis. Tegen die tijd zullen ze zich waarschijnlijk wel afvragen waarom hij niet is komen opdagen. Het belangrijkste is dat je zo gewoon mogelijk moet doen. Maak nu maar gauw dat je wegkomt.'

'Jawel. Zoals je zegt, zo normaal mogelijk. Maar het zal me moeite genoeg kosten. De groeten dan maar.'

Geoff liep de schuur weer in en zag dat ze nog steeds met haar rug tegen de balk stond.

Hij sloeg zijn armen om haar heen, schudde haar even door elkaar en zei: 'Luister goed. Alles is in orde. Het ziet eruit alsof het gewoon een ongeluk is geweest. Zijn voet zit achter een boomwortel, en als we hem vinden zal het dat ook zijn: het gevolg van een ongeluk. Kom, ga nu maar naar huis. Je gaat naar binnen en je moet proberen – of je dat nou leuk vindt of niet – te doen alsof er niets is gebeurd. Dat kun je best.'

'Ik... ik kan het niet, Geoff.'

'Tja, wat is het alternatief?' Zijn stem klonk koud. 'Wou je naar huis gaan om je moeder te vertellen dat je je vader hebt doodgeschoten omdat hij probeerde mij dood te schieten? En waarom wilde hij mij doodschieten? Omdat hij altijd al de pest aan me heeft gehad, en alleen al de gedachte dat zijn dochter zich voor de zoveelste keer verlaagde... is hem gewoon te machtig geworden. Dus hoe je ook zou mogen beweren dat je het deed om mij te redden, je naam zou voor eeuwig in het slijk liggen. Je denkt dat je naam nu al niet veel voorstelt, maar geloof me, liefje, ze zullen je met de nek aankijken en dat zou je niet kunnen verdragen. Je zou hier weg moeten, en... en zonder mij. Ja, zonder mij, want of je het nu wel of niet onder ogen ziet – wat ik liever niet doe –, ik ben nou eenmaal invalide, ik kan maar één arm goed gebruiken en ik ben kreupel. Maar aan de andere kant heb ik een klein pensioen en een kant-en-klaar huis, en de verantwoording voor een vader wiens geest op dit moment helaas niet al te stabiel is, nog afgezien van mijn aangenomen zusje en haar kind. Dus ik zit hier vast, Janis; en als jij dat wilt, kun je hier samen met mij vastzitten, en in zekere zin gelukkig zijn, als je dat wilt, dat wil zeggen: wanneer je je moeder durft te trotseren. Dus wat is het alternatief voor jou? Het is net als ik al zei, je zou er helemaal alleen voor staan, een echte werkende jonge vrouw, voor het eerst van je leven, en dat zou je vast niets bevallen. Nee, Janis, dat zou je vast niets bevallen. Dus liefje, breng ik je nu tot aan het hek, en daarvandaan zul je het de eerstkomende uren alleen moeten doen. Het is helemaal aan jou. Ga naar binnen en praat met Florrie Rice, praat met je moeder, ga daarna naar bed. Kom op, er valt geen tijd te verliezen.'

Ze ging gedwee met hem mee, en ze zei helemaal niets tot ze het bos uit waren en bij de poort naar de stallen stonden, en daar klampte ze zich even aan hem vast en zei: 'Ik... ik heb een puinhoop van alles gemaakt. Ik heb mijn hele leven lang al een puinhoop van alles gemaakt.'

'O ja?' Zijn stem was scherp, maar vrolijk. 'Nou, dan is dit een test. Maak er geen puinhoop van, want bedenk wel: als je de boel verprutst, dan betekent dit het einde voor ons allebei. En daar zul jij zwaarder door worden getroffen dan ik. Ga nu maar gauw.' Hij stond op het punt haar weg te duwen toen hij haar in plaats daarvan naar zich toe trok en haar hard op de lippen kuste. Toen liep hij over de weg naar huis en dacht: waarom overkomt mij dit soort dingen nou altijd? Eerst in het leger, waar ik hogerop had kunnen komen, wat ik ook stellig van plan was. Om vervolgens achter te blijven met een invalide lichaam. En daarna verstrikt te raken in een relatie met Lizzie, waarna die weer werd overspoeld door het herleven van gevoelens die nooit echt waren gestorven, en dat alles leidde weer tot dit.

Hij had niet genoemd hoe de dood van zijn moeder hem had aangegrepen, want Lizzie had tot op zekere hoogte haar plaats ingenomen. Het was maar al te waar wat de ouwe Meg op haar rauwe filosofische manier had gezegd: een man wilde niet alleen een vrouw, ze moest ook zijn moeder, huishoudster en lichtekooi zijn.

En het was Meg die hem toen hij het huis binnenkwam begroette met de vraag: 'Waar heb je gezeten? Die vis is helemaal verpieterd, en het was zo'n mooie moot. Heeft Ted die zalm voor je meegenomen?'

'Zalm? Nee, maar hij wilde dat ik een paar flessen whisky voor hem ophaalde.'

'O, mooi zo. Neem er dan voor mij ook meteen een paar mee.'

'Het... het spijt me.' Hij liep de bijkeuken in. 'De hele transactie beviel me niet, en het spul was niet verzegeld. Ik denk dat iemand ergens een illegale stokerij heeft, dus ik heb 't maar laten lopen. Waar is Lizzie?'

'Waar dacht je dat ze anders zou zijn dan boven bij het kind? Ze heeft tegenwoordig niets anders om zich mee bezig te houden.' Die laatste woorden werden gemompeld, en hij vroeg alsof hij niets had gehoord: 'Wat zeg je?'

'Niets, helemaal niets. Ik heb je eten op tafel gezet. Kijk maar of het nog wat is.' En daarop liep ze de keuken uit. Hij kwam uit de bijkeuken en keek naar het bord met uitgedroogde vis, dat hij opzijschoof, en daarna liep hij naar de haard en legde zijn hand op de schoorsteenmantel terwijl hij omlaag keek naar de zwarte zijplaat. Zijn gedachten verkeerden in een chaos, maar hij maakte plannen voor de actie die hij later die avond moest ondernemen, want hoe onverschillig mevrouw Bradford-Brown ook tegenover haar man mocht staan, ze zou zich ongetwijfeld gaan afvragen waar hij zat, als hij later op de avond niet kwam opdagen.

Hij had al besloten tot twaalf uur beneden in de zitkamer te blijven, zogenaamd om te lezen. Als hij tegen die tijd nog niets had gehoord, nou, dan zou hij het verder wel merken, nietwaar? Maar wat betreft die andere kwestie, waar dat sluwe ouwe mens steeds weer over begon – hij zou het eerlijk met Lizzie moeten bespreken, open kaart moeten spelen. Maar één ding tegelijk; eerst moest hij deze avond zien door te komen.

Het was twintig over elf toen de telefoon ging. Hij rende door de kamer naar de hal, en toen hij opnam herkende hij onmiddellijk de beschaafde stem van mevrouw Bradford-Brown. 'Ben jij daar, John?'

'Nee, u spreekt met Geoff. Spreek ik met mevrouw Bradford-Brown?'

'Ja. Ik... ik maak me nogal zorgen. Meneer Bradford-Brown is er eerder op de avond opuit gegaan. Ik... ik denk dat hij hoopte een paar stropers te betrappen. Hij was in elk geval van plan om samen met de boeren Hobson en Ryebank en majoor Murray bij de majoor thuis te bespreken wat eraan kon worden gedaan. Ik... ik heb de majoor een poosje geleden gebeld en hij zei dat mijn man helemaal niet was komen opdagen. Ze dachten dat hij een andere afspraak had... Ik moet je bekennen dat ik erg ongerust ben. Zou jij tegen je vader willen zeggen... hem willen vragen of hij een ronde wil doen, voor het geval dat mijn... dat mijn man is overvallen of een ongeluk heeft gehad?'

'Natuurlijk, mevrouw Bradford-Brown. Ik zal het meteen doen. En ik ga wel met hem mee, ik lag toch nog niet in bed.'

'Fijn, dank je wel.'

Hij legde de hoorn op de haak en stond er even naar te kijken. Toen liep hij haastig de trap op, deed zonder verdere plichtplegingen de deur van zijn vaders kamer open, liep naar het bed, schudde hem bij de schouder en zei: 'Pa! Pa!'

'Ja? Wat is er?' John draaide zich langzaam op zijn rug.

'Mevrouw Bradford-Brown was net aan de telefoon. De baas schijnt te worden vermist.'

'Vermist? Hoe bedoel je, vermist?'

'Hij is er eerder op de avond opuit gegaan, naar het schijnt om te proberen stropers te betrappen, en hij is daarna niet meer gezien. Hij zou naar majoor Murray gaan, maar hij is daar niet komen opdagen. Ze vroeg of jij wil gaan zoeken. Ik heb gezegd dat je dat zou doen, en dat ik met je mee zou gaan.'

'Hij kan ook naar zijn club in Durham zijn gegaan.'

'Dat scheen zij niet te denken. In elk geval...' – Geoff liep de kamer door – 'als hij achter stropers aanzit, heeft hij waarschijnlijk zijn geweer meegenomen. Ga je mee?'

'Ja, ik kom.'

Tien minuten later stonden ze allebei op het erf, met opgetrokken schouders tegen de koude nachtlucht.

'Een hoop kabaal om niks,' zei John. 'Zo is ze altijd al geweest, maar dit is wel heel zot. Hij is in werkelijkheid natuurlijk stomdronken, dat komt de laatste tijd maar al te vaak voor, en dan ligt hij zijn roes uit te slapen in een kamer waar ze hem nooit zou zoeken.'

'Ja, dat zou best kunnen,' zei Geoff. 'Zou best kunnen. Maar we moesten toch maar gaan zoeken.'

Dus gingen ze zoeken.

6

Het met bloed overdekte lichaam van Ernest Bradford-Brown werd door zijn rentmeester, John Fulton, en diens zoon Geoff gevonden om half twee in de nacht van 1 april 1944. Politieonderzoek heeft uitgewezen dat de overledene bij het speuren naar stropers van zalm is gestruikeld en gevallen, en dat zijn jachtgeweer hierdoor per ongeluk is afgegaan. Er wordt geen misdrijf verondersteld. De heer Bradford-Brown laat een vrouw en een dochter achter.

Het korte verslag in de plaatselijke krant leverde weinig belangstelling voor of speculaties over de dood van Ernest Bradford-Brown op. Het was oorlog en er viel ander nieuws te melden, en dat was helemaal niet goed. De luchtmacht had 94 bommenwerpers verloren, van de 795 die hadden deelgenomen aan het bombardement op Neurenberg. Zijn begrafenis trok evenmin veel belangstelling, want hij was geen geliefde landeigenaar geweest, integendeel. Hij werd tijdens zijn leven misschien benijd om zijn geld, maar hij werd geminacht om zijn gebrek aan kwaliteit... de kwaliteit van een heer van stand. Zelfs de connecties van zijn vrouw waren niet in staat geweest de sloten op alle deuren in het graafschap te smeren om hem binnen te laten. En dan was er die echtscheiding van zijn dochter geweest. Wat een smerig gedoe. De bevolking had er de stank nog van in de neusgaten hangen. Geen vrouw die het zout in de pap waard was, zou weglopen bij een man alleen maar omdat hij verminkt was. En daarom lag het niet in de lijn der verwachtingen dat er veel belangstelling van niveau zou zijn. Maar toen bleek dat ook het plaatselijke zakenleven het bij de begrafenis liet afweten, werd algemeen verondersteld dat, hoewel mevrouw Bradford-Brown bekend stond als een beschaafde en rustige, maar ook een heel trotse dame, zij deze belediging niet licht zou opvatten...

Alicia had de belediging inderdaad niet licht opgevat. Er was bij haar een woede gewekt die haar ertoe had gedreven een besluit te nemen waar ze reeds lang voor de dood van haar man mee had gespeeld. En nu deelde ze haar dochter haar besluit mee.

Janis zat in de salon met een bleek gezicht, dat nog bleker leek door de donkere jurk die ze droeg. Ze zat zwijgend haar moeder aan te kijken die tegenover haar zat en uitvoerig een katoenen zakdoek opvouwde. Ze zei: 'Het is je eigen schuld dat hij je volledig heeft onterfd. Maar hij heeft het niet onlangs gedaan; het was kort na de scheiding. Die heeft hem danig geschokt. Hij had alles kunnen verdragen, maar dat niet. Je hebt hem te schande gemaakt. Je weet zelf hoe belangrijk hij onze goede naam vond. Je vader heeft een heel zwaar leven gehad, hij heeft moeten ploeteren om...'

Janis schoof naar voren in haar stoel, boog zich naar haar moeder en zei rustig: 'Waarom doe jij zo schijnheilig over vader en zijn geploeter? Je hebt nooit om hem gegeven. Je minachtte hem, en dat heb je hem duidelijk laten merken ook. Jij had de naam en de positie. Je hebt hem genomen omdat hij geld had en nog meer geld zou verdienen. Je hebt hem genomen om grootvaders schulden te vereffenen zodat jij in dit huis kon blijven. Je kunt zeggen wat je wilt, maar praat nou niet tegen me alsof je om hem rouwt, want dat is niet waar.'

'Wie zegt er dat ik om hem rouw? Ik constateerde slechts een feit. Als je me had laten uitspreken, had ik je dat kunnen bewijzen door te zeggen dat hij een streber was. Hij wilde een vooraanstaande positie bekleden. Hij wilde dat er tegen hem werd opgekeken. Hij betaalde daarvoor met zijn geld.

Dat wist hij en dat wist ik. Dus ik doe echt niet schijnheilig of sentimenteel over hem. Ik voel op dit moment feitelijk alleen maar een grote opluchting. Het spijt me dat hij op deze manier is gestorven, en er is één ding dat me bezighoudt aan zijn dood. Ik vraag me aldoor af wat hij aan die kant van het terrein moest, terwijl hij naar majoor Murray had zullen gaan om met hem over die stropers te praten. Ik heb hem nog gesproken vlak voor hij wegging. Hij keek heel kwaad. Ik denk dat dat was omdat we de laatste tijd zoveel vogels hadden verloren, hoewel niet aan die kant van het terrein.'

Janis had haar ogen gesloten en haar hoofd was naar voren gebogen, terwijl haar kin op haar hand rustte, met haar elleboog stijf tegen de armleuning van de stoel gedrukt, toen haar moeders stem klonk: 'Het verbaast me dat jij je zijn overlijden zo hevig aantrekt, want jullie verkeerden al lange tijd in onmin. Het was alleen dankzij mijn aandringen dat jij nog in de weekends mocht komen. En dan zal ik je nog iets anders vertellen. Hij wist dat jij weer iets met die kerel van Fulton had.'

Janis zette grote ogen op, haar mond viel open, en haar moeder knikte naar haar. 'Ja, daar kijk je van op, hè? Want dat is toch zo?' Ze kon alleen maar naar lucht happen en zeggen: 'Ja, hij komt in de kantine.'

'Is dat alles?'

'Nee, hij is een paar keer iets bij mij in de flat komen drinken.'

Alicia Bradford-Brown ging staan; haar lip krulde en haar hele uitdrukking was er een van minachting toen ze op haar dochter neerkeek en zei: 'Hoeveel lager kun jij nog zinken? Goed, ja, ja, hij heeft in het leger promotie gemaakt, maar hij blijft nog altijd dezelfde die hij voor die tijd was. Nou, je hebt me al meer dan eens verteld dat jij je eigen leven wilt leiden, op de manier zoals jij het wenst. Dan zal ik jou nu op mijn beurt vertellen dat ik mijn leven ga leiden op de manier die ik wens. Dus daarom is het misschien maar goed dat je hem hebt om op terug te vallen. Ik zal je echter een keuze bieden:

ik verkoop het landgoed. Het is al te koop gezet. Meneer Gist zal de zaken beheren, en ik ga bij mijn nicht in Cornwall logeren. Ze woont in haar eentje in dat grote, sombere huis, en ze is blij met mijn besluit. Tja, nu kun jij kiezen. Aangezien je vader je geen rooie duit heeft nagelaten en ik niet van plan ben jou een toelage te verstrekken, nodig ik je uit om met mij mee naar Cornwall te gaan tot na de oorlog, wanneer ik van plan ben naar Zwitserland te verhuizen. Je mag zelf kiezen. Denk er maar eens goed over na.'

Janis keek haar moeder na toen ze door de kamer liep en de deur uit ging, en terwijl ze haar nastaarde, mompelde ze: 'Grote genade!' Ze had in de stellige overtuiging verkeerd dat haar vader haar iets na zou laten, want zijn inkomen uit de diverse bedrijven, waaronder zes makelaarskantoren, die langs de Tyne waren verspreid, benevens de waarde van dit huis en deze grond, moesten hem tot miljonair hebben gemaakt. Maar hij had haar nog geen shilling nagelaten. Hij had alleen maar bepaald: 'Enige vergoeding aan haar zal naar het inzicht van haar moeder geschieden.' En wat had haar moeder bepaald? Ze mocht met haar mee naar dat mausoleum van een huis van nicht Beattie, in het akeligste deel van Cornwall. En dan, na de oorlog, naar Zwitserland. Als brave volgelinge van deze ouder wordende vrouw die nu opeens jaren jonger leek te zijn geworden, nu ze haar nieuwe leven voor zich zag. En wat zou er gebeuren als zíj stierf? Ze zou alles waarschijnlijk nalaten aan een ver familielid, louter om haar te pesten, en dat alleen maar omdat zij, Janis, de sociale regels had overtreden.

Toen ze opstond, voelde ze haar knieën knikken. Ze kon niets anders bedenken dan dat ze naar Geoff moest om met hem te praten, hem te vragen... Ja, wat zou ze hem vragen?

'Ga je echt weg, Meg?'

'Ja meisje. Dat lijkt me maar beter. Ik heb bovendien mijn schepen al achter me verbrand. Zoals ik je heb verteld heeft Bill McGurk m'n spulletjes gisteren naar het nieuwe huis gebracht. De buurvrouw was zo lief geweest 't voor me schoon te maken. Ze lijkt me een heel flinke meid. Ze heeft drie kinderen, maar die zitten veilig op het land, ik geloof ergens hier in de buurt, en haar man zit op zee, en ze werkt 's avonds in de fabriek, en de dagen duren lang, zegt ze. Dus heeft ze 't huis voor me schoongemaakt. We zullen het prima met elkaar kunnen vinden. Ze zei dat ik haar aan haar moeder deed denken. Ik vroeg of 't niet aan d'r opoe was, en toen moest ze lachen, en ze zei dat haar opoe nog steeds in leven was, maar dat haar moeder zich dood had gewerkt om haar te verzorgen. Ach meisje.' Ze legde haar hand op Lizzies arm en zei: 'Kijk nou maar niet zo sip. Het is helemaal niet zo ver naar Shields. En weet je, er zijn drie kamers, je kunt bij me komen logeren, zoals ik al eerder heb gezegd. Aan de andere kant zal ik je missen, meisje. Maar de dingen zitten hier niet goed, hè? Mag ik eerlijk zeggen waar 't op staat?'

'Ja Meg, doe dat alsjeblieft.'

'Nou, Lizzie, volgens mij moeten Geoff en jij eens eerlijk met elkaar praten. En hoe eerder hoe beter.'

'Wat bedoel je daarmee, Meg?'

'Net wat ik zeg, meisje. Je bent niet doof of blind. Maar hij is de afgelopen maanden een ander mens geworden. Eigenlijk vanaf het begin van het nieuwe jaar, en volgens mij is daar een reden voor.'

'En ken jij die reden, Meg?'

Meg draaide zich om en liep naar het fornuis. Ze tilde de ketel op en liep ermee naar de tafel om de thee op te gieten. Daarna zette ze de ketel weer op de zijplaat, liep terug naar de tafel en deed de theemuts over de theepot. 'Ik ga m'n mond niet nog verder opendoen,' zei ze. 'Ik wil alleen tegen je zeggen dat jullie samen eens duidelijk moeten praten, want je hebt je eigen leven om aan te denken, en dat van je kind, en misschien moeten jullie alles eens goed op een rijtje zetten. Dat is alles wat ik ervan wil zeggen, dus je hoeft niet verder te vragen. Misschien heb ik er verkeerd aan gedaan, m'n mond zo ver open te trekken. Maar kijk, het is een mooie dag en jij gaat eens fijn met haar wandelen. Drink eerst een kop thee voor je gaat. Hij moet nog één minuut trekken. Ach, wat is ze toch lief!' Ze keek door het raam naar waar het kind in de kinderwagen lag, buiten in de tuin. 'En ze groeit als kool. Ik heb nooit in flesvoeding geloofd, maar zij gedijt er uitstekend op. Alsjeblieft.'

Ze reikte Lizzie een kop thee aan en voegde eraan toe: 'Er is één ding dat me spijt, meisje, en dat is dat jij het in de toekomst allemaal alleen zult moeten doen, en dit is een groot huis.'

'Wanneer ga je precies, Meg?'

'Nou, ik heb gezegd dat ik het vanaf volgende maandag neem, dan gaat de huur in en zo.'

Lizzie nam een slok van haar thee. Toen zette ze de kop opeens met een klap op de tafel, stond op van haar stoel, trok haar hoed stevig over haar oren, knoopte haar jas dicht en ging de deur uit. Meg hield haar niet tegen met nog meer gekwebbel.

Toen ze de kinderwagen door het hek de weg op duwde, knikte ze en zei tegen zichzelf: 'Meg heeft gelijk. Ze heeft gelijk. Ik moet weten waar ik aan toe ben. Ik had er al weken geleden over moeten beginnen.' Ze had aanvankelijk gedacht dat er geen andere vrouw kon zijn, want wanneer moest hij die ontmoeten? Hij was het grootste deel van de dag thuis, behalve wanneer hij wat frisse lucht ging scheppen. En vanwege zijn been was hij de afgelopen weken drie keer naar het ziekenhuis geweest, en had hij daar 's nachts moeten blijven in verband met het onderzoek. Zou er lichamelijk iets met hem aan de hand zijn en wilde hij haar dat niet vertellen? Ze bleef even staan. Dat zou het kunnen zijn.

In de afgelopen weken hadden ze eigenlijk geen persoonlijk contact meer gehad. Vóór Kerstmis was het voor hem niets bijzonders geweest om een arm om haar schouders of rond haar middel te leggen en haar een knuffel te geven. En 's avonds had hij vaak haar hand vastgehouden wanneer ze samen zaten te praten, vooral als zijn vader naar boven was gegaan en Meg naar bed. En hij had meer dan eens zijn hand op haar bolle buik gelegd om de baby te voelen schoppen. Maar zulke gebaren waren na Oud en Nieuw weggebleven.

Ook al had ze nu het kind, ze had zich de afgelopen weken heel alleen gevoeld, en ze had af en toe de neiging gekregen om Richard op te bellen, maar ze had het niet eerlijk gevonden om dit te doen. Het was bijna veertien dagen geleden dat ze voor het laatst iets van hem of van zijn moeder had gehoord. Mevrouw Boneford had in de eerste week na de geboorte een paar keer opgebeld, en ze had zelfs meneer Boneford een keer aan de lijn gehad, waarbij zijn stem zo luid was geweest dat hij zijn eigen woorden bijna overschreeuwde.

Dan was er Geoffs vader. Vreemd was dat: ze dacht steeds minder aan hem als 'pap'. Sinds zijn uitbarsting toen hij de baby voor het eerst had gezien, had hij nauwelijks tegen haar gesproken. Toen ze Geoff had gezegd dat ze geschokt was over de houding van zijn vader, had hij gezegd: 'Trek het je niet aan. Hij draait wel bij. Hij mist moeder erg. Hij is helaas een vreselijk monogame man: hij kan zichzelf niet met een ander voorstellen.'

Ze liep nu rustig verder achter de kinderwagen, en af en toe bukte ze zich om iets tegen het kind te zeggen, dat haar met grote blauwe ogen van onder de kap lag aan te kijken.

Ze stond op het punt met de kinderwagen om te keren en naar huis terug te lopen toen ze besloot om naar beneden te gaan, naar het pad langs de rivier. Er was iets verderop een kleine helling vanaf de weg. Die lag voorbij de grens van het landgoed, maar op de rivieroever zelf was geen hek. En iedereen die niet wist waar de grens liep, die werd gedefinieerd door een bijna volledig overwoekerd hek dat haaks op het pad stond, kon als excuus aanvoeren dat het niet te zien was wanneer je op verboden terrein kwam.

Enkele weken geleden zou Lizzie er niet over hebben gepeinsd het terrein op te gaan. Maar nu meneer Bradford-Brown was overleden, leek alles niet meer zo dreigend te zijn. Dus liep ze binnen enkele minuten langs de rivier te wandelen.

Het was vreemd dat ze nooit meer in de buurt van de rivier was gekomen sinds die avond dat ze erin was gelopen om Richard te redden. Ze zei tegen zichzelf dat dit een prachtige wandeling was; het pad was heel gelijkmatig, dus het was helemaal niet lastig om de kinderwagen te duwen. Ze moest dit vaker doen. Het viel haar op dat het pad tamelijk uitgesleten was, dus er moesten mensen zijn die het gebruikten. Waarschijnlijk John, op de ronden die hij twee keer per dag maakte. Maar ze betwijfelde of Geoff deze weg zou nemen bij zijn dagelijkse wandeltocht, want dit zou betekenen dat hij die helling af moest, en het leek haar dat hij daarmee zijn been te veel op de proef zou stellen.

Nu haar gedachten weer bij hem terug waren, stelde ze zich een vraag: gaf ze echt om hem? En terwijl ze naar een antwoord zocht, zette ze de kinderwagen stil en staarde over de rivier, waarvan het oppervlak glinsterde als ontelbare sterren. Het antwoord was: wie was er anders, die om haar en haar kind gaf? Ze vond hem aardig. Ze kon met hem leven, en het huis was haar en zijn thuis. Wat voor andere toekomst kon ze hebben? Aan de uitdrukking van haar gezicht te oordelen was het een onbevredigend antwoord, en ze duwde de kinderwagen weer verder. En toen zag ze, recht voor zich uit, de oude schuur. Ze was in geen jaren meer deze kant uit geweest. Ze was er één keer binnen geweest en had de relikwieën van vroege martelingen aan de muren zien hangen, en haar bezoek had haar een idee gegeven voor een opstel op school over 'Oude Boerenwerktuigen'.

Ze was nog ruim tien meter bij de schuur vandaan toen ze het gemompel van stemmen hoorde. De wielen van de kinderwagen waren nog twee keer rondgedraaid voordat ze er stil mee bleef staan toen ze twee gestalten door de deuropening naar buiten zag komen. En toen ze bleven staan en hun armen om elkaar heen sloegen, was de omhelzing even hartstochtelijk als de langdurige kus suggereerde. Ze voelde hoe haar gezicht opperste verbazing uitdrukte, terwijl er tegelijkertijd in haar hoofd een gebulder ontstond dat binnen enkele seconden haar hele lichaam leek te vullen. Ze kon zelfs de kleur ervan zien: die was bijna zwart, een donker, roodachtig zwart. Het leek of haar ogen erdoor verschroeid werden.

Lizzie had het gevoel dat ze daar minutenlang moest hebben gestaan voordat hun lichamen uit elkaar gingen. De vrouw zag haar het eerst, en toen ze zich langzaam van de man losmaakte, wees ze naar haar. Toen draaide de man zich om en ze hoorde zijn reactie: 'Lizzie. O god!'

Geoff maakte geen aanstalten om naar haar toe te lopen toen ze de kinderwagen keerde en er bijna op een sukkeldraf over het pad vandoor ging. Toen was ze weer op open terrein, weg van dit tafereel...

'Maak je maar geen zorgen,' zei hij toen hij zijn armen weer om Janis heen sloeg. 'En je weet heel zeker wat je wilt? Je zult de hoogtepunten niet missen?'

'Welke hoogtepunten?'

'Tja, welke hoogtepunten? Maar er zullen ook wat dieptepunten voor je komen. Ik mag dan wel luitenant zijn, maar ik ben nog altijd de zoon van John Fulton, en hij staat maar één streepje boven een boerenarbeider. Alleen dat al zal de laatst overgebleven deuren voor je neus dicht doen slaan.'

'Geoff, als jij bereid bent om het te proberen, dan ben ik het ook. Het enige obstakel, voorzover ik het kan bekijken, is je vader en hoe hij mij zal ontvangen. En wat... nou ja, dat meisje betreft. Zal zij ertegen kunnen als ik daar in huis kom?'

'Ze zal moeten kiezen of delen. Als ze dit niet wil, zal ik haar, zoals ik al eerder heb gezegd, het aanbod doen om jouw flat voor haar in te richten. Maar alles zal nu echt goed gaan, liefje. Ga nu maar tegen je moeder zeggen wat zij met Cornwall en Zwitserland kan doen.' Hij glimlachte zuur en voegde eraan toe: 'En laat ze zich schrap zetten voor de schok dat jij met die kerel van Fulton gaat trouwen, en als ze moeilijk doet, dan zal ik 't wel horen. Want moeilijk zál ze doen. Het is al erg genoeg dat jij 't stiekem met me hield, maar om dan ook nog met me te trouwen! Die gaat nu als een pijl uit de boog naar Cornwall, reken maar. Vooruit liefje. Ga nu maar.'

Ze verroerde zich niet, maar sloeg haar armen om zijn nek, kuste hem langzaam op de lippen en zei: 'Het zal geen gemakkelijke verandering zijn, maar ik zal m'n uiterste best doen.'

'Daar zal ik wel voor zorgen.'

'Ja,' ze knikte langzaam naar hem, 'daar twijfel ik niet aan.'

Toen ze wegliep, greep hij haar bij de arm en zei zacht: 'Als je Ted toevallig tegenkomt – hij laat zich de laatste tijd weinig zien – denk er dan aan dat je hem even bedankt, want hij heeft zich tegenover jou als een goede vriend gedragen.'

Ze knikte opnieuw en zei: 'Ja, ja, dat zal ik doen, maar je denkt niet dat hij het me na zal dragen, mij ermee zal confronteren?'

'Ted niet. Hij heeft veel geheimen, die Ted.'

Ze was al een eindje bij hem vandaan gelopen toen ze zich omdraaide en zei: 'Wanneer... wanneer zie ik je weer?'

'Later vanavond, bij jou, in de stad. Het zal niet zoveel tijd kosten om te horen wat Lizzie verder gaat doen.'

'Lizzie, nou moet je eens goed luisteren,' – hij grauwde en snauwde tegen haar – 'doe nou eens niet zo beledigd en bedenk dat wij het nooit over een huwelijk hebben gehad.'

'Nee, misschien niet met zoveel woorden, maar je liet 't wel doorschemeren.'

'Nou, dat heb je je dan verbeeld; ik probeerde alleen maar een beetje aardig en behulpzaam te zijn na de dood van Andrew.'

'Ach, hou toch op met die praatjes. Je begeerde mij, en als je had gedacht dat ik gemakkelijk zou zwichten, en niet het soort meisje was dat je moeder had grootgebracht – afgezien van mijn misstap, zoals je vader het noemde – had jij je intenties allang op een andere manier laten blijken. Je had af en toe de grootste moeite om je als een broer te blijven gedragen. Dacht je soms dat ik achterlijk was? En toch moet ik dat al die maanden zijn geweest. Dat jij een nacht in het ziekenhuis moest blijven? Gek, dat dat vorig jaar nooit nodig was. Toen stond je altijd binnen een paar uur weer buiten. En dan uitgerekend met haar – met Richards vrouw.'

'Nu is ze niet meer Richards vrouw.'

'Nee, maar ze is 't wel geweest. Hoeveel pseudo-vrouwen is ze voor die tijd geweest? En daarna? Heb 't léf niet! Wáág het niet je hand tegen mij op te heffen, want dan krijg je ervan langs met het eerste het beste dat ik kan grijpen, en dat is dan dát.' Ze stak haar arm uit en pakte een dertig centimeter groot bronzen beeld van de vensterbank, en ze ging verder: 'En jij hebt de brutaliteit om te zeggen dat je haar als je vrouw hierheen haalt, en dat je verwacht dat ik hier zal blijven! Als wat? Dienstbode? Huishoudster? Keukenmeid? Of het alternatief: naar haar flat in de stad, met twee kamers en een keukentje!'

'Jij was niet anders gewend waar je vandaan kwam. Je bent eigenlijk...'

'Nee, waar ik vandaan kwam had ik het niet beter, maar dat was niet mijn schuld, en jij moest zo nodig voor dappere ridder spelen, om mij te redden van een leven van zonde, waar jij dacht dat ik in terecht dreigde te komen. Maar je hebt het mis, ik heb me die avond heel goed verdedigd, en dat zou ik zijn blijven doen. En ik wil met nadruk stellen' – ze zwaaide met het beeld in haar hand – 'dat ik nooit een juffrouw Janis Bradford-Brown zou zijn geworden, of zou vergeten dat ik een mevrouw Richard Boneford was. En nu ik toch bezig ben, wil ik je één ding wel vertellen: het is niet uit onbeantwoorde liefde – zogezegd – dat ik zo kwaad ben. Het is omdat ik me gebruikt voel. Ik was een surrogaat, om de leemte op te vullen die zij in je leven achterliet. Zoals je een tijdje geleden zo charmant hebt toegegeven, is zij altijd in jouw leven geweest; zij is altijd de ware geweest. Nou, je mag d'r hebben. Tot slot wil ik nog dit zeggen: ik ga nog liever met mijn kind naar het armenhuis dan dat ik hier blijf, of die rottige kamers van haar neem. En ik ga hier zo gauw mogelijk weg en dan zal ik blij zijn jullie nooit meer te hoeven zien.'

Hij stak zijn hand uit om haar vast te grijpen, maar ze riep: 'Waag het niet me aan te raken! Blijf op meters afstand van me! En dit moet me wel van het hart: ik had het niet erg gevonden, ik had er zelfs begrip voor kunnen opbrengen als jij tegen mij had gezegd dat je zoveel van haar hield, dat je met haar wilde trouwen en met haar weg wilde gaan, maar om tegen mij te zeggen dat je haar hierheen haalt en mij geen andere keuze laat dan haar te accepteren of mijn biezen te pakken... Grote god! Geoff Fulton, ik... ik zou je wel wat kunnen dóén!' Ze smeet het beeld op de bank en liep woedend de kamer uit de hal in, waar ze bijna Meg omverliep.

Toen Lizzie de trap op holde, liep Meg langzamer achter haar aan en ze kwam de slaapkamer binnen toen Lizzie al bezig was laden open te trekken.

'Het moest er een keer van komen, meisje.'

'Praat niet tegen me, Meg, nog niet. Praat niet tegen me.'

'Goed, maar ik kan je helpen je spullen bij elkaar te zoeken. Ik heb mijn hebben en houwen al ingepakt, en er staan een paar lege koffers op de vliering. Ik ga ze wel even halen.'

Toen ze weer in de slaapkamer terugkwam, lag het bed bezaaid met ondergoed en babykleertjes. Ze maakte een van de koffers open, knielde ernaast op de grond en zei: 'Geef me eens aan wat je daar in wilt stoppen, meisje.' En dat deed Lizzie.

Toen er twee koffers vol waren, kwam Meg overeind en zei: 'Er staat er daar nog een, en we hebben ook nog een paar dozen. Ik haal die wel.'

'O Meg!' Lizzie liet zich op de rand van het bed vallen, boog zich naar voren en sloeg haar handen voor haar gezicht, terwijl haar lichaam schokte. Maar er kwamen geen tranen. Ze brieste nog steeds van woede. Meg kwam naast haar zitten, sloeg een arm om haar middel, trok Lizzies hoofd naar haar schouder en zei: 'Wat ga je doen, meisje?'

'Ik... daar heb ik nog niet over nagedacht, Meg.'

'Ik wel. Maar... je hebt weinig aan wat ik heb bedacht, nietwaar? Ik heb m'n huisje, maar jij hebt altijd hier gewoond en je zou daar stapeldol worden. Dat komt niet doordat het zo klein is, maar meer... nou ja, door de omgeving. Ik ben eraan gewend, ik vind 't er wel leuk. Of dat vond ik vroeger tenminste. Ik weet niet of ik er nog zal passen nu ik terugga. Maar jij zou 't er heel moeilijk hebben, meisje. Ondanks dat ben je er meer dan welkom, zolang als je wilt, en het zou leuk zijn als je een poosje kon blijven.'

'Te bedenken dat het hier van moest komen. Op dit moment wenste ik dat ik bij Minnie Collier, zoals ik haar in gedachten nog altijd noem, was gebleven. En weet je, kort nadat ik daar weg was heb ik haar nog een keer gezien, en toen zei ze tegen me: "D'r zal een dag komen dat je er spijt van hebt." Het... het is net alsof haar voorspelling is uitgekomen. Zo heb je Midge, mijn zuster. Het moet drie jaar geleden zijn dat ik haar voor het laatst heb gezien, en toen hadden we elkaar eigenlijk niets te vertellen. Ze was op zich heel gelukkig. Ik kreeg zelfs het gevoel dat zij gelukkiger was dan ik. Het was haar eenentwintigste verjaardag en ik had een cadeautje voor haar. En daar zat ze, in een huisje vol stof en rommel, maar zij en haar man en zijn familie hadden veel plezier met elkaar. Toen ik die dag daar wegging, voelde ik me wonderlijk eenzaam, en afgezien van een kerstkaart eind 1941, heb ik niets meer van haar gehoord. En ik heb ook niet de moeite genomen om te schrijven. En nu, Meg, heb ik buiten jou niemand meer.'

'Doe niet zo gek, meisje. Je hebt meneer Richard en zijn familie toch.'

'Ach Meg! Ik peins er niet over mezelf onder deze omstandigheden aan hen op te dringen.'

'Nee... nee, natuurlijk niet. Nou, ik ga die andere dozen halen, en daarna ga ik even naar de telefooncel om juffrouw

Thirble te bellen. Ik doe 't vanuit een cel, omdat ik niet wil dat Geoff hoort wat ik zeg. Ze zit nu nog op kantoor en ik wil haar vragen of ik morgen de sleutel al mag hebben in plaats van maandag. Dus kom op, meisje, hoofd omhoog! Er zal best een oplossing komen. M'n ouwe moeder zei altijd: "Als de ene deur voor je neus dichtvalt, gaat er altijd een andere voor je open." Maar daar moet je me niet aan houden. Echt niet.'

Ze liep naar haar eigen kamer, trok haar blauwe wollen jas aan, zette haar platte vilthoed op, haalde haar tas uit de ladenkast en liep haastig de trap af. Bij het telefoontafeltje in de hal scheurde ze een velletje uit de blocnote, kopieerde een nummer uit de klapper die naast de blocnote lag en liep het huis uit.

Even later stond ze in de telefooncel, en toen ze de stem aan de andere kant van de lijn hoorde, schreeuwde ze: 'Bent u dat, mevrouw Boneford?' De stem antwoordde: 'Nee, maar ik zal haar even halen. Met wie spreek ik?'

'Met mevrouw Price. Ik... ik ben een vriendin van Lizzie. Mag ik alstublieft meneer Boneford van u? Richard Boneford?'

'Die is helaas tot morgenavond afwezig, maar ik zal mevrouw Boneford even waarschuwen.'

Meg bleef met de hoorn tegen haar oor gedrukt staan, terwijl ze dacht: Lizzie zei dat de dienstmeisjes een zwaar Schots accent hadden, maar deze sprak heel anders.

'Hallo.'

'O, hallo. Spreek ik met mevrouw Boneford?'

'Ja, daar spreekt u mee.'

'U spreekt met mevrouw Price, Meg Price. U weet wel, de vriendin van Lizzie.'

'O ja, natuurlijk. Lizzie heeft het vaak over u gehad. Hoe gaat het met haar?'

'Eigenlijk niet zo goed, mevrouw Boneford.'

'Ze is toch niet ziek?'

'Nee, dat niet, maar... maar ze zit in de problemen.'

'Hoe bedoelt u, in de problemen?'

'Het eh... is een lang verhaal. Eén moment, ik moet nog even wat munten in het apparaat stoppen.'

Toen ze het gesprek hervatte, schreeuwde ze: 'Bent u daar nog?' En de stem antwoordde: 'Jazeker, mevrouw Price, ik ben er nog. U zegt dat Lizzie problemen heeft. Kunt u me daar iets meer over zeggen?'

'Nou, om een lang verhaal kort te maken, het zit zo... Geoff, weet u, de zoon des huizes, die, nou ja... hij eh... hij gaat... hij heeft opeens gezegd dat hij gaat trouwen en... en hij geeft Lizzie de keus om óf hier in huis te blijven, óf in de flat van die vrouw Bradford-Brown in Durham te gaan wonen.'

'Wát zegt u? Wat was die naam?'

Meg keek omhoog naar het dak van de telefooncel. Ze had geen naam moeten noemen. Nou ja, ze was er anders toch ook wel achter gekomen. Ze bracht haar mond weer tot dicht bij de hoorn en schreeuwde: 'Ik weet niet hoe u dit zult opvatten, mevrouw Boneford, maar... dat is... eh... de vroegere vrouw van meneer Richard. Ik bedoel degene van wie hij is gescheiden. Ze noemt zichzelf nu juffrouw Brown.'

'Nee toch zeker!'

'Jawel. Dus u kunt nagaan hoe Lizzie zich moet voelen, in wat voor situatie ze verkeert.'

'O lieve help, daar moeten we echt iets aan doen.'

'Nou, ik had een idee, mevrouw Boneford.'

'Ja, mevrouw Price? Zeg eens, wat vindt u dat we moeten doen?'

'Nou, vlak voor ik naar buiten ging heb ik tegen haar gezegd dat ze contact met u moest opnemen, maar dat wilde ze niet. Ze wilde zich niet opdringen of zo, zei ze. Dus als u haar straks zou kunnen opbellen om haar te vragen een poosje te komen logeren... nou, dan weet ik zeker dat ze zou komen. Ik ga ook weg, weet u, maar ik heb maar een klein huisje in Shields, en het is echt niet wat Lizzie gewend is. Ze zou net zo welkom zijn als de bloemetjes in mei, maar ze zou zich er doodongelukkig voelen, daar ben ik van overtuigd.'

'Natuurlijk, natuurlijk, mevrouw Price. Ja, dat zal ik doen. Richard is momenteel niet thuis, maar ik weet zeker dat hij zou willen dat ze onmiddellijk kwam.'

Er klonk weer gepiep, en Meg moest nog meer munten inwerpen, en ze riep opnieuw: 'Bent u daar nog?' En het antwoord was weer: 'Ja, mevrouw Price, ik ben er.' De stem was kalm en geruststellend, en ging verder: 'Goed, ik zal mijn best doen om haar via de telefoon over te halen, en u moet haar verzekeren dat ze meer dan welkom is, en dat we popelen om de baby te zien. Hoe lang zal ik wachten eer ik naar het huis bel? Een halfuur?'

'Jawel, dat lijkt me prima. Enne... dank u wel. Dank u hartelijk.'

'Komt u ook mee?'

'Ik? Nou... nee. Ik heb m'n eigen huisje, zoals ik al heb gezegd.'

'U bent van harte welkom, mevrouw Price, en ze leek me erg op u gesteld te zijn. Het is bovendien een lange reis, en ik zou het een prettig idee vinden als ze daar wat hulp en gezelschap bij had.'

'U bent heel vriendelijk, mevrouw, maar... maar...'

'Dan verwacht ik u ook.'

'Wacht es even...'

'Tot ziens, mevrouw Price. Tot dan.'

De verbinding werd verbroken, en Meg hield de hoorn op enige afstand en staarde ernaar terwijl ze zei: 'Ikke naar Schotland? En naar zo'n huis, met dat soort mensen? Niks daarvan. Ik zet haar wel op de trein, maar daar houdt 't dan ook mee op...'

Toen de telefoon ging, was Meg toevallig in de zitkamer bezig, en ze liep haastig weg om op te nemen. Het was mevrouw Boneford, die beleefd informeerde of ze met Lizzie kon spreken.

'Jazeker, mevrouw Boneford. Ik zal haar even waarschuwen.'

Ze draafde de hal door, liep een eindje de trap op en riep: 'Lizzie! Lizzie! Telefoon voor je!'

Het duurde even voor Lizzie boven aan de trap verscheen; ze liep zo langzaam naar beneden dat Meg uitriep: 'Schiet eens een beetje op, meisje, het is mevrouw Boneford.'

Lizzie haastte zich nog steeds niet, en toen ze de telefoon opnam zei ze: 'Hallo Edith.' De stem antwoordde: 'Hallo Lizzie.' Ze ging snel verder en zei kalm: 'Luister goed, Lizzie. Jij stapt morgenochtend samen met mevrouw Price in de trein, en jullie komen regelrecht hierheen. Hoor je me? Ik ga hier niet verder met jou over discussiëren. Ik zeg je wat je moet doen. Breng alleen maar wat lichte bagage mee, de rest kan later worden opgehaald.'

'Dat... dat kan ik niet doen, Edith, echt niet.'

'Luister goed. Als je dat niet doet, betekent dit alleen maar dat Richard, als hij morgenavond thuiskomt, naar South Shields zal moeten gaan, naar het huis van je vriendin, want ze zegt dat jullie daarheen gaan. Om nou allerlei extra gedoe te voorkomen, meisje, moet je gewoon doen wat ik zeg. We popelen om je te zien. Neem dezelfde trein als de vorige keer, dan zal het wagentje op dezelfde plek staan wachten. Ik heb geen zin om hierover te kibbelen. Hoe je ook mag besluiten te komen, of het nou morgen alleen is, of onder begeleiding van Richard, jij komt hierheen.'

Toen Lizzie weer wat wilde zeggen, klikte de telefoon. Ze slaakte een gesmoorde kreet, sloeg haar hand aan haar keel alsof ze stikte, liet de hoorn op het toestel vallen en draaide zich toen om en holde de hal door, de trap op, naar haar slaapkamer. Daar liet ze zich op het bed vallen en ze barstte in huilen uit.

Meg was achter haar aan gelopen, en toen ze bij het bed was, raakte ze haar niet aan maar ging aan het voeteneind zitten om haar uit te laten huilen, en pas toen het geluid van haar snikken minder werd, legde ze haar hand op Lizzies schouder en zei: 'Ziezo, dat is eruit. En nu aan de slag. Je moet even uitzoeken wat je meteen meeneemt en wat je later laat komen.'

Lizzie draaide zich om en ging rechtop zitten, stond toen op van het bed en liep naar de wastafel, pakte een handdoek van de stang en veegde haar gezicht af voor ze Meg aankeek en zei: 'Als ik daarheen ga, ga jij ook mee.'

'O nee, meisje, echt niet. Afgezien van al het andere zou ik daar niet passen. Ik hoorde hier eigenlijk al niet, en dan waren het hier nog geeneens mensen van stand.'

'Meg, ik kan écht niet zonder je, in elk geval voorlopig niet. Ik... ik voel me zo... verloren. Ze zijn daar allemaal echt geweldig lief hoor, maar... maar ik ken jou nou al zo lang, zelfs voordat Bertha was gestorven, en jij bent meer dan een moeder voor me dan zij ooit is geweest – zij was altijd een lerares – en... en jij weet alles van me, je weet alles wat er is gebeurd. Ik heb je nodig, Meg. Als je niet met me meegaat, ga ik met jou mee naar Shields. Dus zo zit dat. Gewoon... gewoon voor een poosje, tot ik m'n draai weer heb gevonden.'

'Ach!' Meg schudde haar lichaam, als een hond die water van zich afschudt, en zei: 'Nou, als jij 't zo stelt, dan zal ik wel moeten. Maar ze zullen wel schrikken, ik ben nou eenmaal een raar mens.'

'Ik weet zeker dat ze het goed met jou zullen kunnen vinden.'

'Laten we hopen dat je gelijk hebt, maar mezelf kennende betwijfel ik dat, want ik ben te oud om te veranderen en manieren aan te leren; ik zou niet weten hoe ik dat moest doen. Nou, dat is dan geregeld. Wat jij nu moet doen, meisje, is naar John gaan om te horen wat hij erover te zeggen heeft. En dan gaan we morgenochtend meteen op stap.'

Wat John te zeggen had was in overeenstemming met zijn houding jegens Lizzie in de afgelopen maanden. Hij zat in zijn stoel en keek haar niet aan maar boog zich naar de haard en klopte zijn pijp uit tegen de spijlen, en in antwoord op wat ze zojuist had gezegd, zei hij: 'Ik heb begrepen dat je weg wilde – zomaar.'

'Niet zomaar, pap. Ik ben voor de keus gesteld om hier een andere vrouw in huis te dulden of haar flat in Durham over te nemen. Wat zou jij verwachten dat ik deed?'

Hij draaide zich om, keek haar aan en zei scherp: 'Gezien alles wat er de afgelopen jaren voor jou is gedaan, Lizzie, vind ik dit heel terecht. Als mijn zoon met iemand wil trouwen, dan is dat zijn goed recht. Zo zie ik dat.'

'Zelfs als het met zo iemand als zij is?'

'Dat is zijn zaak, en haar zaak. En dit is nog altijd mijn huis, en het staat je nog steeds vrij hier met je kind te blijven, maar het staat je niet vrij te zeggen wie er wel of niet in mag komen.'

Haar stem werd luid toen ze zei: 'Wat zou jij hebben gezegd als je zoon je, voor Kerstmis, had verteld dat hij met mij wilde trouwen?'

'Dan had ik gezegd dat dat geen goed idee was. Jullie zijn dan wel geen broer en zus, nee, maar jullie karakters passen niet bij elkaar.'

Ze haalde even diep adem voor ze zei: 'Nee, daarin hebt u gelijk, meneer Fulton.'

Toen hij hoorde dat ze hem bij zijn achternaam noemde, draaide hij zijn hoofd snel naar haar toe, met zijn mond open, en ze maakte dat zijn mond nog verder openviel toen ze zei: 'Ik heb een kind gekregen, maar ik ben geen hoer, en dus zullen het karakter van uw zoon en dat van mij niet goed bij elkaar passen. Hij heeft kennelijk iemand van zijn eigen soort gezocht. Ik hoop dat u veel plezier zult hebben met uw schoondochter in huis.'

'Lizzie, hoe dúrf je!'

'Houdt u nou maar uw mond. Ik ben hier morgenochtend weg en ik zou u misschien moeten bedanken voor alle jaren van goede zorgen, maar als ik erop terugkijk, besef ik dat ik heb gewerkt voor alles wat ik heb gekregen. Ik ben jarenlang als dienstmeid gebruikt. Daar was ik toch voor ingehuurd, nietwaar? Zelfs toen ik naar de typeopleiding ging, moest ik huishoudelijk werk doen als ik thuiskwam. En toen ik geld begon te verdienen, stond ik alles af, en dan gaf zij me wat zakgeld. Maar dat vond ik niet erg, ik betaalde in zekere zin de muzieklessen terug, en daar was ik altijd dankbaar voor geweest. Toch heeft ze altijd gezegd dat ze voor me spaarde, en dat ik een aardig bedrag zou hebben als ik trouwde. Maar het is dan wel vreemd dat toen ze stierf, ik niets anders kreeg dan haar polshorloge. Geen geld, niets, en dat alleen omdat ik had gezondigd. Er is één ding dat ik goed van haar heb geleerd: aardige mensen kunnen in hun hart toch gemeen zijn.'

'Maak dat je wegkomt! Ik had niet gedacht jou ooit zulke dingen over mijn vrouw te zullen horen zeggen. Je bent een ondankbaar schepsel. Je hebt zeven jaar lang onderdak in dit huis gehad, je bent behandeld als een dochter. Ze hield zelfs van je...'

Ze deed twee stappen bij hem vandaan en zei met een grimmig gezicht: 'Ze hield helemaal niet van me, anders had ze me mijn zogenaamde misstap wel vergeven. Wat uw vrouw vanaf het begin heeft gezocht, besef ik nu, was een leerling. Iemand die ze kon sturen en domineren op haar eigen lieve, hardnekkige manier. Maar liefde? Nee. Er was maar één mens van wie ze hield, en dat was zelfs u niet, het was haar zoon, en ik hoop dat, waar ze ook mag zijn, ze gelukkig mag zijn met de schoondochter die haar plaats gaat innemen in dit huis dat haar trots was.'

Hij was te kwaad om iets uit te brengen. Ze zag dat zijn lichaam beefde – het was bijna een herhaling van de houding van Geoff – en dat hij haar het liefst zou slaan. Ze draaide zich om en liep de kamer uit, naar boven, om daar de rest van haar spullen bij elkaar te zoeken, hetgeen, toen alles was ingepakt, helemaal niet veel bleek te zijn.

7

'Allemachies! Ik dacht dat alle aardige mensen in Shields woonden, maar wat zijn de mensen hier behulpzaam geweest!' Ze zaten in de bus op het laatste deel van de tocht. De conducteur had twee koffers, een net, en twee boodschappentassen aangepakt en onder de stoelen gezet, er was een man opgestaan om Meg zijn zitplaats aan te bieden, en er was een jonge jongen die voor Lizzie en de baby hetzelfde had gedaan. Meg schreeuwde door het gangpad naar Lizzie, die drie rijen verderop aan de andere kant zat. 'Schotland begint me nu al te bevallen.' Waarop de mensen binnen gehoorsafstand in de lach schoten en sommigen informeerden: 'Waar komen jullie vandaan?' En Meg antwoordde natuurlijk maar al te graag: 'Durham, het graafschap Durham. We zijn daar vandaag helemaal vandaan gekomen.'

'Sjonge, dat is een eind weg! Waar gaan jullie nu naartoe?'

'De heuvels in, voorzover ik heb begrepen, naar een huis dat Bekenstein heet.'

'Bekenstein!' Er werden blikken gewisseld, en iemand zei: 'Jawel, maar dat is nog een heel eind weg. De bus komt daar niet in de buurt.'

'Nee, dat weet ik, maar we worden afgehaald.'

Zo verliep de rit tot de bus bijna leeg was en zij met twee andere mensen de enige passagiers waren. Toen stapten ze allemaal uit, en de conducteur sprong uit de bus om hun koffers en tassen uit te laden, en hij zwaaide naar hen toen hij weer verder reed.

Lizzie keek om zich heen, en daar, verderop langs de weg, bij de ingang naar het landweggetje, stond het wagentje. Ernaast stond een vrouw, een vrij jonge vrouw.

Voor ze halverwege was riep de vrouw: 'Hallo zeg! Precies op tijd. En ik ben pas net hier.' Ze keek Lizzie aan en zei: 'Ik ben Jean McKenzie. Matty heeft erge last van zijn reuma en... en ik geloof dat Edith je heeft verteld dat Richard niet voor vanavond terug zal zijn.'

Ze stak haar hand uit en Lizzie drukte de baby tegen zich aan, gaf Jean een hand en zei, met een vermoeide glimlach: 'Ik ben Lizzie, en dit is Jane.' Ze knikte naar het kind, en de vrouw zei: 'O, wat een schatje!' Toen keek ze naar Meg en zei: 'En jij bent Meg?' En Meg antwoordde: 'Ja, ik ben Meg.'

'Laat mij die koffers nemen.' Jean McKenzie bukte zich, tilde moeiteloos de twee koffers op en zei: 'Hoe was de reis? Ik hoop dat jullie niet hebben hoeven staan. Dat is tegenwoordig vreselijk. Toen ik vanuit Portsmouth hierheen kwam, heb ik het hele eind moeten staan.'

Zelfs voordat Lizzie in het wagentje zat besefte ze dat deze Jean McKenzie een heel doortastende jonge vrouw moest zijn, hoewel niet zo jong als ze aanvankelijk had gedacht. Ze moest een jaar of dertig zijn. Ze was lang en heel slank, met een wilde massa blond haar en een knap gezicht met grote, ronde, bruine ogen. Ze praatte het grootste deel van de tijd, waarbij ze nauwelijks wachtte tot een van hen antwoord gaf.

Ze ratelden over het weggetje voort toen ze zich omdraaide, naar Lizzie keek en zei: 'Richard zal heel blij zijn je te zien. Hij heeft me veel over je verteld. Richard en ik zijn samen opgegroeid, weet je. Nou ja, samen opgegroeid,' – ze lachte even – 'dat was tot ik zeven en hij negen was, en hij naar kostschool ging en ik kort daarna ook werd weggestuurd. Daarna hebben we elkaar overwegend gedurende de vakanties gezien en samen kattenkwaad uitgehaald.'

Meg, die tegenover haar zat, en naast de jonge vrouw die haar rug half naar haar toe had gekeerd, wisselde een blik met Lizzie, en Lizzie wendde haar blik af van wat Megs boodschap mocht inhouden en zei: 'Hoe gaat het op het ogenblik met Richard?'

'O, met hem gaat het heel goed. Hij is nog weer naar het ziekenhuis geweest en ze doen echt geweldige dingen met hem. We waren allemaal erg opgelucht. We zijn vorig weekend in de stad gaan winkelen, en... en weet je, hij was helemaal niet zo schuw als vroeger. Het was echt fantastisch om die verandering bij hem te zien.'

Meg wist opnieuw Lizzies blik te trekken en ze hield die vast en ze hadden beiden dezelfde gedachte: kwam ze soms van de regen in de drup?

Ze had vannacht haast geen oog dicht kunnen doen. Terwijl uur na uur was verstreken, was ze zich ervan bewust geraakt hoe opgelucht ze was over hoe alles had uitgepakt en had ze beseft waar haar ware gevoelens lagen. Ze herinnerde zich dat Richard had gezegd dat hij haar nooit ten huwelijk zou vragen, maar dat dit niet betekende dat hij niet om haar gaf. Nou, als de tijd daar rijp voor was, dan zou zij hem wel zelf vragen. En nu was er dit meisje, nee... deze vrouw, die het over haar band met Richard had, min of meer om het ijs te breken. Ja, ze probeerde duidelijk het ijs te breken door haar te laten weten hoe de zaken ervoor stonden. Zij was het soort vrouw dat niet zou hebben gewacht tot Richard haar ten huwelijk vroeg. Met haar opgewekte, doortastende manier van doen zou ze de vraag zelf hebben gesteld en de zaak voor eens en voor al hebben geregeld. Het leek wel een soort sardonische grap. Om terecht te komen in een situatie die identiek was aan die welke ze nog maar enkele uren geleden was ontvlucht.

Dat woord 'grap' had Honeysett ook gebruikt.

Een halfuur voor de bus zou vertrekken had zij de koffers naar de bushalte gebracht, en Meg de tassen, en had ze haar daar gelaten om terug te keren voor het kind en wat losse dingen. Geoff had zich niet meer laten zien, en zijn vader moest al eerder naar zijn werk zijn vertrokken, want ze zag niemand, en toen ze het huis voor de laatste keer had verlaten, nam ze niet eens de tijd om in de keuken om zich heen te kijken: ze wilde weg, en wel zo snel mogelijk. Bij het hek was ze Ted Honeysett tegen het lijf gelopen. Hij duwde zijn handkar voor zich uit en had zonder enige vorm van groet gezegd: 'Moet je met de bus?' En ze had geantwoord: 'Ja, meneer Honeysett.'

'Nou, leg je spullen maar op de kar,' zei hij, en dat had ze gedaan. Daarna had ze zwijgend naast hem gelopen, tot ze binnen het zicht van Meg, die op haar koffer zat, waren gekomen en hij had opgemerkt: 'Ga je met vakantie?'

'Nee, meneer Honeysett, we gaan hier weg.'

Hij had geen enkele verbazing getoond, maar gezegd: 'O ja?' Daarna had hij er terloops aan toegevoegd: 'Om haar?'

Ze had hem even aangekeken en hij beantwoordde haar blik, knikte en zei: 'O, ik kom nog wel eens ergens, Lizzie, en dan hoor ik zo het een en ander.' Dit had haar weer gebracht op wat John over Ted Honeysett had gezegd, dat hij meer wist dan goed voor hem was. Ze had beseft dat hij de hele situatie altijd al door had gehad. Daarna, als om dit toe te lichten, had hij gezegd: 'Hij was altijd een beetje een grapjas, weet je, als jonge knul al. Kon altijd geintjes maken over iets dat je had gezegd. Maar er zijn dingen waar je geen geintjes over moet maken. Ik heb niet echt een hekel aan hem, weet je, dus ik hoop maar dat hij nog lang om deze grap zal moeten lachen. Daar zijn we dan.' Hij had de spullen van de kar gehaald en naast Meg neergezet. Hij vroeg: 'Ga jij ook met vakantie?'

'Jawel, Honeysett, ik ga ook met vakantie.'

'En waar ga je dan wel naartoe?'

'Ik ga naar Duitsland, naar meneer Hitler.'

Hij grijnsde en merkte op: 'Stel iemand een gewone vraag, en je krijgt een raar antwoord.' Toen keek hij weer omlaag naar Meg en voegde er zachtjes aan toe: 'Wanneer je hem ziet, wil je 'm dan vragen of hij onze Billie een beetje fatsoenlijk behandelt? Hij houdt 'm nu al twee jaar gevangen.'

Meg was van haar koffer overeind gekomen en had op andere toon gezegd: 'Wat akelig. Dat wist ik niet.'

'Nee. Ach, er is ook geen reden waarom je dat zou moeten

weten, of dat mijn tweede zoon op een mijnenveger zit, en Katie en Carol bij de WAAFS, en de jonge Fred monteur is bij de Luchtmacht, en Nancy, de jongste, die zit bij het een of andere orkest om de jongens aan het lachen te maken. Die zou een dooie nog weer aan het lachen kunnen krijgen. Tja,' – hij richtte zich weer tot Lizzie – 'waar je ook naartoe mag gaan, meisje, ik wens je het allerbeste.' Ze antwoordde zacht: 'Dank u wel, meneer Honeysett, en... en ik dank u ook voor al uw vriendelijkheid in de afgelopen jaren.'

'Ach meisje, wat ik voor jou heb gedaan was niets vergeleken bij wat ik voor anderen heb gedaan, en nog doe, en uiteindelijk krijg ik daar meestal alleen maar een trap voor m'n achterste voor, voor de moeite. In elk geval wens ik jou het allerbeste, en u ook, mevrouw Meg.'

'Dank u wel, meneer Honeysett. Het spijt me dat ik zo scherp deed. Maar ik ben vanmorgen gewoon mezelf niet.'

'Jawel, dat begrijp ik. Mag ik nu vragen of jullie op weg zijn naar Shields?'

'Nee, nee, dat zijn we niet.'

'O... op die manier.' Hij keek Lizzie recht aan en zei: 'Doe in dat geval de hartelijke groeten aan meneer Richard. Een heel geschikte kerel, die meneer Richard. Beslist niet zomaar een grapjas. Heel veel succes, jullie allebei.' Daarna greep hij zijn handkar en duwde die weg, waarna ze hem allebei nastaarden.

Meg zei: 'Hoe kon hij weten waar we naartoe gaan?'

Lizzie had het kind van de ene arm op de andere genomen voor ze antwoordde: 'Hij is slimmer dan waar de meeste mensen hem voor houden, hij is eigenlijk slimmer dan de meeste mensen hier in de buurt.'

'Gek is dat, ik heb 'm nooit erg gemogen.' Meg had haar lippen getuit. 'Ik dacht dat hij sluw en achterbaks was, maar de manier waarop hij me op mijn nummer heeft gezet, door me een overzicht van zijn kinderen te geven, was heel terecht. Hij is waarschijnlijk opgegroeid met ploeteren en zuinig doen. Maar' – ze draaide zich om en keek Lizzie aan –

'wat bedoelde hij met dat meneer Richard niet zomaar een grapjas is?'

Ja. Wat bedoelde hij daarmee? Maar als hij dat in dit geval bleek te zijn, was het onbedoeld.

Ze was het liefst gaan huilen... niet echt in tranen uitbarsten, maar heel zachtjes huilen.

De stem van de vrouw verbrak de gang van haar gedachten weer. 'We waren van plan dit weekend een beetje feest te vieren. Een paar vrienden uit te nodigen. Ik ben blij dat jullie zijn gekomen. Jullie zullen het vast leuk vinden.'

Toen Lizzie naar het profiel van het gezicht van de vrouw keek, zag ze dat ze heel gespannen was onder al haar gekwebbel. Bespeurde ze in haar een rivale? Nou, dat hoefde echt niet. Nee, echt niet. Ze bleef een paar dagen logeren, en daarna zou ze samen met Meg naar Shields gaan. Ze dacht aan de kinderwagen en de drie kartonnen dozen met losse spulletjes die ze in de schuur had gezet. Ze had gisteravond contact opgenomen met de familie Bramley, om hun te vragen die op te halen wanneer ze deze kant uit kwamen, wat volgende week of volgende maand of over een paar weken kon zijn, dat viel nog te bezien. Ze kon hen in elk geval opbellen om deze verandering door te geven. Dat was alles wat er moest gebeuren.

'Tante Edith en oom James vinden het geweldig dat jullie komen; ze popelen om de baby te zien.'

Dus het was tante Edith en oom James. Het sprak vanzelf dat ze die titels gebruikte, want ze had hen nou eenmaal als kind al gekend.

Ze keek weer naar haar. Het hoofd was hoog geheven, de schouders naar achteren gedrukt. Ze kon haar al over de heidevelden zien zwerven, de bergen beklimmen, meerijden in een jachtpartij. Ja, zij zou daar echt passen. O lieve God, ze wenste dat ze niet was gekomen. Ze dacht weer aan Ted, en zijn opmerking over een grapjas. Maar die grap leek haar te achtervolgen, en dat was heel pijnlijk, meer dan ze ooit voor mogelijk had gehouden.

Ze had Andrew liefgehad, en haar liefde voor hem lag nog steeds heel diep in haar. Maar ze had nooit gedacht dat haar gevoelens, haar diepe gevoelens voor Richard het zaad konden bevatten van een nieuwe liefde, maar die liefde scheen van de ene dag op de andere te zijn ontkiemd. Nou ja, niet echt van de ene dag op de andere. Hoe vaak had ze in de afgelopen weken zijn manier van doen vergeleken met die van Geoff? Hoe vaak had ze gehoopt dat hij aan de telefoon zou zijn, zodat ze zijn stem kon horen en een paar minuten met hem kon praten? En waarom, wanneer ze zich hem voor de geest haalde en hem zag zoals hij werkeliijk was, wilde ze naar hem blíjven kijken, in plaats van zich te laten afschrikken? Ze had de tekenen bij Geoff moeten herkennen, want ze heette zo'n verstandig meisje te zijn, maar ze herkende de tekenen hier maar al te goed. Deze vrouw, die het wagentje mende, was verliefd, heel erg verliefd, zo verliefd dat ze bang was. Nou, ze hoefde echt niet bang te zijn.

Toen ze tenslotte over de oprijlaan ratelden, naar de voorkant van het huis, stonden daar, alsof ze zich sinds de vorige keer niet hadden verroerd, James en Edith. En het eerste dat Edith deed was het kind van haar overnemen en het in haar armen wiegen, kirren en uitroepen: 'O, wat heerlijk om jou weer te zien, Lizzie. En... en dit is Meg. Mag ik Meg tegen je zeggen?'

'Jazeker, mevrouw.'

Het was lang geleden dat Meg zo beleefd had gedaan, maar ze herkende een dame wanneer ze er een zag. Toen James haar hand greep en die heen en weer zwengelde alsof hij haar arm eraf wilde rukken, zei hij: 'Goede reis gehad?' En ze antwoordde gesmoord: 'Heel goed, meneer... Dank u.'

'Kom dan maar gauw mee naar binnen.'

Toen ze allemaal het huis in liepen, riep Jean McKenzie vanaf de oprit: 'Ik zet even het paard in de box en geef 'm wat voer.'

In de hal stond Phyllis te wachten, en ze begroette Lizzie met: 'Ik ben heel blij u weer te zien, echt waar.'

'Dank je wel, Phyllis. Ik ben blij hier te zijn.'

'De kokkin heeft speciaal voor u een partij haverbolletjes gebakken.'

'O, wat lief. Wil je haar heel hartelijk bedanken? Maar ik zie haar trouwens straks nog wel.'

'Kom binnen, kom binnen. Doe je jas uit en ga zitten. En, hoe zit 't met die thee?' James had zich tot Phyllis gewend. 'Sta daar niet te gapen, kind. Je maakt iedereen bang met die open sluisdeuren. Ga de thee halen.'

Meg was bezig geweest de speld uit haar hoed te halen, maar ze had deze woordenwisseling als verstijfd gevolgd. Phyllis knikte naar haar en mompelde: 'Dat is nou typisch hem... moet zich altijd even uitsloven.' Waarop Meg zo hard in de lach schoot dat ze haar allemaal aankeken. Toen lachte iedereen, en Edith zei: 'Meg, je zult wel gauw gewend raken aan die twee. We hebben hier altijd onze eigen oorlog. Er is nog nooit een wapenstilstand geweest, geen afnemen van de vijandelijkheden. Kom binnen.'

Ontdaan van jas en hoed stond Meg in de deuropening van de salon en keek vol ontzag om zich heen. Ze liep pas verder na een por van Lizzie, en gedurende de eerste tien minuten van het heen-en-weergepraat, deed ze geen mond open. Het enige dat ze deed was haar ogen door de kamer laten glijden, zo ver als ze dit kon doen zonder haar hoofd te veel te bewegen, want ze had geleerd dat het heel onbeleefd was om in het huis van een ander om je heen te kijken. Maar dit was echt iets dat ze zich nooit had kunnen voorstellen. Ze had zelfs in de film niets gezien dat hiermee te vergelijken was. En die twee mensen die met Lizzie zaten te praten, die leken echt heel gewoon. Ze konden zomaar je buren zijn, alleen was de klank van hun stem heel anders.

Toen ging de deur open en de jonge vrouw stak haar hoofd om de hoek en riep: 'Ik ga me even opknappen. Hij had een pestbui om het een of ander en toen heeft hij zijn voer omgeschopt. Ik denk dat hij Matty mist... Is er nog telefoon voor me geweest?'

'Nee. Nee, nog niet, liefje.'

De twee oudere mensen wisselden een snelle blik, en Lizzie bespeurde iets van bezorgdheid, en ze wilde zeggen: Het geeft niet. Het geeft niet, ik begrijp het wel. De vrouw, dacht ze, verwachtte waarschijnlijk dat Richard haar zou opbellen om te zeggen hoe laat ze hem moest komen ophalen, net zoals ze hen zojuist had opgehaald.

Edith merkte op: 'We hebben de kamers snel even bekeken. We hebben Meg voor vannacht de kamer naast de jouwe gegeven, maar misschien vindt ze het leuker om later bij Phyllis en Mary in de buurt te zijn. Er is daar een leuke dependance, die moet alleen even worden gelucht. Maar dat bekijken we later allemaal wel.' Ze knikte naar Meg. Toen ging de deur open en ze zei: 'Ha, daar komt de thee. James, wil jij Phyllis even helpen?'

'Ik zie niet in waarom. Ik zie echt niet in waarom ik dat zou doen.'

Toen James moeizaam overeind kwam, keek Lizzie naar Meg. Haar gezicht was een en al verbazing over de situatie. Ze zag al voor zich hoe zij hier zou passen. Ze zou dol zijn op die woordenwisselingen en ze zou meedoen, maar wel met gepaste eerbied, want ze was duidelijk diep onder de indruk, niet alleen van het huis, maar ook van James en Edith. Meg zou zeggen dat het mensen van stand waren, en dat waren ze ook: mensen van stand. En nog maar enkele uren geleden had zij zich voorgesteld hoe ze haar leven bij hen zou doorbrengen, en veel zou leren, want ze besefte dat er nog veel dingen waren waar ze niets van afwist. Ze kreeg opnieuw het gevoel dat ze zachtjes wilde huilen.

Dit gevoel bleef gedurende de thee bestaan. En later, toen ze op haar kamer was en Edith op de deur klopte om even een praatje te maken, kwamen de tranen in haar ogen toen ze Edith in het kort vertelde over de situatie die ze had achtergelaten.

Toen Edith zei: 'Maar ik had begrepen dat meneer Fulton jóú ten huwelijk had gevraagd – Richard heeft me dat verteld,' schudde ze haar hoofd en antwoordde: 'Maar niet met zoveel woorden, Edith, niet met zoveel woorden. Hij had me te verstaan gegeven dat dat zijn bedoeling was. Maar je begrijpt wel dat ik daar niet kon blijven, hè?'

'Ja liefje, dat begrijp ik. Je had beslist niet moeten blijven.' De stem en de woorden waren heel nadrukkelijk. 'Een onmogelijke situatie. En dan met haar! Ze is altijd een onbeschaamd en losbandig wezen geweest.'

Lizzie glimlachte zwak en zei: 'Een van de eerste dingen die Geoff met nadruk heeft verklaard was dat ze dat allemaal niet langer was, en dat ik goed met haar overweg zou kunnen.'

'Nee toch zeker! Dat nooit!'

'Dat heb ik ook gezegd. Dat nooit! In elk geval heeft Meg een huisje in Shields, en...'

'Dat zullen we later wel bespreken. Eerst wachten we tot Richard terug is, en dan kunnen we verder praten. Ik laat je nu alleen, zodat je even wat kunt rusten. We eten over een uur. Ga nu maar liggen en rust wat uit. Was haar flesje goed?'

'Ja, dank je wel.'

'De kokkin was opgetogen bij de gedachte dat er een baby in huis was. Het is een groot verschil om een baby in huis te hebben. Doe nu maar wat ik heb gezegd, en ga lekker rusten. We zien je bij het eten, en daarna zullen we verder praten.'

Daarna verder praten. Verder praten had weinig zin. Zelfs als die jonge vrouw een engel bleek te zijn, kon ze zich nog steeds niet voorstellen dat zij in dit huis zou blijven als die andere met Richard was getrouwd.

Toen Meg begreep dat er van haar werd verwacht dat ze samen met de gastvrouw en gastheer aan tafel kwam, vertrouwde ze Lizzie toe dat ze veel liever in de keuken at, bij die andere twee. Kon zij dat regelen zonder binnen problemen te veroorzaken? Ze had met haar duim over haar schouder gewezen. En dus had Lizzie dat geregeld. En nu was de maaltijd half voorbij en Lizzie, die tegenover Jean zat, wenste dat ze eens ophield met dat gekwebbel, want ze sprong van de hak op de tak. Toen werd ze opeens stil, omdat in de verte, in de hal, het gerinkel van de telefoon te horen was.

Jean keek van de een naar de ander en zei: 'Willen jullie me even excuseren?'

'Ja, ja, liefje. Ga maar gauw.'

Lizzie keek haar na toen ze zo ongeveer de kamer door hólde, en toen de deur achter haar dicht was, zag ze hoe Edith een diepe zucht slaakte, alsof ze moe was. En ze dacht: Jean maakt haar nu al moe. Hoe moet dat wanneer ze hier in huis komt wonen? Maar aan de andere kant was Edith dol op haar zoon en zou ze alles slikken om hem gelukkig te maken.

Het gesprek stagneerde en ze aten enkele minuten zwijgend verder. Toen vloog de deur open en daar stond ze, deze lange, knappe jonge vrouw, en de uitdrukking van haar gezicht was heel anders, en het geluk dat ze uitstraalde bezorgde Lizzie een steek van pijn in haar hart, zo opgetogen en vol liefde leek ze. Ze zei niets, maar ze liep naar de tafel. En daar stond ze, met haar handen op de rugleuning van de stoel, haar hoofd even gebogen, en toen keek ze lachend op terwijl de tranen over haar gezicht stroomden. James kwam uit zijn stoel overeind, liep naar haar toe, sloeg zijn arm om haar heen en zei: 'Ik had het toch gezegd. Niemand kan George tot zinken brengen.'

Lizzie zag hoe Jean haar gezicht even tegen James' schouder drukte voor ze naar Edith keek en zei: 'Ik... ik heb hem zelf gesproken. Ze... ze hebben geen schip, geen man verloren. Ze zijn wel beschoten, maar ze hebben geen verliezen geleden. Geweldig! Geweldig! En hij komt in het weekend hierheen. Denk je toch eens in: hij kan in het weekend hierheen komen, tante Edith.' Ze kuste Edith impulsief op de wang, en Edith hief haar armen en nam haar gezicht even in haar handen en zei: 'We zijn net zo opgelucht als jij, liefje. Ik weet dat we hebben gezegd dat geen bericht goed bericht is, maar het is fijn dat dat ook blijkt te kloppen.'

Jean keerde zich nu naar Lizzie en zei: 'Je zult me wel een geweldig warhoofd vinden. Ik heb m'n mond niet meer dichtgedaan vanaf dat je hier was. Weet je, George, mijn man, is maandenlang weg geweest en ik heb al die tijd geen enkel bericht van hem gehad, en... en ook was er geen bericht dat er een schip was gezonken. Toch... nou ja, je begrijpt wel wat ik bedoel. Het spijt me dat ik zo heb lopen kakelen als een kip zonder kop, maar... maar we kregen eergisteren bericht dat ze misschien binnen zouden lopen. Ik had die tip van een goede vriend gekregen, maar sindsdien heb ik m'n mond gewoon niet meer kunnen houden.'

'Ga nou eens zitten en eet je bord leeg,' zei James. 'Al die opwinding over een eenvoudige kapitein. Als het nu een admiraal was geweest, of de adjudant van Churchill, of Eisenhowers onderbevelhebber, maar waarom zou iemand zich over een onnozele kapitein willen opwinden? En dan nog wel een met de naam George.'

Dit had op zijn minst enig gegrinnik moeten veroorzaken, maar in plaats daarvan keken de anderen aan tafel Lizzie bezorgd aan, want ze zat met haar gezicht in haar handen te huilen. Niet zachtjes, zoals ze nu al dagenlang had willen doen, maar luid en openlijk, zonder enige remming.

Ze hielpen haar van de tafel naar een gemakkelijke stoel, en Edith zei scherp: 'Haal wat cognac, James.' Terwijl James beteuterd zei: 'Heb ik dit met mijn flauwekul veroorzaakt?'

'Nee, nee. Het is gewoon een reactie. Ze heeft veel meegemaakt, en... en je weet dat de baby pas een paar weken oud is. En ze heeft een moeilijke tijd achter de rug, heb ik begrepen. Ze... ze is uitgeput. We moesten haar maar naar bed brengen.'

'Nee, nee.' Lizzie probeerde zich te beheersen en zei hijgend: 'Het... het spijt me.' Toen keek ze met haar betraande ogen op naar Jean en zei: 'Dit... dit komt doordat je man in veiligheid is.'

Maar het was natuurlijk niet alleen omdat Jeans man in veiligheid was, maar vooral omdat ze een man hád, en dat het Richard niet was.

'Het gaat wel weer. Het spijt me vreselijk.'

'Je hoeft geen spijt te hebben, meisje. Kom, drink dit nu maar op.' Er werd haar een glas onder de neus geduwd. Ze nam een slokje cognac maar verslikte zich hevig, en James merkte op: 'Dat kan me nou toch zo aan m'n hart gaan. Vrouwen verslikken zich altijd in cognac, en dan morsen ze de helft. Het is altijd zonde om cognac aan vrouwen te geven, daar is het veel te lekker voor.'

'James, hou je mond!'

'Goed liefje, goed, goed. Ik probeer alleen maar een beetje... te...' Hij liep weg. Lizzie leunde achterover in de stoel en had het liefst gelachen. Ze wilde net zo hard lachen als ze eerst had gehuild, maar ze dacht dat haar gelach misschien hysterisch zou worden. Ze moest zich weten te beheersen. Er was heel veel gebeurd binnen een heel korte tijd. Maar Richard... Richard kón nog steeds de hare zijn. Ze hoefde alleen maar te wachten tot hij arriveerde.

Het was kwart over elf toen Edith haar zoon bij de voordeur begroette. Ze had de vrachtwagen over de oprit horen ronken, en ze had Lizzie in de salon achtergelaten met de woorden: 'Sta maar niet op, liefje. Dat is Richard. Hij zal het heerlijk vinden je te zien.' En daarop was ze haastig de kamer uit gegaan. Ze greep haar zoon nu bij de hand terwijl ze haar vinger naar haar lippen bracht toen ze hem door de hal meesleepte naar de kleine eetkamer.

'Wat is er? Wat is er aan de hand?' vroeg hij angstig.

Ze fluisterde: 'Doe je jas uit.'

'Nou, geef me in elk geval een kans om binnen te komen. Wat is er aan de hand, lieverd?'

'O, er is van alles en nog wat aan de hand. Je bent pas zesendertig uur weg, en de hele wereld staat op zijn kop.'

'Jean? Heeft ze bericht gekregen dat George...?'

'Ze heeft bericht gekregen, niet "dat George", maar "van George". Hij ligt veilig en wel in Portsmouth, en komt in het weekend hierheen.'

'O, mooi zo. Nu zal ze niet steeds een Sint-Vitusdans doen, elke keer dat de telefoon gaat. En... wat is er?'

'Lizzie is er.'

'Lizzie?' Hij knipperde met zijn ogen, en het ronde oog ging halfdicht toen hij herhaalde: 'Lizzie? Waarom?'

'Laat me eerst eens even gaan zitten.' Ze trok een stoel onder de tafel vandaan, liet zich erop zakken en zei: 'Al deze opwinding bezorgt me een hartaanval voordat de dag om is. Goed, ik zal het kort houden, zij zal je wanneer het haar schikt wel het hele verhaal vertellen. Ze is min of meer het huis uitgezet.'

'Wat!'

'En nu komt het. Je vroegere vrouw is van plan te hertrouwen.'

'Nou, dat verbaast me niets.'

'Ze gaat trouwen met de man van wie jij me hebt verteld dat hij van plan was Lizzie en haar kind te nemen. Die Fulton.'

'Geoffrey Fulton? Dat kan niet. Hij... hij heeft me zelf verteld dat hij dat wilde doen.'

'Wat hij je ook mag hebben verteld, of wat voor indruk hij je ook mag hebben gegeven, volgens Lizzie had hij het weer met háár aangelegd. Het schijnt dat Janis en hij, misschien weet je dat wel, al een verhouding hadden toen zij nog op school zat. Haar vader heeft hem het terrein afgeschopt. Daarom is hij in het leger gegaan. Hij schijnt in elk geval verder te zijn gegaan waar hij was gebleven, en het moet al maanden gaande zijn geweest. Maar uit wat ik kan begrijpen, en tussen de regels door heb gelezen, heeft ze echt geen gebroken hart over hem. Ik bedoel, Lizzie niet. Maar ze beschouwde het huis als haar thuis, en ze had een kind om groot te brengen, en ze wist geen andere uitweg te bedenken. Weet je, Richard,' – ze stak haar vinger naar hem op – 'niemand anders heeft aangeboden met haar te trouwen.'

'Moeder, moeder, alles is nog steeds hetzelfde. Haal je alsjeblieft niets in je hoofd.'

'Het is voor mij onmogelijk om me nog meer in m'n hoofd te halen dan er al in zit, Richard.'

'Moeder! Ik vraag dat meisje niet of ze met mij wil trouwen, en daarmee basta. Ik zal altijd haar vriend zijn, ik zal alles doen wat ik kan. Begrijp je dan niet, kún je dan niet begrijpen in wat voor positie ik verkeer? En kijk eens naar haar, een knap meisje, vol levenslust. Ze verdient...'

'Ja, ze verdient een goede man, en een goed thuis, en dat heb jij haar hier te bieden. Doe niet zo stom, Richard.'

Hij wendde zich van haar af en zei: 'Het heeft geen zin, lieverd. Je moet me geloven als ik zeg dat ik Lizzie, of wie dan ook, echt niet ten huwelijk zou kunnen vragen.'

'Goed, vraag haar dan maar om met jou in zonde te leven, maar laat haar niet zomaar uit je leven glippen. Ik... ik ga naar bed. Ik ben heel erg moe. Met Jean en alle spanning van de afgelopen dagen, en nu dit ook weer, wordt het me bijna allemaal te machtig.'

'Het spijt me, lieverd.' Hij draaide zich om en pakte haar bij de schouders, boog zich naar voren en kuste haar op de wang. En hierop stak ze haar hand uit en raakte zijn gehavende gezicht aan en zei: 'O lieverd, probeer alsjeblieft verstandig te zijn, al was het maar om mij, wees verstandig.' Toen schudde ze haar hoofd en liep naar de deur. Maar daar draaide ze zich om en zei: 'Ze zit in de salon. Wens haar maar welterusten van mij.'

Hij bleef lang staan voordat hij de deur van de salon openduwde, en daar, in het schijnsel van de tafellamp en van de vlammen van het vrolijke houtvuur, zag hij haar. Met lichte stap liep hij haastig de kamer door en zei: 'Hallo Lizzie. Dit is een verrassing. Maar wel een heel leuke verrassing! Wat ben ik blij je te zien.' Hij stak zijn handen naar haar uit.

Ze was uit haar stoel opgestaan, nam zijn handen in de hare en zei rustig: 'Hallo Richard.' Toen vroeg ze nuchter: 'Heb je een goede reis gehad? Ik... ik begrijp dat je vee hebt gekocht.'

'O, dat. Ik heb wat vee gekocht, ja, maar ik was er een beetje te laat en toen was het beste al weg. Maar hoe gaat het met jou?'

'Nu wel goed. Heeft je moeder het verteld?'

Hij draaide zich om en keek naar de sofa, trok haar toen naar zich toe, en toen ze naast elkaar zaten, zei hij: 'Ze heeft het in grote lijnen verteld. Ik... ik ben stomverbaasd. Hij heeft me zelf verteld dat hij met jou ging trouwen... nou ja, dat dat in elk geval zijn bedoeling was. Ik kan gewoon niet geloven dat hij zo'n dwaas is geweest. En om het dan weer met... met Janis aan te leggen, na alles wat er is gebeurd.' Hij schudde zijn hoofd. 'Het moet een hele schok voor je zijn geweest. Voel je je erg gekwetst?'

'Niet op de manier die jij bedoelt, Richard. Kwaad, ja. Ik... ik had 'm wel kunnen slaan.' Ze glimlachte. En hierop zei hij: 'Dat had je moeten doen, liefst met iets hards.'

'Het was hard genoeg. Het was een bronzen beeld.'

Hierop glimlachte hij breed, zodat zijn witte tanden te zien waren, en hij lachte hardop toen hij zei: 'Ik kan me jou niet zwaaiend met een bronzen beeld voorstellen.'

'Je zou verbaasd hebben opgekeken.' Haar gezicht stond effen en haar toon was kalm toen ze zei: 'Kun jij begrijpen waarom ik in de eerste plaats aan hem dacht? Weet je, het was het enige thuis dat ik ooit had gekend. En dan was er het kind, en dan was er iemand anders van wie ik hield.'

'Iemand anders?'

'Ja.' Ze knikte. 'Maar... maar hij had me niet gevraagd.'

'Nou, dan was het een stommeling.'

'Dat zou ik niet willen zeggen.'

'Weet hij van de situatie waarin jij verkeert?'

Ze knikte. 'Ja, daar weet hij van,' zei ze.

'En hij heeft er niets aan gedaan?'

'Nee, nee.' Ze schudde haar hoofd en sloeg haar ogen nu neer. 'Weet je, ik heb een keer per ongeluk een gesprek afgeluisterd dat hij met zijn moeder had, en ik denk dat zij graag had gewild dat hij me ten huwelijk vroeg, maar hij zei dat hij dat niet wilde doen.' Ze sloeg haar ogen op. 'Hij zei dat hij me nooit zou vragen.'

Ze zag hoe hij zijn ogen stijf dichtdeed en met zijn tanden over zijn gehavende onderlip ging. Toen ging ze verder: 'Dus zit er voor mij niets anders op dan hem te vragen. Wil je met me trouwen, Richard?'

Hij boog zijn hoofd, maar hij zei niets. En haar stem klonk zacht en smekend toen ze zei: 'Alsjeblieft, alsjeblieft, Richard. Ik... ik besefte niet dat ik zoveel van je hield, tot ik bij het station door Jean werd opgehaald en zij de hele weg over jou zat te praten. Ik dacht toen dat jullie met elkaar gingen trouwen. Op dat moment besefte ik dat de gevoelens die ik voor jou koesterde veel sterker waren dan alles wat ik ooit eerder had gekend. Ik hield van Andrew, maar dat was nog het meisje in me. Ik zal altijd liefde voor Andrew blijven voelen, vanwege zijn kind, maar wat ik voor jou voel, Richard, is de liefde van een vrouw, van een volwassen vrouw.'

'O Lizzie!' Ze voelde hoe zijn hele lichaam trilde toen hij zich tegen haar aan liet vallen en zijn gezicht in haar hals begroef. Ze bleef hem stevig vasthouden tot hij haar van zich af duwde en haar met snel knipperende oogleden aankeek en zei: 'Kijk eens heel goed, Lizzie, kijk eens heel goed. Ik zal nooit veel anders zijn dan zoals het nu is. Ja, ze hebben mijn oog en mijn mond een beetje rechtgetrokken, en ze zijn nu bezig met mijn oor, maar de littekens zullen altijd blijven, dat strakke zal altijd blijven. Ik zal je nooit met twee wijdopen ogen aan kunnen kijken. Dus Lizzie, kijk eens goed.'

'O Richard, doe niet zo dwaas. Ik heb je heel vaak aangekeken, vanaf het eerste moment dat ik je heb gezien, en ik zie de littekens. Ik zie ze allemaal. Maar ik zie ook wat erachter zit. Het is vreemd,' – ze glimlachte even – 'maar ik kan me niet voorstellen dat je er anders uit zou zien, en ik houd van je zoals je bent. Echt waar, Richard, ik houd van je.'

'O liefje, mijn liefste. Lizzie. Lieve Lizzie.' Hij drukte haar stijf tegen zich aan, met zijn hoofd weer op haar schouder.

Toen ze hem bij zich wegduwde en zijn gezicht in haar

handen nam, keek ze hem even recht in de ogen voor ze langzaam haar mond op de zijne legde, en hij reageerde alsof hij elektrisch werd geladen, met zo'n heftigheid dat ze even het gevoel kreeg dat ze zou stikken door gebrek aan lucht.

Na die kus leunde hij achterover op de sofa, met zijn armen slap op zijn dijbenen, zijn hoofd naar voren, en hij stamelde: 'Vergeef me, ik gedraag me als een dolle stier. Maar... maar het is allemaal zo lang geleden, en... en ik heb zoveel aan je gedacht. Ik zal proberen me niet weer als een wilde te gedragen.'

Ze schoof wat dichter naar hem toe en legde haar wang tegen de zijne, en hij sloeg zijn armen behoedzaam om haar heen en zei: 'Ik kan het gewoon niet geloven, weet je dat wel? Ik kan het gewoon niet geloven. Ik word vast zo weer wakker, en dan weet ik dat het weer een droom was. Ik heb heel verschillende dromen gehad: óf ik bedrijf de liefde met een heel mooie vrouw,' – hij drukte haar even tegen zich aan – 'óf ik lig moord en brand te schreeuwen in mijn bed met mijn handen aan mijn hoofd, en mijn vader en moeder proberen me wakker te maken... Ben jij voorbereid op een aantal slapeloze nachten? Want ze zullen waarschijnlijk weer terugkomen, die dromen, maar niet die van de mooie vrouw.' Hij glimlachte naar haar.

'Maak je maar geen zorgen, ik zal ze allebei aankunnen. Als het een droom met een mooie vrouw is, zal ik je in je gezicht slaan, maar als het zo'n andere droom is, zal ik een emmer koud water naast het bed zetten, want als je begint te gillen, maak je de baby vast wakker.'

'O, de baby!' Hij ging pardoes rechtop zitten. 'Ik was de baby helemaal vergeten. Hoe noem je haar? Je zei toch dat je haar naar je moeder wilde vernoemen?'

'Ik noem haar Jane.'

'Is ze al gedoopt?'

'Nee. Dus nu zal ik haar Jane Edith noemen.'

'Ja, Jane Edith Boneford, want van nu af aan zal ze mijn dochter zijn. Dat had Andrew vast leuk gevonden.'

'Dank je wel, Richard.' Haar stem was zacht.

'Je hoeft mij echt nergens voor te bedanken, lieverd, want ik zal God tot de dag van mijn dood danken voor jou. Ik ben nooit een man van het gebed geweest, maar wat voor God er ook mag bestaan, ik zal Hem eer bewijzen, omdat jij me weer het gevoel hebt gegeven dat ik een menselijk wezen ben... Lizzie, lieve Lizzie!'